# Okült, Cadılık ve Büyü

# Okült, Cadılık ve Büyü

## RESİMLİ TARİH

Christopher Dell

Çevirenler
Begüm Kovulmaz - Şeyda Öztürk

YAPI KREDİ YAYINLARI

# İÇİNDEKİLER

# Magic Ceremonies.

# Giriş

İster hâlâ varlığını sürdüren, ister uzun zaman önce ortadan kalkmış bütün dünya kültürleri büyülü unsurlar içerir. İnsana görünmeyen güçlerin –ve ezoterik, okült ya da gizemli bilgilerin yardımıyla denetim altına alınan ve iyi ya da kötü amaçlara alet edilen güçlerin– dünyada hüküm sürdüğü düşüncesi, ava çıkanların şansının yaver gitmesini sağlayacak ritüelleri uygulayan Şaman'dan, *Harry Potter* serisinde ya da Tolkien'de karşımıza çıkan sihirbazlık fantezilerine kadar etkili olmuştur.

Bu tür ezoterik ve okült inançlar her yerde karşımıza çıkar. "Okült" kelimesi "gizli" anlamına gelen Latince *occultus*'tan türemiştir. Temelde, günlük varoluşun ötesinde gizli, başka bir dünya olduğu, büyünün bu iki dünyayı birbirine bağlama olanağı sunduğu varsayımını içerir. İki dünya arasında bağlantı kurmak için çok sayıda, farklı araçlara başvurulur: Ritüeller, efsunlar, tılsımlar, seanslar, nekromansi, ezoterik şekiller, simgeler, iksirler, büyülü sözler, vahiyler, kerametler, özel sözler. Bu gizli dünyayla ilişkiye geçmeyi başaranları muhteşem mükâfatlar bekler: Ölülerle iletişime geçme, başkalarının sevgisini kazanma, hayatına istediği yönü verme, hastalıklardan korunma, makrokozmosa bakma hatta büyük tabloyu idrak etme yetisi.

Büyü âlemi eğlence ve eğitim alanlarında da sık sık karşımıza çıkar. Halk masalları ve destanlar aşk büyüleri, düşsel yaratıklar, görünmez güçler, gizli güçleri olan nesneler ve makul bir açıklaması olmayan tesadüflerle doludur. Antik Yunan mitolojisinde Odysseus doğaüstü canavarlarla savaşır ve ölüler diyarına gider, Çin destanı *Batı'ya Yolculuk*'un başkahramanı Sun Wukong adlı maymun sihirli bir demir asa taşır, yolculuğunda karşısına büyülü evler, sihirli manzaralar çıkar. *Binbir Gece Masalları*'nda sihirli nesnelerle dolu bir mağara, Kral Arthur hikâyelerinde büyülü güçleri olan kılıçlar, sihirli kaleler, büyücüler ve tuhaf büyüler vardır. İnsanlar kadim Mısırlılardan bu yana gözbağcılık ve hokkabazlığa meraklı olmuştur – bunlar, bilimin ilerlemesine rağmen ayakta kalmış uygulamalardır.

Yukarıdaki listeden de görüleceği üzere, çeşitli büyü türleri vardır. Gözbağcılığın yanı sıra örneğin, fizikselliğiyle, büyülü sözler tekrar etme ve belirli mekânlarda dans etme uygulamalarıyla diğerlerinden ayrılan "ilkel" Şamanist büyüler de vardır. Daha "incelikli", daha zihinsel bir işleyişi olan, gelişmiş Hermetik geleneği biraz ileride ayrıntılı olarak ele alacağız. Zarar verme amaçlı kara büyü, iyilik amaçlayan ak büyü var.

*19. yüzyılda bir büyü ayininin tasviri. Resmin altında (burada tamamı gösterilmeyen) açıklamada şöyle yazar: "Kadim büyücülerin doğal düzeni bir arada tutan bağları parçalamak ve Cinler Dünyası'yla bağlantıya geçmek amacıyla başvurdukları mistik ritler, ayinler ve efsunların resmidir."*

Gerçek dünya üzerinde etkili olacak şekilde tasarlanmış –büyücüler, cadılar, simyacılar, kozmologlar, Şamanlar, astrologlar ve kahinler ya da falcıların, okült dünyaya erişim sağlayarak değişime yol açmak amacıyla fiziksel araçlara başvurduğu– büyülerin yanı sıra, kişisel gelişimin metaforu olarak kullanılan büyüler var. Bu sonuncunun bir örneği Batılı ezoterik gelenekte karşımıza çıkar. Hermetik düşünce ve astrolojiyi temel alan bu büyüler Hürmasonlardan simyacılara kadar çok farklı grup ve bireyler tarafından benimsenmiş, ne kadar esnek ve kolay uyarlanabilir olduğu görülmüştür.

Romalı siyaset adamı ve âlim Yaşlı Plinius bu uyarlama kolaylığını İS birinci yüzyılda ilk kez dile getirmiştir:

*Büyünün esas kökeninin tıp olduğuna kimsenin şüphesi yok... Sonra... dinin bütün kaynaklarını kendine eklemiştir... Son olarak, dünyanın tamamında etkili olmak için astroloji sanatını da bünyesine katmıştır; dünya üzerinde geleceğine dair bilgi edinmeyi arzulamayan ya da bu bilginin, gökyüzünü gözlemleyerek kesin bir şekilde elde edilebileceğine inanmaya hazır olmayan tek bir insan yoktur. İnsanın bütün hislerini bu şekilde üç koldan kendine bağlayan büyü sanatı öyle bir itibar kazanmıştır ki günümüzde bile dünyanın büyük kısmında etkilidir ve Doğu'nun en yüce krallarına hükmeder.*

## Büyü ve Din

Kati bir büyü tanımında, büyü pratiği bilimsel olmayan ve genelde bir ilahi varlığa hitap etmeyen yöntemlerle kişinin hayatının farklı yönlerini (çevresini, talihini, sağlığını vs.) şekillendirme girişimi olarak nitelenir. Bir başka deyişle, tanrıya dua etmeden ya da ona sığınmadan doğaüstü yollara başvurmak suretiyle dünyayı anlama ve ona etki etme girişimidir büyü. Bu önemli bir ayrımdır çünkü (paganlık döneminde yazan Plinius bu ikisinin temelde birbirine bağlı olduğunu düşünmüş olsa da) büyüyü dinden keskin bir biçimde ayırır. Bir yandan da, büyüyle bağdaştırılan jest ve hareketlerin yüzeysel olarak da olsa dini bir yapıda olması bu ayrımı daha da önemli kılar. İster büyülü sözler söyleme şeklinde olsun, ister kullanılan araçlar ya da uygulamanın yeri ve zamanı açısından, ritüeller büyünün en temel unsurudur. Bununla birlikte, din egzoteriktir (yani çok sayıda insana seslenir) büyü ise ezoteriktir (az sayıda belirli kişiye hitap eder).

Büyü genelde dinle el ele ilerlemiştir, kadim Babilce metinlerde, *Kutsal Kitap*'ta, Musevilik'te ve İslam'da büyücülere rastlanır. En eski dinlerde bile büyücüler konusunda bir kafa karışıklığı söz konusudur – bunların sanatçı mı, bilim insanı mı, rahip

YUKARIDA *Güney Alaska'dan Eskimo Şaman maskesi; takanı başka bir âleme götüreceğine inanılır.* KARŞI SAYFA *Simya geleneklerinde büyücülük bilgilerini başkalarına aktarmak için tuhaf ve şifreli imgeler ve semboller kullanılır. Bu resimde, "beyaz" elementi (cıva) arayan simyacılar resmedilmiş – bu resim zorlu simya sürecinin bir alegorisidir.*

Talismans &
Magical Images
made from
The twenty eight Mansion
of
The Moon
&c. &c.

mi, bilge mi yoksa sahtekâr mı olduğu, Tanrı'nın ya da Şeytan'ın aracıları mı olduğu sorulur. Yunanlar, Mısırlılar ve Romalılar, gerçeklikle fantezinin, ilahi olanla ölümlü olanın arasındaki sınırın sık sık bulanıklaştığı, gözbağcılık numaraları ya da şifa veren büyülerin benimsendiği bir dünyada yaşıyorlardı. Hem Yunan mitolojisi hem de döneminde bir inanç sistemi işlevi gören Roma mitolojisinde büyüye ve ilahi güce yer verilir. Kadim Mısır'da ise ibadet ve büyü genelde birbirinden farksızdır.

Yahudilik'in büyüyle ilişkisi ise daha muğlaktır. Tektanrıcı bir din olduğu için de evrende Tanrı'dan başka güçler de olduğunu kabul etmeye yanaşmaz. Öte yandan, Yahudilik'in mistik damarından Kabala çıkmış ve Batı'da büyü düşüncesinin büyük bölümüne temel teşkil etmiştir.

Hıristiyanlık ve İslam'da ise büyüye büyük şüpheyle yaklaşılır. Genel olarak, Hıristiyanlık her zaman tuhaf ve yabancı unsurlardan kaçınmaya meyletse de İncil'de sadece satır aralarında olsa da büyüye atıfta bulunulur. Nekromansi –ölülerle iletişime geçme– gibi büyücülük uygulamaları (İncil'de de beyan edildiği üzere) mümkün görülse de, günah kabul edilerek yasaklanırlar. Bir azizin ya da Tanrı'nın müdahalesiyle gerçekleşen mucizeler şükranla karşılanmalı ancak başka yollardan gerçekleştirilen büyülerden sakınılmalıdır.

Büyüyle din arasında ayrım yapmak için başvurulan kavramlardan biri, "yapılan işten dolayı" anlamına gelen *ex opere operato*' dur. Burada esas önemli olan, ritüel uygulayan kişinin elde edilecek sonucu müdahale eden bir güce mi yoksa ritüelin gücüne mi atfedeceği sorusudur. Eğer sonuncusu geçerliyse, bu büyüdür. Avrupa'da Reformasyon dönemi olan on altıncı yüzyılda Protestanlar Katolikleri dini ayinlerin *ex opere operato* işlediğine inanmakla, bir başka deyişle, Katoliklik'i, Tanrı'nın şefaatinden çok "büyülü" sözlere ve ritüellere dayanmakla suçladılar.

## Dilin Gücü

Büyü yazıyla da yakından ilişkilidir (aslında, büyük dinlerin çoğunun kutsal bir metni temel alması da bu bağlamda ilginçtir). Modern "gramer" sözcüğü büyü kitaplarını tanımlamak için kullanılan "grimoir" sözcüğünden türetilmiştir, Mısırlı büyü tanrı-

KARŞI SAYFA *Üzerinde "Ayın 28 Menzilinden vs. vs. yola çıkarak çizilmiş tılsımlar ve sihirli resimler" yazan 18. yüzyıldan kalma astrolojik diyagram.*
YUKARIDA *16. yüzyıl tarihli bu Raffaello tablosunda Eski Ahit'teki peygamber Hezekiel'in düşü resmediliyor, bu sahne Yahudi gizemciliğin ilhamlarından biridir.*

sı Thot ise aynı zamanda yazı tanrısıdır. Bu yakın ilişki genelde çoğunluğun okuma yazma bilmediği, kitlelerin bilgiye ulaşımının olmadığı toplumlarda karşımıza çıkar.

On dördüncü yüzyıldan itibaren büyücülük kitabı bulundurmak sık rastlanan bir kovuşturma sebebidir. 1319'da Fransisken papazı Bernard Delicieux, bir nekromansi kitabı bulundurduğu için hapse atılmış; ondan bir yüzyıl sonra Papa Benedikt göçebe Arap kabilesi Sarakenlerden egzotik Doğu'nun saklı bilgilerini içeren benzer bir kitap satın almakla suçlanmıştır. On dördüncü yüzyılda Engizisyon *Kutsal Kitap*'taki Havariler Tarihi'ni kaynak almıştır; bu bölümde, Türkiye'nin güneybatısındaki antik şehir Efes'teki büyücülerin, büyü kitaplarını kendi istekleriyle toplayarak yaktıkları anlatılır.

Ortaçağ'da Avrupa'da simya merakının yeniden alevlenmesi tarihin ilginç tesadüflerinden biridir: Simyacılık, büyü yoluyla ve doğa kanunlarına tamamen aykırı bir biçimde değersiz maddelerin değerli maddelere dönüştürülmesine verilen addır. Bazen mecazi bir niteliği de olan bu süreç on beşinci yüzyıldan itibaren okült merakında patlamaya yol açmış, Rönesans'ta Hürmasonluk ve Gülhaççılık'ın ortaya çıkmasına yol vermiştir.

Özellikle Batı'da büyünün tarihini, *Hermetica*'yı ele almadan tartışamayız. İS ikinci ila dördüncü yüzyıl arasında Mısır'da ortaya çıktığı tahmin edilen bu ezoterik yazılar derlemesi, hemen hepsinde Hermes Trismegistus'un –Üç Kez Büyük Hermes– başrolde olduğu bir dizi diyalogdan oluşur. Bu diyaloglar ilahi güçler ve evrenin düzeninin yanı sıra simya gibi konulara da değinirler. Vahiy edilmiş –ve çoğunluktan gizli tutulan– saklı bilgiler külliyatının merkezinde on beşinci yüzyılın sonunda Marsilio Ficino tarafından Yunancadan Latinceye tercüme edilmiş metinlerden oluşan *Corpus Hermeticum* bulunur.

Yukarıda da belirtildiği üzere, Hermetik gelenek, günümüzde farklı düşünce okullarının toplamından oluşan "Batılı ezoterik geleneği" doğrudan beslemiştir. Batı ezoterizmi araştırmacısı Fransız Antoine Faivre'ye göre bu geleneğin altı belirleyici niteliği vardır:

- Uyuşum: Genelde makrokozmos ve mikrokozmos kavrayışında ya da Hermetiklerin "aşağıda olan yukarıda olan gibidir" sözünde karşımıza çıkan, evrende paylaşılan bağlar olduğu inancı
- Canlı Doğa: Doğanın bütünüyle bilinçli bir düzenin bir parçası olduğu, her şeyin bir yaşam gücünü paylaştığı düşüncesi

YUKARIDA Binbir Gece Masalları*'ndaki sihirli halı. Avrupa'da büyü genelde "egzotik" Şark ülkeleriyle özdeşleştirilirdi.*
KARŞI SAYFA *Hintli bir falcı müşterisinin geleceğini okuyor.*

Der Handschuch Auswendig.

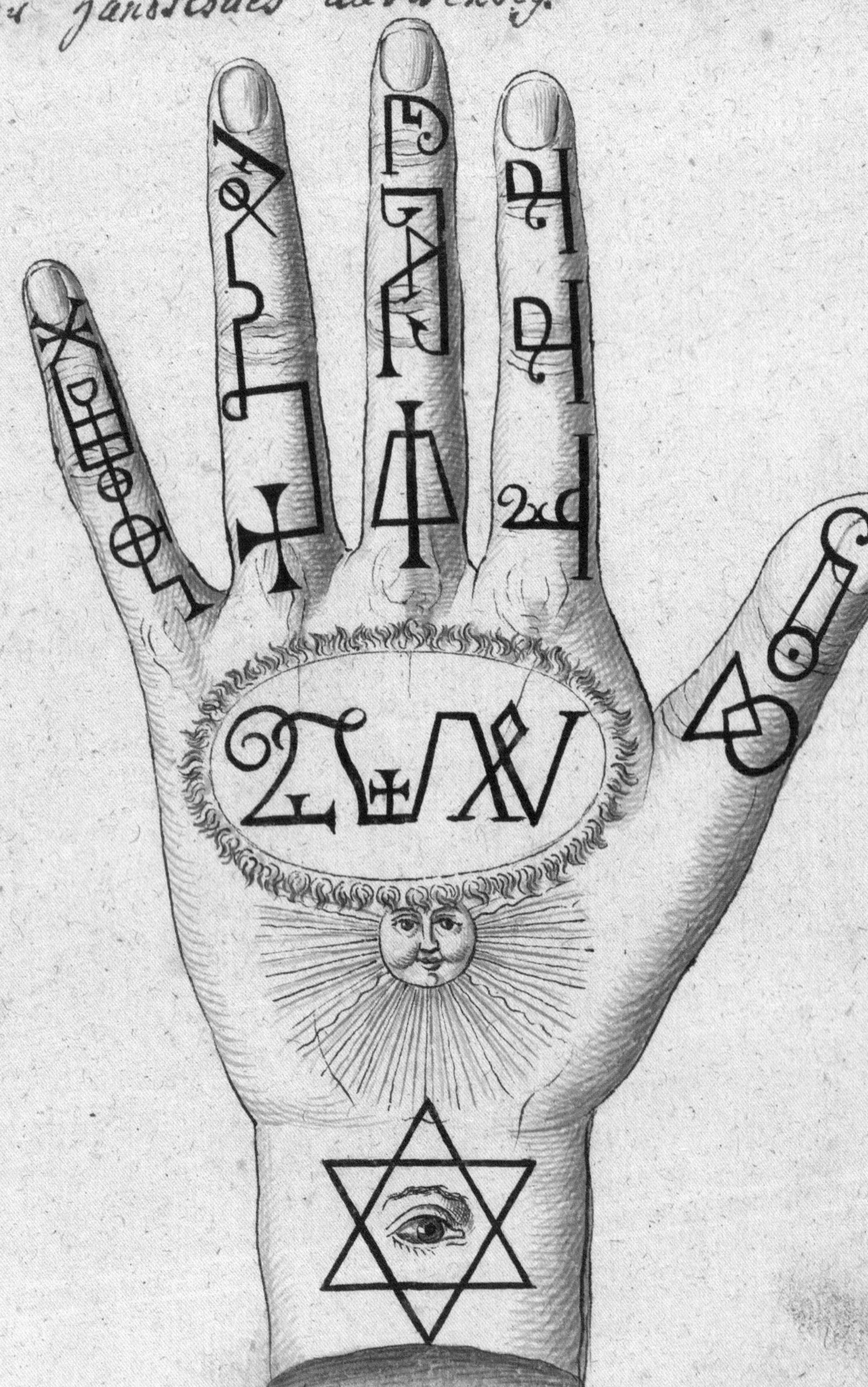

- İmgeleme ve Aracılık: Ritüellerin, simgesel şekillerin ve aracı cinlerin farklı dünyalar ve gerçeklik düzeyleri arasında bağlantı kurabileceği düşüncesi
- Dönüşüm Deneyimi: Ezoterik pratiklerin bireyi dönüştüreceği, onda aslen ruhsal bir dönüşüme yol açacağı düşüncesi
- Uyuşturma Pratiği: Bütün dinlerin, inançların, vs. tek bir esas ilkeden kaynaklandığı, bu ilkeyi anlamanın farklı inanç sistemlerini birbirine daha yakınlaştıracağı düşüncesi
- İletim: Okült bilgilerin üstattan ehil olanlara, genelde bir inisiyasyon süreci yoluyla öğretilmesi

## Bilime Karşı Büyü

Büyünün tarihi bir bakıma insanların saflığının tarihidir. Aydınlanma Çağı'nda –on yedinci yüzyıldan on sekizinci yüzyıla kadar– hüküm sürmeye başlayan rasyonalizm büyünün okült tarafının zayıflamasına, yerine izleyicileri eğlendirme amaçlı gözbağı ve el çabukluğu numaralarıyla sahne sihirbazlığının geçmesine yol açmıştır. Büyü görünürde ehlileştirilerek bir salon eğlencesine dönüştürülmüştür.

Yirminci yüzyıl başının etkili antropologlarından James George Frazer "ilkel" büyünün doğal seyri içinde dine uyacağını, daha sonra da bir bilime dönüşeceğini iddia etmişti. Büyüyle bilim arasında tuhaf bir ilişki vardır. Kadim Mezopotamya ve Mısır'da hastalıkların özel büyülerle iyileştirileceğine inanılıyordu; onlara göre büyü hem bilim, hem sanattı. Okültle yakından ilgilenen Isaac Newton yerçekiminde gözlemlediği "uzaktan etki"ye çok şaşırmış, sihirli bir şey olduğunu varsaymıştı.

Newton çağdaşı olan pek çok insan gibi simyaya çok meraklıydı. Bir başka simya araştırmacısı da yarı-sihirli otomatlar ve Süleyman Tapınağı gibi büyülü yapılara meraklı olan Cizvit papazı Athanasius Kircher'di. Yirminci yüzyıl bilimkurgu yazarı Arthur C. Clarke ise şu meşhur sözü etmiştir: "Hiçbir gelişmiş teknoloji büyüden ayırt edilemez." İngiliz okültçü Aleister Crowley ise büyüyü "insanın kendisini ve içinde bulunduğu koşulları anlamlandırma bilimi" olarak tanımlamıştır – bu da bizi, okültün fiziki dünya üze-

KARŞI SAYFA *18. yüzyıl tarihli, Kabala simge ve mühürleriyle kaplı el resmi.*
YUKARIDA *Goya'nın ürkütücü ve sarsıcı uçan cadılar tablosu, Aydınlanma'nın yerini daha karanlık temalara bıraktığı 19. yüzyılda yapılmıştır.*

rinde etkili olmaktan çok bireyin gelişimine faydalı bir şey olarak gören daha çağdaş anlayışa getirir. Frazer'ın sözleriyle, "büyü hiçbir zaman bilim olmamış, her zaman sanat olmuştur; büyücünün gelişmemiş zihninde bilim düşüncesine yer yoktur" (1890).

Aydınlanma döneminin sonuyla yükselişe geçen Romantik ve Gotik hassasiyetler nekromansiye, esrarlı ve belirsiz olaylara yönelik yeni bir ilgi dalgasına yol açmıştır. Bu dönemde bir yandan da büyü yapma itkisinin kaynağını sorgulayan insanlar ortaya çıkmıştır. Hem Sigmund Freud, hem Carl Gustav Jung insan ruhsallığının bir özelliği olan büyüye ilgi duyuyordu. Maneviyatla yakından ilgilenen Jung 1944'te simya simgeleriyle psikanalitik süreçleri karşılaştırdığı *Psikoloji ve Simya* adlı kitabı yazdı. Jung'un ölümünden sonra yayımlanan ve kendi içsel yaşamına dair gözlemlerini aktardığı *Kırmızı Kitap*'ta İsviçreli psikolog "Büyü akıldışılıkla bağdaşır" der: Rasyonel bir itki değildir ama bu faydasız olduğu anlamına gelmez.

Arada bir Jung'la işbirliğine giden Freud ise büyülü düşünmeyi psikozun bir türü olarak görmüş, büyü yapanların kendi iradelerini dünyaya dayatma girişimlerini tasvir etmiştir. *Psikanalize Giriş Dersleri*'nde (1922) Freud şu iddiada bulunur: "Kelimeler ve büyü başlangıçta birbirinin aynısıydı ve bugün bile büyülü güçlerinden kaybetmiş değiller."

## İçsel Yolculuk

Günümüzde büyü genelde fiziki dönüşümden çok psikolojik dönüşüme ağırlık veren "içsel yolculuk" ifadesiyle tasvir edilir. Simya, zihnin simyasıdır, bilincin katmanları arasından geçerek yükselmektir. Büyünün fiziki bir etkisi olması *gerekli midir*? Büyünün gücünün fiili dışsal değişimlerden değil, içsel değişimlerden geldiğine inanan bir akım da vardır. Modern büyücüler *Hermetica*'ya atıfta bulundukları kadar Jung'a da atıfta bulunur, hipnoz, trans ya da kristal küreyle geleceği görmeye çalışmak gibi yöntemlere başvururlar. Büyü insanlığın ölümlülüğe karşı mücadelesinin bir parçası olarak da görülebilir, bu tanım büyük ölçüde tabu kabul edilen nekromansi için uygundur – on dokuzuncu yüzyıl ortasında yaşamış Fox kardeşler seanslarında başarıyla ölülerle iletişime geçtiklerini iddia ediyorlardı.

Büyünün cazibesinin bir kısmının da insanın "başka" olana, kendi "dışında" kalana duyduğu meraktan kaynaklandığına şüphe yok. Canavarlar gibi büyünün de, erişemediğimiz ve pek anlayamadığımız uzak yerlerde daha güçlü olduğu düşünülür. Antik Yunan tarihçisi Herodotos uzak diyarlarda yaşayan barbarları muhteşem bir şekilde

YUKARIDA *Bilim insanı kimliğiyle tanınan Sir Isaac Newton, büyü kitaplarından oluşan çok büyük bir kütüphane oluşturmuş tutkulu bir okültistti.*
KARŞI SAYFA *Fiziki ve metafizik dünyaların birbiriyle ilişkisini tasvir eden "Ruhun Ağacı" başlıklı şekil.*

*The* TREE *of the* SOUL.

A. de Para d'Hermès

# MAGIE CÉLESTE

SUCCÈS GLOIRE
5
TRIOMPHE RENOMMÉE

CHANGEMENT DÉPLACEMENT
4

ÉCONOMIE INTÉRIEURE
6
TRAVAIL, BONNE CONDUITE

INDUSTRIE COMMERCE
3
AFFAIRES

ACCORD SYMPATHIE
7
BONNE UNION DES CŒURS

2
AMOUR

VIOLENCE TRAHISON
8
MÉCHANCETÉ

1
COURAGE AUDACE

JUSTICE DOMINATION AUTORITÉ DU POUVOIR
9
LOI

FATALITÉ DOMINATION
de la chance ou du hasard
10
FORCE MAJEURE

SAGESSE DIRECTION
de Parents de Vieillards
ou de gens d'expérience
11

POSITION RICHESSE
12
BIEN-ÊTRE

VI MAIN DE SCIENCE

IV MAIN DE COMMANDEMENT

III MAIN D'INDUSTRIE ET DE COMMERCE

II MAIN VIOLENTE

V MAIN AIMANTE

I MAIN D'INCONSTANCE

CHIROMANCIE ASTROLOGIQUE & PHYSIOLOGIQUE.

VII MAIN DE GÉNIE
POÈTE & ARTISTE

JEU NOUVEAU DE BONNE AVENTURE
par les Mains

# CHIROMANCIE

ayrıntılı olarak anlatmış, Yaşlı Plinius ise büyünün –Roma İmparatorluğu'na sınırı olan– İran'da icat edildiğini iddia etmiştir. On dördüncü yüzyılda Haçlı Seferleri'ne çıkanlar Ortadoğu'nun (Yunanca, Mısırca ve İbranice) okült metinlerini Avrupa'ya getirmiş, Ficino'nun saklı bilgiler içeren Yunanca metinleri Latinceye tercüme etmesi Rönesans'ta büyünün canlanmasına yol açmıştır.

On dokuzuncu yüzyılda Avrupa ve Kuzey Amerika okült büyünün yeniden doğuşuna sahne olmuş, önce Hürmasonlar, daha sonra Altın Şafak Hermetik Cemiyeti gibi gruplarda tezahür etmiştir. Bu son örgütün –kadim Mısır'ın ayinlerinden feyz aldıklarını iddia eden– üyelerinin fotoğraflarında gördüğümüz, absürtlük derecesinde gülünç kıyafetleri cazibenin büyük kısmının "başkalık" duygusundan kaynaklandığının açık göstergesidir. Bu örgütün yaklaşımı Kabala, Hint felsefesi, Hermetizm felsefesi, Gülhaççılık, Ortaçağ ve Rönesans'ın ritüel büyüleri ve simyacılığın bir karışımından oluşur.

Bu kitapta büyü kronolojik olarak ele alınıyor. Bunun iki nedeni var. İlki, hemen bütün büyülerin geçmişe bakması ve önceki gelenekleri temel almasıdır (bu gelenekler bazen tamamen uydurma olsa da). Bu bakımdan, kronolojik bir yaklaşım bu farklı geleneklerin birbiriyle nasıl bir ilişki içinde olduğunu daha net bir biçimde görmemizi sağlar. İkincisi, toplumun büyüye karşı tutumunun genelde bir kültürde hâkim olan dine veya felsefeye bağlı olarak zaman içinde önemli ölçüde değişmesidir. Kronolojik bir yaklaşım bu değişimleri uygun bir biçimde keşfetmemizi sağlar.

Ancak bu kronolojik yaklaşım dahilinde, kültürlerarası fikir ve akımları araştıran özel temalara da değiniliyor – örneğin, simya, büyülü varlıklar, büyünün edebiyata etkisi, büyülerin ve büyülü sözlerin rolü. Bu sayede dünya üzerindeki farklı büyü akımlarını bir araya getirebiliyoruz. Bütün kitap boyunca sunulan, büyücülük tarihinin ana figürlerinin biyografileri kitabı tamamlıyor.

İnsanlığın büyüden dine ve bilime geçeceğine inanan James George Frazer bugün yaşasaydı büyük bir hayal kırıklığı yaşardı. Bilimin hızla ilerleme kaydettiği ve gizemlerden arındırılmış bir dünyada büyüye olan inanç insanlığın temel özelliklerinden biri olmaya devam ediyor. Dünyada, doğru bilgiyle iyi ya da kötülük için kullanılabilecek, iyi anlaşılmamış güçlerin olabileceği düşüncesi çok yaygın. Tarih öncesinin ilk ritüellerinden günümüzün en görkemli gözbağcılarına, modern cadılığa veya kaos büyüsünün katarsise yol açan ritüellerine kadar büyünün her çeşidi bütün kültürlerde insanları umut ve korku içinde tutmaya ve muhtemelen onları eğlendirmeye devam ediyor.

*19. yüzyıl Fransası'ndan kalma bu "büyü" oyunu, büyünün ana akım bir eğlence haline gelmesiyle kehanete ve ruhsal konulara yönelik ilgide kaydedilen artışı yansıtır.*

Sepulcru Samuelis
A° 1526 marcii 29
L M A

# 1. Kadim Büyü

Kutsal Kitap'*taki Eyn-dor Cadısı baykuş tahtına oturmuş, etrafı şeytani yaratıklarla çevrili. Ölü peygamber Samuel'le iletişime geçmeye çalışan Saul cadıyı ziyaret ediyor.*

İnsanların büyüyle ilişkisini gösteren en eski kanıtlar, güneybatı Fransa'daki Lascaux mağarası gibi yerlerde bulunan duvar resimleridir. Tarih öncesi dönemden kalma mağara resimleriyle büyü arasındaki bağlantıyı ilk kez 1865'te İngiliz antropolog Sir Edward Tylor ortaya attı. Fransız arkeolog Abbé Breuil ise duvar resimlerini av karşısında güç veren 'avlanma büyüleri' diye tarif etmişti. Bu resimler sıklıkla ulaşılması zor, özel yerlere yapıldığından, başka dünyalarla bağlantı kurma çabası olarak da görüldüler. Bu anlamda, Şamanizm'in ilk işaretleri olduklarını söylemek mümkün (bkz. s. 245).

Şamanist mağara sanatının en bilinen örneklerinden biri, Fransa'nın Ariège bölgesindeki Trois Frères mağarasındadır. Mağaranın en derindeki odalarından birinin duvarında, bir "büyücüyü" gösteren şaşırtıcı bir çizim bulunmuştur. Donup kalmış insansı bir figür bize bakmaktadır; boynuzları ve hayvansı yürüyüşüyle alışılmadık bir resimdir bu. Benzer bir çizim Lascaux'da da bulunmuştur ve bu iki resmin trans halindeki Şamanları gösteriyor olabileceği düşünülmektedir.

Büyülü sözler ve büyülerin ilk yazılı kanıtları, mağara resimlerinden binlerce yıl sonra, Sümerler tarafından kaydedildi. İÖ dördüncü ve birinci binyılda Mezopotamya'da yaşayan uygarlıklardan Sümerler, ilk tutarlı yazı sistemini geliştirdiler ve İÖ 2600'lerden itibaren büyülerini yazılı olarak kaydetmeye başladılar. Sümerlerin kültüründe "ak" ve "kara" büyü ayrımı olduğu anlaşılıyor ama okuryazarlık o dönemde sınırlı olduğundan elimize ulaşanlar genellikle tapınağın onayından geçen büyüler olmalı. Sümer kültürü, arkasından gelen Akad, Babil ve Asur kültürlerini etkiledi. Özellikle İÖ 1900'lerden sonraki Babil büyüleri daha anlaşılırdır.

Eski Babillilerin dünyası, her an insanların refahını tehdit eden cinler ve iblislerle doluydu. Özellikle iblisler hastalık nedeniydi – örneğin Lamaştu, hamilelerle bebekleri hedef alırdı. Bu tür yaratıklara karşı uzun, karmaşık büyüler söylenir, tanrılardan yardım istenirdi. Lamaştu'nun günü- müze ulaşan muskaları, insanların ondan korunmak için yine onun suretini kullandığını gösteriyor, en büyük düşmanıysa, bir başka iblis Pazuzu'ydu. Pazuzu'nun çok sayıda apotropaik (kötülüğü veya şanssızlığı uzak tuttuğuna inanılan) heykelciğinin yapıldığı anlaşılıyor.

Büyücülük tehditi de hep vardı. Günümüze ulaşan en tanınmış büyü karşıtı

*Fransa'daki Trois Frères mağarasında, yaklaşık İÖ 13.000'e tarihlenen boynuzlu Şaman ya da "sihirbaz" çizimi.*

metinlerden biri, Akadların *Maklu* (veya "Yakma") serisiydi. Kötülüklerle büyü aracılığıyla savaşmanın yolunu anlatan bir başka ünlü Akad metni de (yine "Yakmak" anlamına gelen) Şurpu'ydu. Astroloji, Mezopotamya'da İÖ ikinci milenyumda ortaya çıktı. Eski Babillilerin batıl itikatları çoktu, sürekli alamet ve kehanet peşindeydiler. Fakat alametlere –şehirlerde birden ortaya çıkan hayvanlar, hareket eden heykeller– sadece *şahit* olanlara bunlardan kötü şans bulaşacağına da inanırlardı.

Babillilerin astroloji ve astronomi de dahil bütün büyü külliyatını Mısırlılar miras aldı. Mısır'da, gezegen gözlemlemeyi de gerektiren kâhinlik, ritüellerle kutsandı. Eski Mısırlılar için dünya büyüyle doluydu ve büyüyle yaratılmıştı. Bu sihirli güce *heka* denirdi ve o yaşayan her şeyin içindeydi.

Eski Mısır'da büyü, genellikle metalden veya fildişinden yapılma asalar taşıyan rahiplerin göreviydi (ama zaman içinde büyü uygulamalarını *hekau* denen profesyonel büyücüler üstlendi). Mezopotamya'da olduğu gibi eski Mısır'da da okuryazarlık sınırlı olduğundan yazılı büyüler çoğu insan için gizemli ve uzaktı. Mısır'da büyüler şafakta, doğan güneşle birlikte yapılırdı.

Eski Mısır'da büyü hakkında bilgi alabildiğimiz kaynaklardan biri, İÖ on altıncı ve yirminci yüzyıllar arasında yazıldığı tahmin edilen Westcar Papirüsü'dür. Bugün Berlin Mısır Müzesi'nde bulunan papirüs, Firavun Keops ile Büyücüler'in öyküsünü anlatır. Öykü, bir hayvanın kopan başını yerine takan hayali büyücü Dedi hakkındadır. Ancak Dedi'nin –el çabukluğuyla marifet yapan– bir gözbağlamacı mı yoksa hakiki bir büyücü mü olduğu açık değildir.

Eski Mısırlılara göre bilgi, tanrı Thot'tan geliyordu. Thot yalnızca büyü değil, bilim, yazı ve matematik tanrısıydı ve onun sayesinde bu disiplinler birbirine yakın kaldı. Thot'un bilgeliği, Nil'in altında gömülü olduğu ve bir büyüyle korunduğu söylenen yarı kurmaca Thot Kitabı'na aktarılmıştı.

Mısır'ın Büyük İskender tarafından fethi bu büyük uygarlığın sonunu getirdi. Ancak bu fetih, büyünün geleceği açısından son derece önemli, yeni ve bağdaştırıcı bir düşünce ve din biçiminin de başlangıcı anlamına geliyordu. Helenistik Dönem'de (İÖ dördüncü ve birinci yüzyıllar) Thot, Yunan tanrısı Hermes'le öz-

*Kadim Mısır'dan kalma, üzerine taşıyıcısına şans getirecek yazılar kazılı tılsım.*

deşleştirildi; hatta önceden Thot'la ilişkilendirilen şehre Hermopolis Magna adı verildi. Ancak daha önemli Hermetik papirüsler –*Hermetica* da bunlardan biridir– çok daha geç tarihlere, İS ikinci ve dördüncü yüzyıllara aitti.

Bu döneme dek dinlerin çoğu panteistikti fakat Musevilik'in doğumu tektanrıcı düşüncenin yükselişi anlamına geliyordu. Tektanrıcılık büyü ve büyücülük için yeni zorluklar demekti. *Kutsal Kitap*'ta büyünün geçtiği ilk yerlerden biri, Mısır'dan Çıkış 7'de, Harun'un Mısırlı büyücülerle güçlerini yarıştırdığı sahnedir (bkz. s. 48). *Kutsal Kitap*'ta büyüden çoğunlukla onu yasaklamak amacıyla söz edilir. Mısır'dan Çıkış 22:18 ("Büyücü kadını yaşatmayacaksınız") ve Yasa'nın Tekrarı 18:10-11 bunun örnekleridir:

> Aranızda oğlunu ya da kızını ateşe kurban eden, falcı, gözbağcı, büyücü, muskacı, medyum, ruh çağıran ya da ölülerin ruhlarına danışan kimse olmasın.

Aslında, ölülerin ruhlarına danışma *Kutsal Kitap*'ın ilk bölümlerinde, 1. Samuel 28'de karşımıza çıkar. Filistinlileri yenmenin yolunu arayan Saul Tanrı'ya yakarır ama ne rüyalar yoluyla ne de Utim ve Thummim aracılığıyla yanıt alır (bkz. s. 50). Danışmanlarından kendisine bir medyum bulmalarını isteyince Eyn-dor Cadısı'na (Eyn-dor Medyumu olarak da bilinir) yönlendirilir. Eyn-Dor Medyumu ölen Samuel'in ruhunu çağırır. Büyü burada Tanrı'yla "doğru" iletişim kurma biçiminden uzak, alışılmış olanın dışında bir araç olarak kullanılır. Samuel'in ruhu onu rahatsız ettiği için Saul'ü azarlar ve İsraillilerin Tanrı'nın emrine karşı çıktıkları için cezalandırılacağını söyler; tahmin edilebileceği gibi, ertesi gün İsrailliler bu hataları için cezalandırılırlar.

YUKARIDA *Kadim Mısır'dan kalma bir cippus taşı (ya da küçük ve alçak bir sütun). Akrepleri, yılanları, bir antilobu ve bir aslanı idare eden Horus'un resmedildiği ve büyülü özellikleri olduğu rivayet edilen bu taş yırtıcı hayvanları uzakta tutmak için kullanılırdı.*
KARŞI SAYFA *İsveç, Tanum'da bulunan Bronz Çağı'ndan kalma bu mağara resminde bilinmeyen bir büyü ayini resmedilmiştir.*

*Kadim Babil'de gelecekten haber vermek için koyun karaciğerine başvurulurdu. Üzeri büyülü formüllerle kaplı bu tuhaf kil karaciğer muhtemelen eğitim amacıyla kullanılıyordu.*

# MEZOPOTAMYA BÜYÜSÜ

Fırat ve Dicle nehirleri arasındaki Mezopotamya bölgesi günümüzde Irak sınırları içinde kalır ve geçmişte Babil, Sümer, Asurlu ve Akad uygarlıklarına ev sahipliği yapmıştır. Mitolojileri büyük ölçüde ortak olan bu uygarlıklar astroloji ve yazıyı icat ettiler.

Mezopotamya'da bulunan en eski büyüler hastalıkları iyileştirme, kötülüğü kovma büyüleriydi ama İÖ 1500'lerde bunlara âşık etme ve savaş kazanma büyüleri de eklendi. Büyü ve dinin bu kadar iç içe geçtiği bir toplumda, büyünün kendiliğinden mi yoksa tanrıların müdahalesiyle mi gerçekleştiği ilginç bir sorudur. Büyülerin çoğu "Bu büyülü sözler bana ait değil" diyen sakınma sözcükleriyle biterek gücü tanrılara atfeder. Din ve büyü ayrılmaz haldedir.

*Babil'den kalma gizemli bir büyülü figür tasviri – "Gecenin Kraliçesi" adıyla da bilinir. Kanatlar ve pençeleri olan ve baykuşlardan destek alan bu dişi figür doğaüstü âlemle bağlantı içindedir.*

*Kadim Mezopotamya'dan kalma* Maklu *tabletlerinden biri; tablette cadılığa karşı uzun ve karmaşık bir ritüel açıklanmaktadır.*

Mezopotamya büyüsünün günümüze ulaşan en önemli örneği, Akad kültürüne ait olan, dokuz taş tablete kazınmış büyücülük karşıtı büyülerden oluşan *Maklu*'dur. Yaz aylarında bu büyülü sözler söylenirken büyücüyü tasvir eden bir heykelcik önce yakılır, sonra boğulur, sonra parçalanırdı. Aşağıdaki bölüm V. Tablet'ten alıntıdır:

Cadımla büyücüm taş yığınının arkasında gölgede oturuyorlar.
Orada oturmuş bana büyü yapıyor, beni gösteren tasvirler yapıyor.
Kekik ve susam kullanacağım sana karşı,
Büyülerini dağıtacak, sözlerini ağzına geri tıkacağım!
Yaptığın büyü seni bulsun,
Yaptığın tasvirler seni göstersin,
Çektiğin su kendi bedeninden gelsin!
Büyülerin bana yaklaşmasın, sözlerin bana ulaşmasın.

Cadılık suçlamaları, başkasını cadılıkla suçlayan kişinin de karşılığında cadılıkla suçlanma olasılığı olduğundan nadiren yapılıyordu. Birinin cadı olup olmadığını anlamak için Babilliler şüpheliyi suya atıyor, suda boğulanların cadı olduğuna hükmediliyordu.

*19. yüzyıldan kalma bu oymada bir kral, Asurlu tanrılar ve kanatlı "cinler" huzurunda geleceğe dair kehanette bulunmaktadır.*

*Roma ebediyet tanrısı Aion, Zodyak burçlarıyla bezeli bir çemberin içinde duruyor, etraftaki kuru ve bol yapraklı ağaçlar ise sırasıyla yaz ve kışı temsil ediyor. Dört çocuk figürü de muhtemelen dört mevsimi temsil ediyor.*

# ASTROLOJİ VE BÜYÜ

Yıldızların hareketlerini ve göğün tanrıların katı olduğu inancını göz önünde bulundurunca, insanların tarih öncesi çağlardan bu yana gökyüzünden anlam çıkarmaya çalışmasının nedenini anlamak kolaylaşıyor. Astroloji ilk olarak Mezopotamya'da, İÖ ikinci milenyumda ortaya çıktı ama kısa süre sonra Çin'e, Mısır ve Hindistan'a, daha sonra Yunanistan, Roma ve Ortadoğu'ya yayıldı.

Astroloji en basit ifadeyle göksel hareketlerden geleceği okuma yöntemidir. Temelinde, dünya da dahil olmak üzere bütün göksel cisimlerin birbiriyle bağlantılı olduğu ve birbirini etkilediği görüşü vardır.

Astroloji disiplininin en yaygın biçimi "güneş burcu" astrolojisidir, güneş burcu astrologları güneşin belli bir anda on iki yıldız kümesinin –Koç, Boğa, İkizler vb– hangisinden geçtiğini gözlemler. Bu yıldız kümeleri hep birlikte Zodyak ya da burçlar kuşağını oluştururlar. Astroloji açısından önem taşıyan diğer önemli unsurlar gezegenlerdir. Klasik sistemde, yedi gezegen vardır: Güneş, Ay, Merkür, Venüs, Mars, Jüpiter ve Satürn.

Denon del!
J. Chapman sc.
Planisphere taken from the Temple of Tentyra.
London Published as the Act directs May 5th 1804 by J. Wilkes.


*Mısır, Dendera'daki Hathor tapınağının tavanında bulunan 19. yüzyıl tarihli bu bas-rölyefte Dendera Zodyak'ı resmedilir. Kadim zamanlardan günümüze kalmış tek eksiksiz gökyüzü haritasıdır ve İÖ 50'ye tarihlenir.*

Mikrokozmos-makrokozmos teorisinde (bkz. s. 151), bireyle bütün evren arasında doğrudan bağ olduğuna inanılır. Dolayısıyla, astrolojide bedenin belli bölgelerinin baştan (Koç) ayağa (Balık) belli burçlar tarafından yönetildiğine inanılıyordu. Bu inanç "tıbbi" astrolojiye kapı açtı ve gezegenlerin belli bir burçta olmasının belli tıbbi sonuçları olduğuna inanıldı. Doğum haritaları burçlar kuşağının o anki konumuyla karşılaştırılır, gezegenler de dört suyukla (kan, sarı safra, kara safra, balgam) ilişkilendirilirdi.

Bu inanışlar yüzünden astrologlar bir ameliyatın ne zaman yapılacağına, belli bir prosedürün ne zaman başarılı olacağına karar verir hale geldiler. Bazı yıldız haritaları hastaların ne zaman hacamat edilmesi gerektiğini bile gösteriyordu (hacamat modern öncesi çağlarda çok yaygın bir tıbbi tedavi yöntemiydi).

Büyücülerin çoğuna göre göksel cisimlerle etkileşime geçmek için önce onların işleyişini kavramak gerekiyordu. Rönesans bilgini Agrippa, *De Occulta Philosophia*'da (1533) şöyle diyordu: "*büyü ve astroloji öyle bağlantılı ve iç içe geçmiş haldedir ki, astrolojiye başvurmadan büyüyle uğraşan kişi hiçbir sonuç elde edemez.*"

KARŞI SAYFA *İnsan bedenindeki her uzvun Zodyak'taki bir burcun etkisi altında olduğuna veya onunla ilişkili olduğuna inanılırdı.*
YUKARIDA *Ön planda doğum yapan kadının arkasındaki iki astrolog gökyüzünü gözlemleyerek yıldız haritası çıkarıyor.*

YUKARIDA *Astronomiyle simyanın bir araya geldiği Uraniborg (Danimarka) gözlemevi astronom Tycho Brahe (1546-1601) tarafından kurulmuştur. Gözlemevi Marsilio Ficino'nun belirlediği astrolojik ilkelere göre inşa edilmiştir (bkz. s. 190).*
KARŞI SAYFA *Bir Brahma astroloğu yıldız haritaları ve astroloji metinleriyle.*

Dolayısıyla –aralarında Copernicus, John Dee ve Tycho Brahe gibi isimler olan– büyücülerin ve ilk bilim insanlarının çoğu aynı zamanda zengin ve güçlülerin yıldız haritalarını çıkaran astrologlardı. Yıldız falı genellikle güneşin, gezegenlerin ve yıldız kümelerinin belli anlardaki konumlarını özetleyen astrolojik haritaları temel alır. Bu bilgiyi kullanan astrolog, bir kişinin karakteri ve geleceği hakkında çıkarımlar yapabilir.

İlk astrologlar mesleğe İÖ ikinci milenyumda, Mezopotamya'da başladılar. Eski Yunan ve Roma'da astrologlara, Mezopotamya'nın astrologları ve astronomlarıyla ünlü güney bölgesini –Kalde– kastederek Keldaniler denirdi. Mısır'da çok erken tarihlerde astrolojiyle uğraşıldığına dair kanıtlar da bulunuyor ve Hermes Trismegistus'a atfedilen metinlerde astrolojinin güçlü etkileri görülüyor. Roma İmparatorluğu'nun son dönemlerinde astrologlar epey önem kazanmıştı. İS beşinci yüzyılda bugünkü astrolojiye benzer yöntemler ortaya çıkmıştı artık.

کنک

maestro che aueua nome can

ìgura di cano aster trouatore della

rte magicha.

KARŞI SAYFA *15. yüzyıldan kalma bu tasvirde Zerdüşt büyülü bir çemberin içinden iki iblisle konuşuyor.*
YUKARIDA *17. yüzyıldan kalma simya elyazması Clavis Artis Zerdüşt'e atfedilir ve gizli bilgilerin soyağacını çıkarmak için kullanılır.*

# Zerdüşt

Zerdüştlük dininin kurucusu Zerdüşt (ya da Zarathustra) antik İran'da doğmuştu. Ne zaman yaşadığı tartışma konusu olsa da İÖ 1000 ve 500 yılları arasında hayatta olduğu tahmin ediliyor.

Kral Süleyman gibi (bkz. s. 52) Zerdüşt'ün büyü tarihi açısından önemi de neler yaptığından çok neler yaptığına *inanıldığıyla* ilgili. Eski Yunanlar, Zerdüşt'ü onu güçlü bir büyücüye dönüştüren egzotik ayrıntılarla süslediler. Yunanlar Zerdüşt'ün Keldani olduğuna, astrolojiden anladığına da inanıyorlardı. Zerdüşt'ün takipçilerine *magi* denirdi ve onların da gizli bilgilere sahip olduğu düşünülürdü. İngilizce büyü anlamına gelen "magic" sözcüğü *magi*'den gelir.

Zerdüştlük'le büyü arasındaki ilişkiyi vurgulayanlardan biri de Romalı tarihçi Yaşlı Plinius'tu. İÖ 77-79'da, Zerdüşt'ün büyünün mucidi olduğunu yazmıştı:

> Bu sanatın İran'da, Zerdüşt döneminde ortaya çıktığına kuşku yok... ama yalnızca bir Zerdüşt mü vardı yoksa sonradan aynı adı taşıyan ikinci biri mi çıktı, bu konu hâlâ belirsizliğini koruyor. Felsefenin bütün dalları arasında en bilinen ve faydalı olanın büyü sanatı olduğunu göstermeye çabalayan Eudoksos, bize Zerdüşt'ün Platon'un ölümünden altı bin yıl önce yaşadığını söyler, onun bu iddiasını Aristoteles de destekler.

# ESKİ MISIR BÜYÜSÜ

Eski Mısırlılara göre gündelik hayat kaosun karanlık güçlerinin etkisindeydi ve bu güçleri ne kadar fazla kontrol edebilirlerse o kadar iyiydi. Rahipler tarafından yapılan ritüeller ve büyü –ikincisi *heka* diye biliniyordu– toplumun sorunsuz yönetilmesi için gereklilikti. *Heka* temelde "ruhun etkinleştirilmesi" *(ka)* demekti, burada sözü edilen, tanrıların ruhlarıydı.

İÖ 1187-1156 yılları arasında hüküm süren III. Ramses döneminden kalan kayıtlar, büyünün insanların hayatında nasıl kullanıldığını gösteriyor. Rollin ve Lee papirüsleri kara büyü kullanarak firavunu öldürmeyi planlayan bir grup insanın mahkemesini anlatıyor. Papirüslere göre bu kişiler iksirler ve büyülere başvurmakla kalmamış, zarar verebilecekleri bir firavun heykelini de kara büyü için kullanmışlardı. Bu, ender görülen bir vaka değildi ve zararlı büyü düşman devletlere karşı da kullanılırdı – yabancı liderlerin kuklaları sık sık parçalanır veya yakılırdı.

YUKARIDA *Batlamyos döneminden kalma (İÖ 332-330) büyülü sözler içeren papirüs.*
KARŞI SAYFA *Kadim Mısır'da Horus'un Gözü kötülükleri savuşturmak ve ölümden sonra koruma sağlamak için kullanılan güçlü bir simgeydi. Bu ayrıntı bir mezarda bulunmuş bir çizimden alınmıştır.*

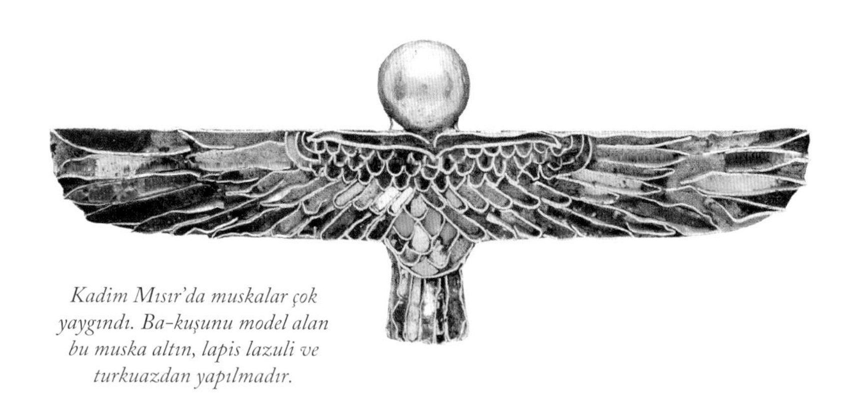

*Kadim Mısır'da muskalar çok yaygındı. Ba-kuşunu model alan bu muska altın, lapis lazuli ve turkuazdan yapılmadır.*

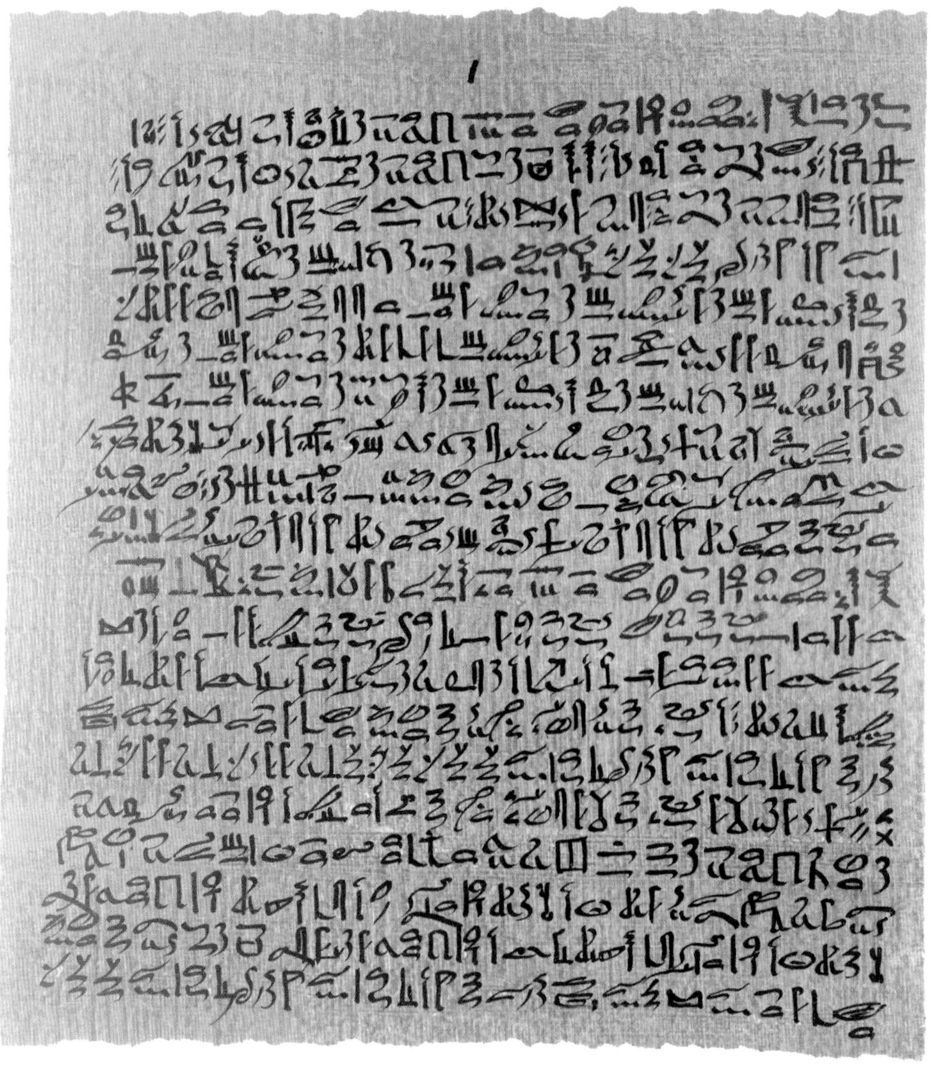

*Yak. İÖ 1500'den kalma Ebers Papirüsü, iblisleri kovmaya yarayan büyülü formüller ve tıbbi bilgiler içerir.*

Tıp ve büyü eski Mısır'da birbirinden ayrılmaz haldeydi. Doktorlar hastalarını tedavi ederken sık sık büyülere başvururlardı. Yazılı büyü koleksiyonları çok değerliydi ve kuşaktan kuşağa miras bırakılırdı. Bundan başka, Mısırlılar muskalara da çok düşkündüler.

Eski Mısır'da hayatın sonu da büyüyle gelirdi. Zenginler, öbür dünya hakkında ezoterik bilgiler veren *Ölüler Kitabı*'yla birlikte gömülürdü. Kitapta, ahirete kabul edilmeden önceki yargılanma sürecinde faydalı olabilecek büyüler de vardı.

*Ölüler Kitabı'nın bir kopyasından Anubis ve Hunefer, Osiris ve Horus'la birlikte. Bu tür papirüslerde ölümden sonra hayatta yolculukta yardımcı olacak büyüler bulunur.*

*Çok sayıda Horus Gözü içeren Mısır muskası.*

# MUSKALAR VE TILSIMLAR

Büyü ve büyücülüğün ilk örneklerinden olan muskalar dünyanın her yanında karşımıza çıkar. Kötülüğü uzaklaştırdığına inanılan muskaları kişi üstünde taşır veya boynuna asar. Yaşlı Plinius, *Doğa Tarihi*'nde (İÖ birinci yüzyıl) muskayı "taşıyanı beladan, fenalıktan koruyan nesne" diye tarif eder.

Bazı malzemelerin doğası gereği büyülü olduğuna inanılır. Eski Yunanlar ve Romalılar, değerli taşlardan bazılarını belli tanrılarla özdeşleştirmişlerdi. "Ametist" sözcüğü büyük olasılıkla Yunanca "sarhoş değil" anlamına geliyor, çünkü Eski Yunanlar bu taşın kişiyi sarhoşluktan koruduğuna inanıyorlardı. Yahudi tarihçi Josephus, İS birinci yüzyılda Harun'un göğüslüğündeki taşları İsrail'in on iki ayı ve on iki kabilesiyle ilişkilendirmişti. Burçlar kuşağıyla ilişkilendirilen uğur taşları günümüzde de popülerliğini koruyor.

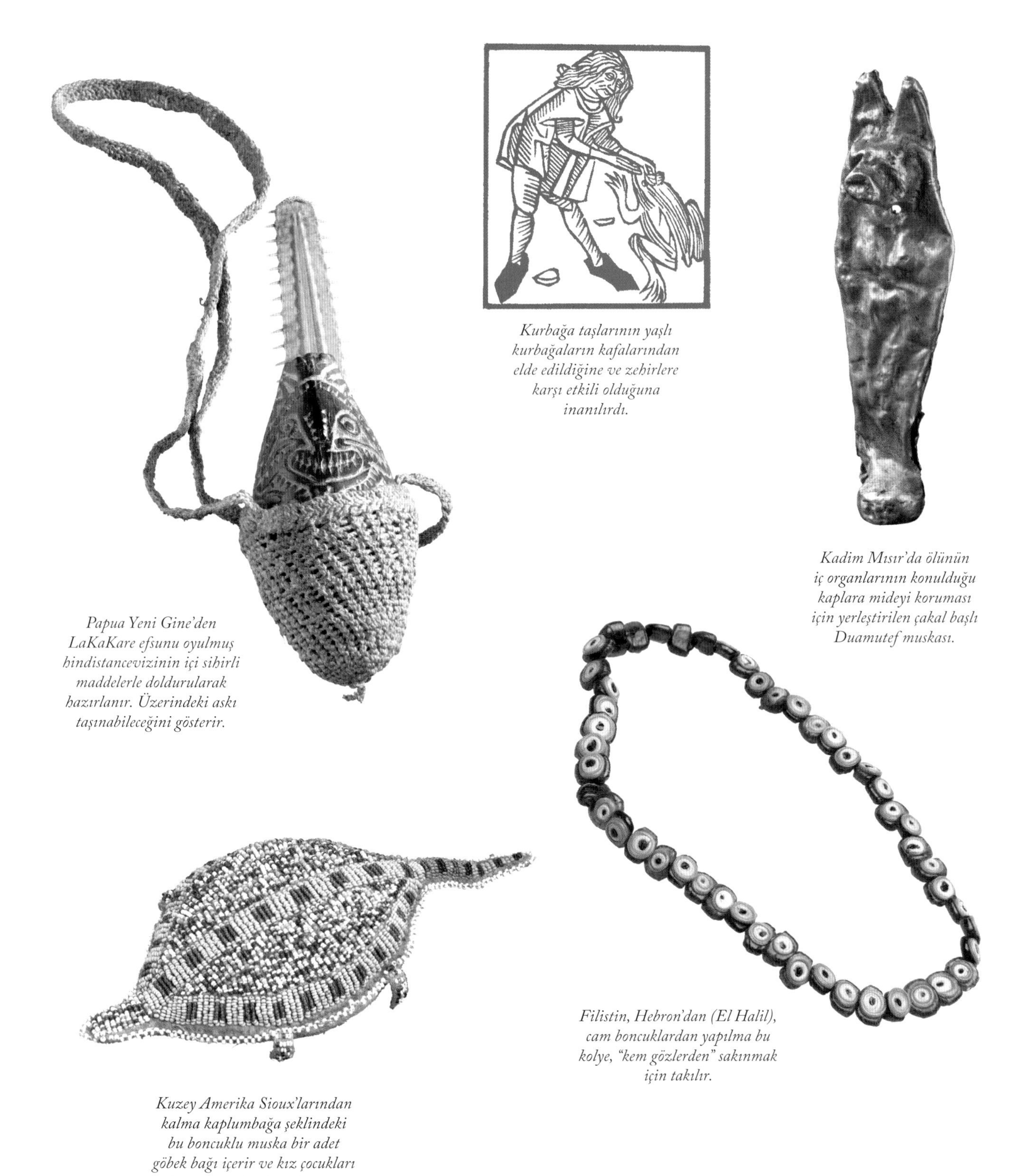

*Kurbağa taşlarının yaşlı kurbağaların kafalarından elde edildiğine ve zehirlere karşı etkili olduğuna inanılırdı.*

*Kadim Mısır'da ölünün iç organlarının konulduğu kaplara mideyi koruması için yerleştirilen çakal başlı Duamutef muskası.*

*Papua Yeni Gine'den LaKaKare efsunu oyulmuş hindistancevizinin içi sihirli maddelerle doldurularak hazırlanır. Üzerindeki askı taşınabileceğini gösterir.*

*Filistin, Hebron'dan (El Halil), cam boncuklardan yapılma bu kolye, "kem gözlerden" sakınmak için takılır.*

*Kuzey Amerika Sioux'larından kalma kaplumbağa şeklindeki bu boncuklu muska bir adet göbek bağı içerir ve kız çocukları hastalıklardan koruduğuna inanılırdı.*

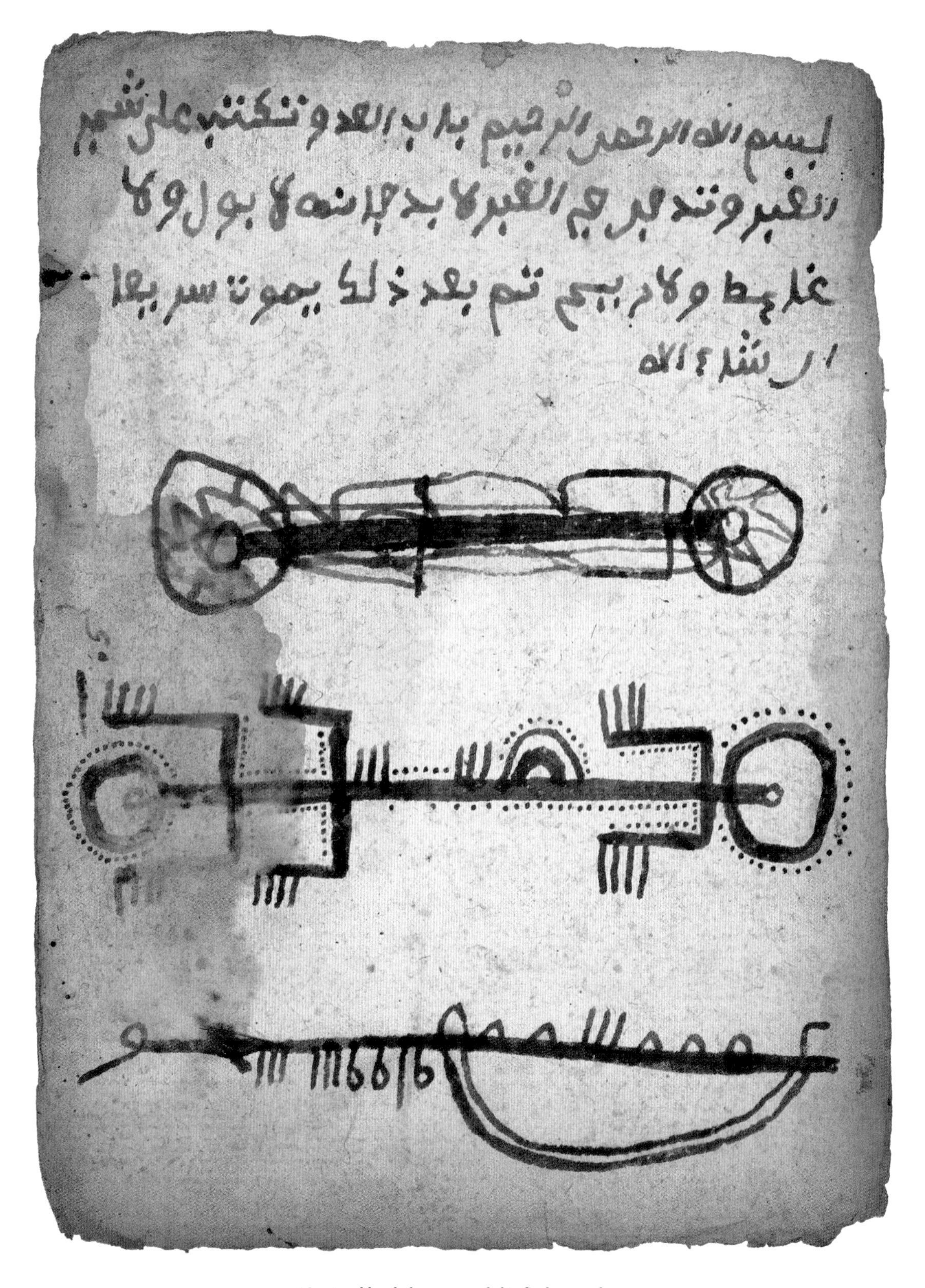

*18. yüzyıldan kalma ayrıntılı bir Sudan muskası.*

*Ester oğlu Davut'un vebadan korunması için yazılmış İbranice muska, solda muskanın deri mahfazası.*

Yahudilik'te resimli tasvirin yasak olması yüzünden muskalar genellikle yazılıdır. Ancak bunlar bile tartışma konusu olmuştu: Ortaçağ'da yaşayan Yahudi felsefeci İbn Meymun, "muska yazanlara" verip veriştirmişti. Bazı muskalarda mühürler – büyülü güç taşıdığına inanılan yazılı veya resimli simgeler de olurdu. Bu tip muskaların ilginç örneklerine grimoire'larda rastlarız: *Süleyman'ın Anahtarı* bunlardan biridir.

Muskaların gücünün kendilerinden kaynaklandığına inanılırken, tılsımlara gücünü *veren* onları yapan kişilerdi. Süleyman'ın Mührü, pentagram ve eski formuyla svastika birer tılsımdır. Tılsımın yaratıldığı anda güçlü bir astrolojik olay olmalıdır, tılsımların gücü bazen yalnızca yapıldıkları tarihten ve zamandan gelir.

*Büyücü John Dee'ye ait balmumundan Tanrı'nın Mührü tableti (bkz. s. 236).*

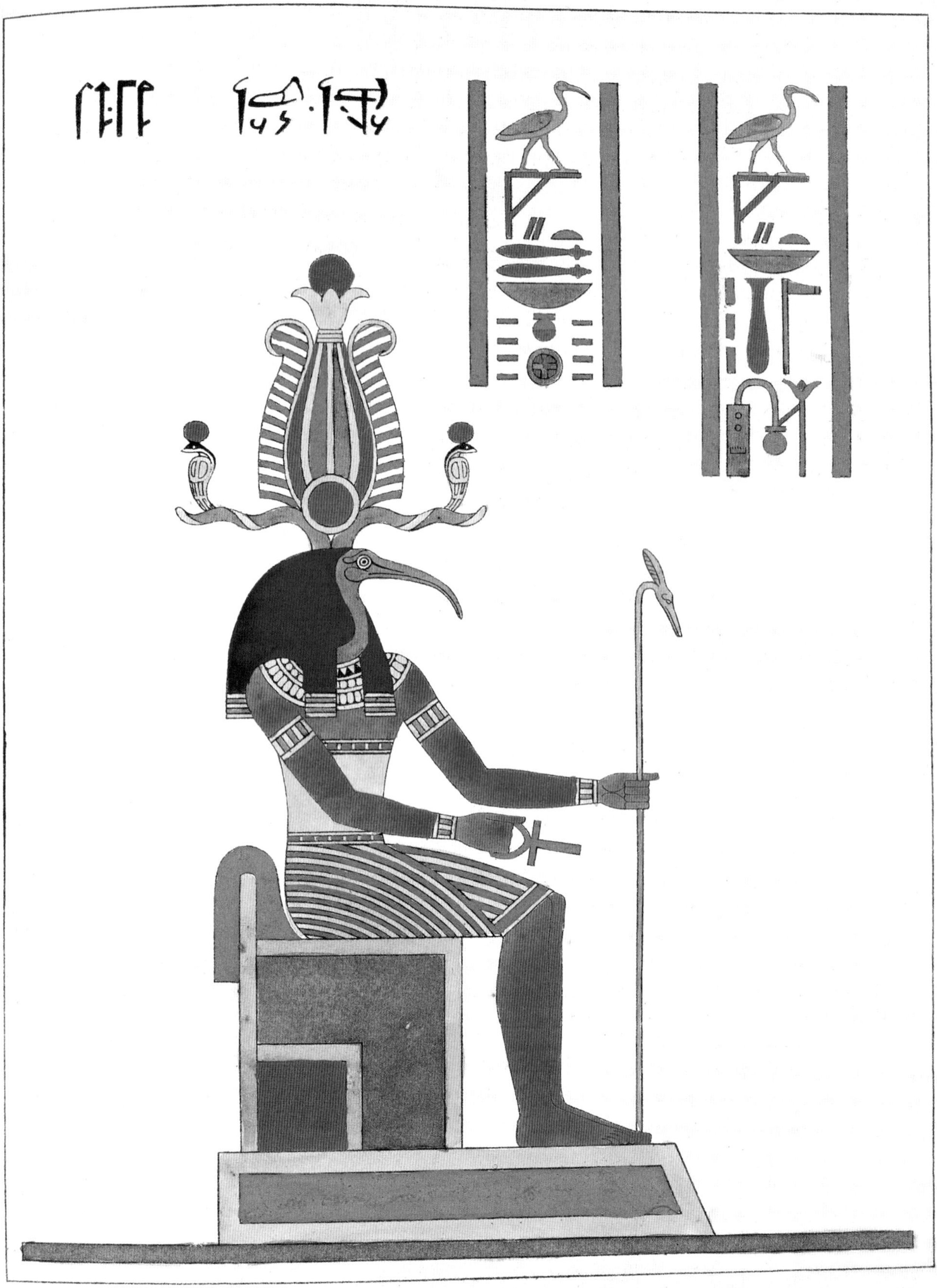

KARŞI SAYFA *İbis kafalı Tanrı Thot.*
SAĞDA *Ay Tanrısı Thot başında Ay bulunan maymun şeklinde, Yazı Tanrısı Thot kâtip şeklinde tasvir edilmiş.*

# Thot

Genellikle ibis kuşu veya babun başlı bir adam olarak tasvir edilen Mısır tanrısı Thot, başlangıçta Ay'la ilişkilendiriliyordu. Ancak ay döngülerinin astrolojide rolü önemli olduğundan, Thot zamanla büyüyle ilişkilendirilir oldu. Ancak aynı zamanda bilgelik tanrısıydı, ölülerin tanrısıydı ve yazının mucidi – tanrıların kâtibiydi.

Thot'un büyü tarihindeki önemi, Mısır'ın Büyük İskender tarafından İÖ 332'de fethiyle başlar. Bundan sonra Thot Yunan tanrısı Hermes'le özdeşleştirildi (Yunanlar kendi tanrılarının yerel muadillerini bulmaktan hoşlanıyorlardı). Yunanlar için Thot yalnızca büyü tanrısı değil, astronomi ve astroloji tanrısıydı. Sonunda, Thot'un Hermes'le özdeşleştirilmesinden yeni bir figür doğdu: Hermes Trismegistus (bkz. s.90). Thot'un ana tapınağı, adı Yunanlarca Hermepolis Magna'ya çevrilen Mısır şehri Khmun'daydı.

Gizemli Thot Kitabı da tanrı Thot'a atfedilir. İlk olarak Batlamyos döneminden kalma kurmaca bir öyküde bahsi geçen kitabın hayvanlarla konuşmayı ve tanrıları görmeyi sağlayan büyüler içerdiği söylenir. O zamandan beri, ezoterik yazılar içeren bütün kitaplar bu adla anılır.

Mısır büyüsü on dokuzuncu yüzyılda yeniden popüler olunca Thot'a duyulan ilgi de dirildi. Aleister Crowley'in 1940'larda yazdığı *Thot Kitabı,* Tot destesi denen ve Crowley ile Leydi Frieda Harris tarafından tasarlanan bir Taros kartı setidir.

# ESKİ AHİT'TE BÜYÜ

Büyüden Eski Ahit'te, genellikle cadılık ve büyücülük yasakları şeklinde söz edilir. Büyünün fiziksel varlığına inanıp inanılmadığı, inanılıyorsa ne tür güçleri kullandığı yazılanlardan anlaşılmaz.

*Kutsal Kitap*'ta en iyi bilinen iki büyücü Yannis ile Yambris'tir. Eski Ahit'te bu büyücülerin adı geçmez ama Yahudi geleneğinde, Mısır'dan Çıkış'ta (7:10–12) sırasında Musa ile Harun'un karşısında büyü performanslarını sergileyen baş büyücüler olarak tasvir edilirler. Harun asasını yere atınca asa Tanrı'nın inayetiyle yılana dönüşür. Yannis ile Yambris de gözbağcılık yöntemiyle aynısını yaparlar. Yalnızca gözbağcı mıdırlar yoksa güçlerini iblislerden mi alırlar, orası belirsizdir. Sonra Harun'un yılanı, onların yılanını yutar.

*Çıkış kitabı Harun'la Mısırlı büyücüler arasındaki anlaşmazlığı anlatır. Büyücüler önce asalarını yılana dönüştürür (solda aşağıda), sonra nehirlerden kan akıtır (aşağı sağda) ve en sonunda kurbağalarla veba yayarlar (karşı sayfada).*

YUKARIDA VE KARŞI SAYFADA *Eski Ahit'teki bu dramatik nekromansi örneğinde Saul Samuel'i diriltmek için Eyn-dor Cadısı'na başvuruyor. Saul iki tasvirde de dehşet içinde yere yıkılmış haldedir.*

Daniel 2'de, Babil kralı Nebukadnessar gördüğü rüyaları yorumlasınlar diye "sihirbazları, falcıları, büyücüleri, yıldızbilimcileri" çağırtır. Ancak hiçbiri ona yardım edemez, yalnızca esinini Tanrı'dan alan Daniel kralın rüyalarını anlamlandırabilir – Tanrı'nın sahte putlar karşısında yeni bir zaferidir bu.

1. Samuel 14:41'de, ne olduğu belirsiz iki nesnenin adı geçer: Urim ve Tummim. Harun'un göğüslüğünde oldukları söylenen bu iki nesne masumla suçluyu birbirinden ayırmak için bir nevi kura çekmekte kullanılır.

YUKARIDA *Süleyman, mabedinin planlarını inceliyor. Basamakların iki yanındaki altın heykellerin onları tırmanmaya çalışanlara saldıracağı rivayet edilirdi.*
KARŞI SAYFA *Süleyman Ortaçağ'a kadar etkili bir figür olmaya devam etmiştir; bu resim Fransa'daki Chartres Katedrali'ndeki vitraydan alınmadır.*

# Kral Süleyman

İÖ 970'ten 930'a kadar Eski İsrail kralı olan Süleyman, Davud'un oğlu olmasıyla bilinir. *Kutsal Kitap*'ta bilge ve adaletli bir yönetici olarak tanıtılır –Kudüs'ün ilk tapınağının mimarıdır– ama sonunda Tanrı'ya sırtını döner, putperestliğe düşer ve bunun için cezalandırılır. Sonraki yüzyıllarda, Süleyman'ı büyük bir büyücü ve gizemli bilgileri haiz bir kral olarak tasvir eden çok sayıda öykü ortaya çıkmıştır.

Süleyman'ın sihirli bir yüzüğü olduğu söyleniyordu ve bu yüzüğe Süleyman'ın mührü deniyordu. Yüzüğün üstünde Davud'un yıldızı simgesi vardı. Bu motif, daha sonraları Batı'da büyü sembolizminde sık sık kullanılacaktı (bkz. s. 154). İS birinci yüzyıldan itibaren anlatılan daha yeni öyküler, Süleyman'ın bu yüzüğü hayvanları ve hava koşullarını kontrol etmekte kullandığını anlatır.

Doğruluğu tartışma konusu olan Süleyman'ın Vasiyeti'nde, kral bu yüzükle iblisleri yöneterek onlara İlk Tapınak'ı inşa ettirir. Daha sonra bu tapınak bütün Mason localarının prototipi haline gelir. Masonluk'a kabul törenlerinde bugün bile tapınağın inşasını anlatan bölümler yeniden canlandırılır. Süleyman'ın yüzüğündeki motif kimi zaman pentagram olarak gösterilir, bu simge de Batı'da büyüyle ilişkilendirilmiştir. Beş köşeli yıldızın iblisleri uzak tutan bir tılsım olduğuna inanılıyordu.

Süleyman öyle ünlü bir büyücüydü ki, daha sonra yazılan iki büyü kitabı onun adını taşır: *Süleyman'ın Mührü* (on dördüncü veya on beşinci yüzyıldan kalmadır) ve (on yedinci yüzyılda yazılan) *Süleyman'ın Küçük Mührü*. Bu kitaplar gözbağcılık, sihirli nesneler yaratma, sihirli ameliyatlar ve iblislerle meleklerin çağrılması gibi konuları işler.

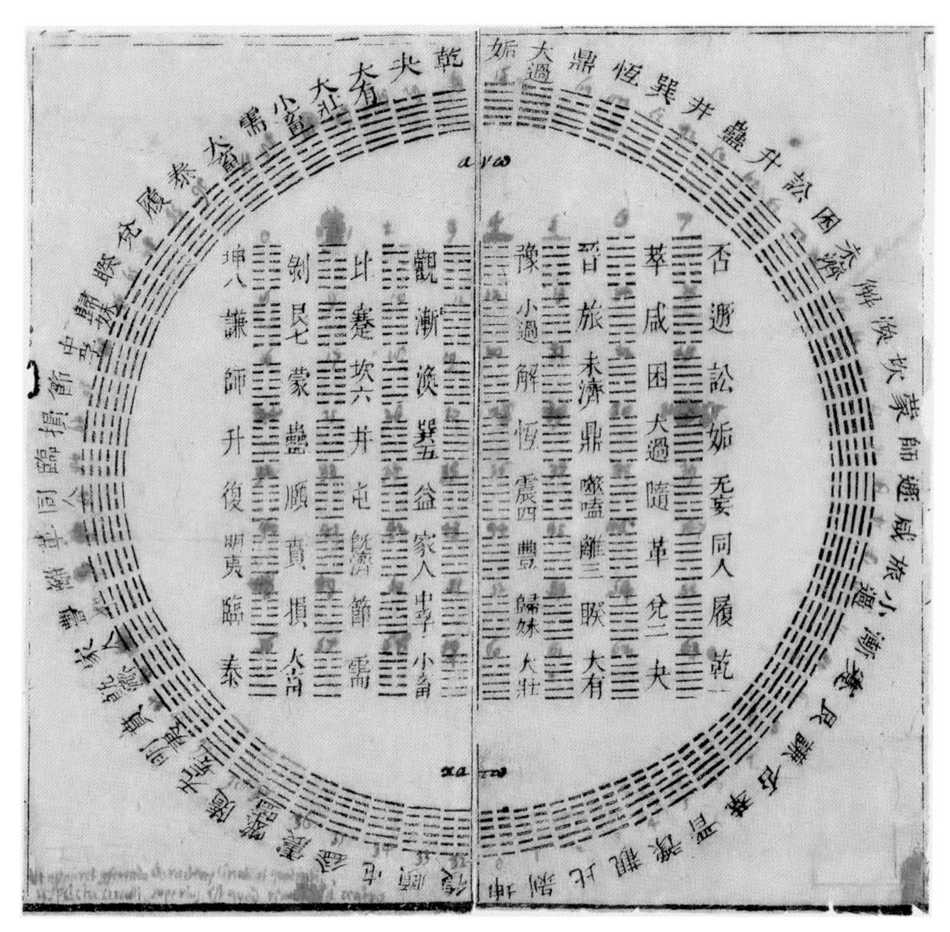

*Alman filozof Gottfried Wilhelm Leibniz'e ait* I Ching *yıldızı şeması.*

# KADİM ÇİN BÜYÜSÜ

Çin'de büyü ve büyücülüğün kanıtları İÖ ikinci milenyumdan itibaren ortaya çıkar. Geleceği görmek ve kehanette bulunmak için kemikler veya kaplumbağa kabukları kullanılıyordu. Cevabı istenen soru bir kemiğin veya kabuğun üzerine yazılıyor, sonra bu kemiğe kan sürülüyor ve kemik ısıtılıyordu. Ortaya çıkan çatlak sorunun yanıtını gösteriyordu.

Çin falcılığının temelinde, büyük olasılıkla İÖ 800'lerden kalan *I Ching (Değişimler Kitabı)* vardı. Kleromansi yöntemiyle –gelişigüzel atılan taşların Tanrı'nın iradesini ortaya koyduğuna inanılıyordu– geleceğin ifşa edildiği *I Ching*'de kesik veya tam çizgilerden oluşan altmış dört tane heksagram vardır. Her heksagram, gelecekte neler olacağını açıklayan bir metinle bağlantılıdır.

Taoizm'in önemli kaynaklarından *Baopuzi,* Jin Hanedanı döneminde bilgin Ge Hong (İS 223-343) tarafından yazılmıştı ve simyacılık, ölümsüzlük, iksirler ve koruyucu mühürler gibi ezoterik konuları ele alıyordu. Örneğin Sıçrayan Sarı Ruh mührünün kişiyi ayı ve kurt saldırısından koruduğuna inanılıyordu. Ge Hong'a göre, mührün dört ana yönde, kişiden birkaç yüz metre öteye, toprağa gömülmesi gerekiyordu.

*Ge Hong'un bir portresi. Tao'nun üstadı olan Ge Hong'un ölümsüzlük ilacını imal ettiğine inanılıyordu.*

*İÖ 2. binyıldan kalma bu öküz skapulası (kürek kemiği) bir "kahin kemiği"dir. Kahin kemikte ısı sonucu oluşmuş çatlakları yorumlar.*

*Kehanette bulunan Çinli Şamanlar, kadim masa oyunu* liu po*'da kullanılan tahtadan yararlanırdı.*

# SİHİRLİ DEĞNEKLER VE ASALAR

Yirminci yüzyılda yaşayan Çek okültist Franz Bardon, asayı "törensel büyünün en önemli yardımcısı" olarak nitelendirir. En eski örnekleri eski Mısır'da bulunan asalar burada genellikle eğimli fildişinden yapılıyor, simgelerle donatılıyordu. Daha sonra Zerdüşti *magi*'ler, kimi zaman geleceği görmek için *barsom* veya *baresman*'ları –deste halinde bağlanmış çubuklar– kullanmaya başladı. Asalar hakkındaki ilk edebi göndermeye Homeros'un *Odysseia*'sında rastlarız – Kirke, böyle bir asayla Odysseus'un adamlarını hayvana dönüştürür. Daha yakın tarihlerde, C. S. Lewis'in Narnia öykülerinde ve J. K. Rowling'in *Harry Potter* serisinde büyülü asaların kullanıldığını görürüz.

Sihirli değnekler ve asalara hem Doğu hem Batı kültürlerinde rastlarız. Büyüyü konu alan en önemli Çin epik öykülerinden *Batı'ya Yolculuk*'ta, Maymun karakterinin büyüyüp küçülebilen sihirli bir asası vardır.

SOLDA *Elinde çubukları bağlayarak yapılan* barsom *adlı asayı tutan Pers savaşçı.*
KARŞI SAYFA Batı'ya Yolculuk*'un bu sahnesinde Maymun Kral asasıyla büyülü güçlere sahip Ay Tavşanı'yla savaşıyor.*

月百姿
玉兎
孫悟空

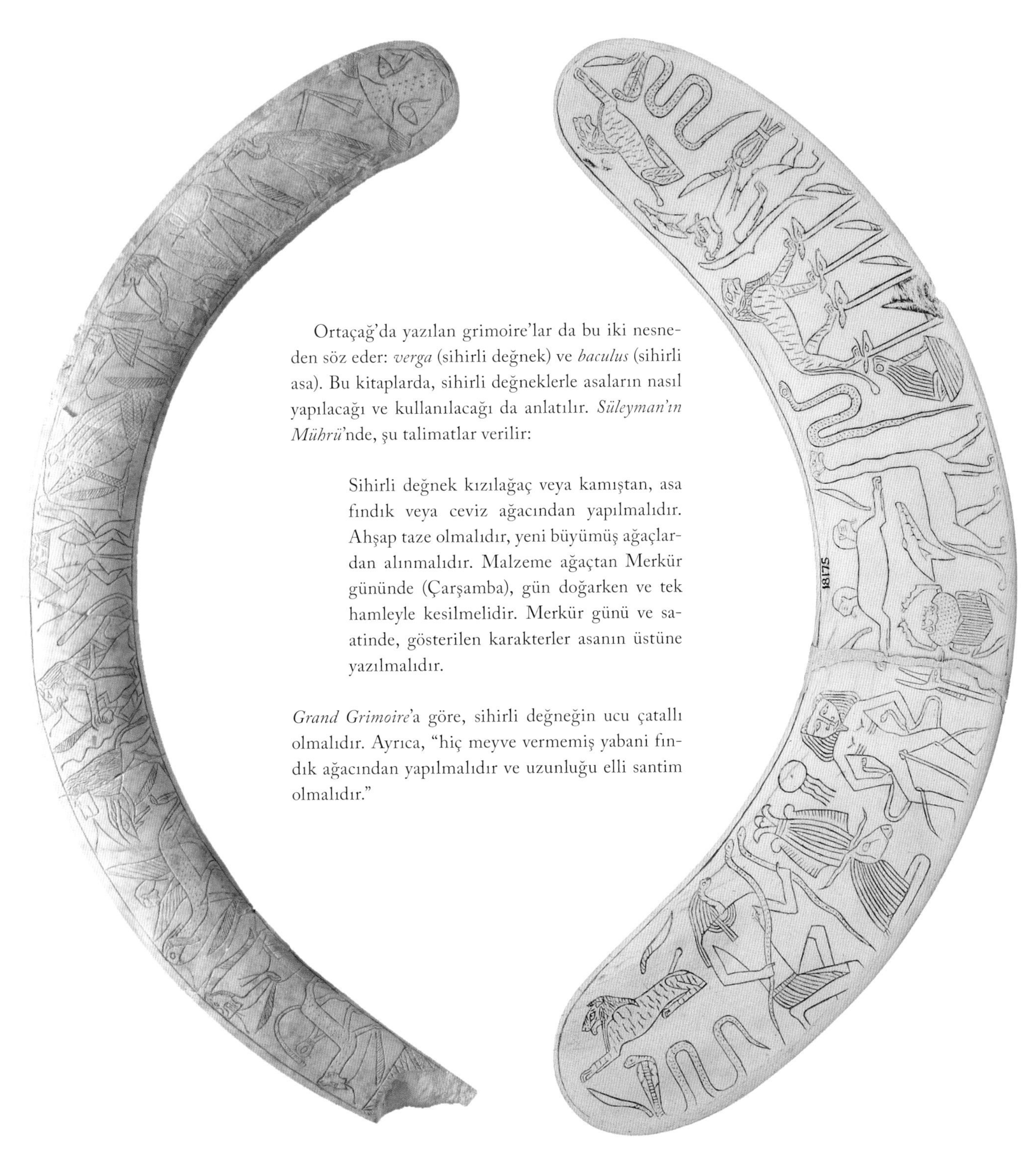

Ortaçağ'da yazılan grimoire'lar da bu iki nesneden söz eder: *verga* (sihirli değnek) ve *baculus* (sihirli asa). Bu kitaplarda, sihirli değneklerle asaların nasıl yapılacağı ve kullanılacağı da anlatılır. *Süleyman'ın Mührü*'nde, şu talimatlar verilir:

> Sihirli değnek kızılağaç veya kamıştan, asa fındık veya ceviz ağacından yapılmalıdır. Ahşap taze olmalıdır, yeni büyümüş ağaçlardan alınmalıdır. Malzeme ağaçtan Merkür gününde (Çarşamba), gün doğarken ve tek hamleyle kesilmelidir. Merkür günü ve saatinde, gösterilen karakterler asanın üstüne yazılmalıdır.

*Grand Grimoire*'a göre, sihirli değneğin ucu çatallı olmalıdır. Ayrıca, "hiç meyve vermemiş yabani fındık ağacından yapılmalıdır ve uzunluğu elli santim olmalıdır."

KARŞI SAYFA *Homeros'un* Odysseia*'sından alınma bu sahnede Kirke (aynada görünen) Odysseus'a bir kupa sunarken diğer elinde büyük bir asa tutuyor. Kirke asasını Odysseus'un adamlarını hayvana dönüştürmek için kullanır.*
YUKARIDA *Kadim Mısır'dan, kötülüğe karşı koruyan iki asa; ikisi de Taweret ve Bes gibi tanrılarla, uraeus'larla (kutsal yılan) ve mitolojik yaratıklarla bezelidir. Bazı figürler kötü ruhlara karşı bıçak taşır. Sağdaki asa anneyle çocuğunu koruması için tasarlanmıştır.*

# 2. Yunan ve Roma Büyüsü

*Cadı Kirke önünde bir büyü kitabıyla oturuyor. Karşısında, hayvana dönüştürdüğü Odysseus'un adamları var.*

Eski Yunan ve Roma'da dinin nerede bittiğini ve mitolojinin nerede başladığını anlamak oldukça zordur. Klasik mitler, örneğin Eski Ahit öyküleriyle karşılaştırıldığında büyü konusunu daha açıkça işler. Mitlerde, tanrıların müdahalesi sonucunda dünyevi şeyler değişip doğaüstü nitelikler kazanır. Romalı şair Ovidius, *Dönüşümler*'de sürekli sihirli bir akış içinde olan bu dünyayı çok güzel bir şekilde tasvir eder.

Eski Yunan, büyü kavramını büyük ölçüde Mısır'dan, Mezopotamya'dan ve Doğu Akdeniz kültürlerinden miras almıştı; Yunanca *magikos* sözcüğü, Zerdüşt'ün müridi anlamına gelen *magos* sözcüğünden gelir. Kendilerinden sonra gelen Romalılar gibi Yunanlar da egzotik ve esrarlı şeylere düşkündüler. Örneğin Pythagoras Orpheusçu, Keldani ve Mısırlı gizem okullarını ziyaret etmiş, bunların okült bilgilerini özümseyerek birleştirmişti. Ona göre tanrısal ve kutsal olan rakamlar yaratılışın temelinde yer alıyordu. Bu tür görüşler sonraları numeroloji denen okült alanın doğuşuna yol açtı.

Eski Yunan'da büyüyle din arasında ayrım yapmak kolay değil. Bazı modern teoriler, büyü uygulamalarının özel alana hapsolduğunu, dinin kamusal alanda boy gösterdiğini öne sürüyor. Ancak büyünün koruyucusu Hekate (bkz. s. 70) de bir tanrıçaydı, demek ki dini gelenekte büyüye hâlâ yer vardı.

Eski Yunan'da büyü tanrılara yakarmanın yerini almadı ama duayı tamamladığı düşünülüyordu. Platon, *Devlet*'teki tasvirinde şöyle der: "Dilenci peygamberler zenginlerin kapısına gidip onları tanrılardan gelen güçleri olduğuna ikna eder, kurbanlar, tılsımlar, kutlamalar ve şölenler aracılığıyla bir kişiyi kendisinin veya atalarının günahlarının kefaretini ödemeye ikna ederler; küçük bir bedel karşılığında düşmanlara zarar vermeyi vaat ederler; büyülü sanatlar ve büyülü sözlerle göklerin iradesini kendi arzuları doğrultusuna kullandıklarını söylerler." Bu alıntıda dinle belli bir bağlantısı olsa da büyü uygulamalarındaki şarlatanlık ister istemez hemen sezilir.

Platon'un sözleri, büyünün gündelik hayatta kullanılabildiğini de gösteriyor. Gerçekten de, eski Yunanlar *agoge* büyülerine düşkündüler – bu büyüler hedef alınan kişinin kendi iradesine rağmen belli biçimlerde davranmasını sağlıyordu. Bazen bu tür büyüler kötücül özellikler taşıyor ve düşmanlara karşı kullanılıyordu ama aşk ve bağlama büyüleri de vardı. Theokritos'un oyunu *Pharmakeutriai*'de

YUKARIDA *Antik Yunan'dan kalma kadehte* (kylix) *Delphoi kâhinine danışan Aegeus tasvir edilmiş.*
KARŞI SAYFA *Deniz tanrısı Glaucus Skylla'nın aşkını kazanmak için Kirke'den yardım istiyor. Burada, Glaucus'a âşık olan Kirke'nin Skylla'yı bir canavara dönüştürmesi tasvir ediliyor.*

(Cadılar, İS üçüncü yüzyıl) ana karakter Samantha bir atletin aşkını yeniden kazanmaya karar verir. Bunun için bir dizi büyülü malzemeden yararlanır: Arpa, defne, buğday kepeği, balmumu, kertenkele ve sihirli bir çark, rombos ve zil. Büyülü sözlerini Hekate'ye seslenerek söyler.

Büyük İskender İÖ dördüncü yüzyılda Yakındoğu'nun büyük bölümünü fethettiğinde, Hellenleştirme denen bir süreci başlattı. Bu sürecin etkisi en çok Mısır'da hissedildi. Yunan felsefesi Mısır gizemciliğiyle birleşerek ilginç sonuçlar doğurdu. Özellikle Hermetik geleneğin doğuşu büyü tarihi açısından önem taşır (bkz. s. 90). İS üçüncü yüzyılda, Yeni Platoncular, Plotinus'un önderliğinde teurji veya tanrıların veya cinlerin büyü aracılığıyla kontrolü konusunu incelemeye başladılar.

Romalılar dinlerini büyük ölçüde Yunanlardan miras almışlardı; onların büyü konusundaki görüşlerini de paylaşıyorlardı. Yunanlar gibi onların da genellikle düşmanları lanetlemek için kullandıkları kendi "düşük seviyeli" büyüleri vardı. Lirik şair Horatius (İÖ 65-8), *Sermonlar*'ın ilkinde daha kötücül eylemleri konu eder: Karakteri Canidia sihirli iksirler yapmak için mezarları kazıp cesetleri çıkarır. Lucanus'un epik şiiri *Pharsalia*'da (İÖ 39-65), Eriktho karakteri bir yeraltı mezarında yaşar, ceset parçalarını toplar ve ölüleri hayata döndürür.

ISIDIS
Magnæ Deorum Matris
APVLEIANA DESCRIPTIO.

Nomina varia Isidis.

Isis
Minerua
Venus
Iuno
Proserpina
Ceres
Diana
Rhea seu Tellus
Pessinuncia
Rhamnusia
Bellona
Hecate
Luna
Polymorphus dæmon.

Explicationes symbolorum Isidis.

A Diuinitatem, mundum, orbes cœlestes
BB Iter Lunæ flexuosum, & vim fœcundatiuam notat.
CC Tutulus, vim Lunæ in herbas, & plantas.
D Cereris symbolum, Isis enim spicas inuenit.
E Byssina vestis multicolor, multiformem Lunæ faciem.
F Inuentio frumenti.
G Dominium in omnia vegetabilia.
H Radios lunares.
I Genius Nili malorum auerruncus.
K Incrementa & decrementa Lunæ.
L Humectat. vis Lunę.
M Lunæ vis victrix, & vis diuinandi.
N Dominium in humores & mare.
O Terræ symbolũ, & Medicinæ inuentrix.
P Fœcunditas, quæ sequitur terram irrigatam.
Q Astrorum Domina.
R Omnium nutrix.
S M } Terræ marisque Domina.

Belki de Roma İmparatorluğu'nun büyüye karşı oldukça katı politikalarının nedeni –abartılı olsalar da– bu tür öykülerdi. Tarihçi Suetonius'a göre, İmparator Augustus İÖ 13'te 2.000 adet büyülü parşömenin yakılmasını emretmiş, İS 16'da astrologlar ve büyücüler Roma'dan sürülmüştü. Tiberus'un hükümranlığı döneminde kırk beş erkek büyücü ve seksen beş kadın büyücü idam edilmişti.

Ancak büyünün daha hoş karşılandığı alanlar da vardı. İS ikinci yüzyıl ortasında Apuleius tarafından yazılan *Altın Eşek,* öykülerde büyü

SOLDA *Roma dini, imparatorluğun uzak bölgelerinden "egzotik" unsurları bünyesine katmaya meraklıydı. Bu resimdeki tuhaf el, antik Trakya'da tanrı Sabazios'a tapınırken kullanılırdı.*
YUKARIDA *Yunan ve Roma imparatorluklarının din, mitoloji ve büyü üzerine düşünceleri iç içe geçmişti. Bu resimde Tanrıça İsis'in farklı adları listelenmiştir.*

kullanımının harika bir örneğidir. Kitabın kahramanı Lucius büyücü olmak ister ama kazara kendini eşeğe dönüştürür. Eski biçimine dönmesinin tek yolu bir gülü yemesidir (gül, sık sık büyüyle özdeşleştirilen bir çiçektir).

İS dördüncü yüzyıla gelindiğinde, Roma İmparatorluğu Hıristiyanlık'ı benimsemişti ve Hıristiyanlık dine karşı yeni bir tavrı beraberinde getirmişti. Tektanrıcı bir din olduğundan Hıristiyanlık büyüyü önemli bir tehdit olarak görmüyordu ama Tanrı'yla birlikte büyünün de var olamayacağı görüşünü savunuyordu. Fakat Yeni Ahit'te ve apokrif metinlerde büyücülerle ilgili öykülere rastlarız. Antakyalı Aziz Cyprian, Hıristiyan olmadan önce iblislerle iletişim içine olan bir okült büyücüsüdür, ölümünden sonra, İS 304'te aziz ilan edilmiştir. Daha sonra, asıl azizle ilgisi olmadığı neredeyse kesin olan kara büyü kitabı *Aziz Cyprian'ın Talimatlari*'yla ünlenmiştir.

*Antik dönemde Yunan ve Romalılar için Mısır, dört bir yanı büyüyle dolu egzotik bir yerdi. Bu resimde tanrıça İsis, Ay tanrıçası İo'yu Mısır'da karşılıyor.*

YUKARIDA *Homeros ve doktoru ziyaret eden Hermes* moly *(bir tür kardelen) adıyla bilinen sihirli otu sunuyor. Odysseus bu bitkiyi Kirke'nin büyülerinden korunmak için kullanırdı.*
KARŞI SAYFA *Yunan mitolojisi çeşitli gerçekdışı yaratıklarla dolu, büyülü bir mitolojidir. Yarı insan, yarı at şeklindeki* kentaur *bu yaratıkların en bilinenlerinden biridir.*

# ANTİK YUNAN DÖNEMİNDE BÜYÜ

Antikçağ'da Yunanistan demokrasi ve matematiğin doğduğu yer olarak bilinse de, Yunanların hayatında mantığın yanında doğaüstü unsurlara da yer vardı. İÖ dördüncü yüzyılda, büyü de kârlı bir ticaret alanına dönüşmüştü. Platon'un *Euthydemos*'ta anlattığı üzere, "Büyücünün sanatı yılan, tarantula, akrep gibi hayvanları efsunlamak ve hastalıkları iyileştirmekti."

Popüler bir büyü yöntemi de istenen büyüyü ince kurşun bir levhaya yazıp levhayı katladıktan sonra çiviyle delmekti. Bu levhalar bazen ölülerle birlikte gömülürdü. Bu tür lanetlerin rakip işadamları ve atletlere karşı, potansiyel bir âşığın sevgisini kazanmak için ve mahkemelik olan davaları kazanmak amacıyla kullanıldığı anlaşılıyor.

Günümüze ulaşan gizemli büyülerden bazıları, Ephesia Grammata adıyla biliniyor. Eski Yunanların bile anlamını çözmekte zorlandığı bu sözcükler, Artemis'in Ephesus'taki tapınağı da dahil olmak üzere pek çok farklı yere kazınmış olarak bulundu. Yüksek sesle söylenince büyülü güçleri olduğu anlaşılan bu sözcükleri, işe yaraması için kusursuz bir şekilde telaffuz etmek gerekiyordu.

YUKARIDA *Ovidius'a göre, Yunan tanrıçası Leto, kuyularından su içmesini engellemeye kalkışan Likyalı köylüleri kurbağaya dönüştürmüştür.*

KARŞI SAYFA *Yunan mitolojisi büyülü yaratıklarla doludur. Altın Post'un peşine düşen İason korkunç Kolkhis ejderhasıyla karşı karşıya kalır. Bazı versiyonlarda Medea'nın büyüsü yardımıyla ejderhayı uyutur; buradaki tasvirde ise ejderha tarafından yutulur ama Athena'nın ilaçlarıyla kurtulur.*

Eski Yunanların dini, kökleri mitolojide olduğu için kaçınılmaz olarak büyüyü de içeriyordu. Tanrıların doğaüstü güçlerinin yanında, antik Yunanistan melez ve olağanüstü yaratıklarla, orman, su perileri ve yarı tanrılarla dolup taşıyordu. Yunan mitolojisinde büyü, dinden bağımsız şekilde işlev görebiliyordu – hatta tanrılar bile bazen büyülerin etkisi altında kalıyordu.

Antikçağ'da Yunanistan'da kâhinlerin de özel bir yeri vardı. En ünlüsü Delphoi tapınağındaki Pythia olan kâhinler aracılığıyla insanların tanrılara danışabileceğine inanılıyordu. Delphoi, Apollon tarafından öldürülene dek toprak ejderi Python'un yuvasıydı. Delphoi'nin dünyanın merkezinde olduğu, dolayısıyla büyülü ve önemli olduğuna inanılıyordu.

YUKARIDA *William Blake tanrıça-cadı Hekate'yi üç vücutlu bir yaratık olarak tasvir etmiştir.*
KARŞI SAYFA *Yunan heykeltıraş Alkamenes'in Hekate heykelinin Roma yapımı heykeli.*
*Üç ayrı yöne bakan figürlerin ikisinin elinde nar, üçüncünün elinde bir meşale vardır.*

# Hekate

Klasik dönem şairi Sappho'nun "Gecenin Kraliçesi" diye nitelendirdiği Hekate, büyünün en önemli koruyucusu olduğu gibi aynı zamanda kavşakların ve ayın karanlık evresinin tanrıçasıydı. Perses ile Asteria'nın kızıydı.

Yunanlar Hekate'ye evlerini koruması için tapınır, kapı girişlerine ölülerin ruhlarını uzak tutsun diye Hekate mabetleri kurarlardı. Hekate'yi ve emrindeki huzursuz ölüleri yatıştırmak için, Yunanlar ayda bir Deipnon kutlaması yapar ve aysız gecelerde dörtyol ağızlarına yiyecek bırakırlardı.

Hekate genellikle üç farklı yöne bakan üç başlı bir yaratık olarak tasvir edilirdi çünkü heykelleri genellikle üç yolun birleştiği kavşaklara konurdu. Bazen de köpek olarak tasvir edilirdi, zaten Hekate'ye kurban edilen hayvanlar arasında köpek de vardı.

Roma panteonunda Hekate'nin muadili yine kavşakların, hayaletlerin ve büyücülüğün tanrıçası olan Trivia'ydı. "Trivia" sözcüğü "üç yol" anlamına gelir ve onun onuruna kurban törenleri yapılan kavşaklara gönderme yapar. Romalı yazar Apuleius, *Altın Eşek*'te Hekate'yi Mısır tanrıçası İsis'le ilişkilendirir.

Hekate son yıllarda yeni pagancılığın önemli figürlerinden birine dönüştü. Dörtyol ağızları ve kavşaklarınsa özellikle voodoo ve Brezilya büyücülük geleneğinde sihirle yakından ilişkili görüldüğünü ayrıca belirtmek gerek.

# BÜYÜLER, EFSUNLAR VE SİHİRLİ SÖZLER

Her türlü büyü için şu ya da bu şekilde dili kullanmaya ihtiyaç vardır. Büyü ritüeli tek başına dönüşümü gerçekleştirmeye yetmez; sihirli sözcükler veya ilahilerle ritüele eşlik edilmesi gerekir. İngiliz okültist Francis Barrett, *The Magus*'ta (1801) şöyle diyordu: "Sözcükler öyle güçlüdür ki, tutku ve azimle telaffuz edildiklerinde doğanın düzenini altüst edebilir, depremlere, fırtınalara, kasırgalara neden olabilirler... Hemen bütün tılsımlar sözcükler olmadan güçsüzdür çünkü sözcükler söyleyenin sesi ve gösterilen ya da hakkında konuşulan şeyin imgesidir."

En ünlü büyü sözcüklerinden biri "abrakadabra"dır. Aramice olduğu sanılan sözcük, "konuşurken var ediyorum" diye çevrilmiştir. İlk olarak İÖ üçüncü yüzyıla tarihlenen bir kitapta geçer ve sıtmaya karşı etkili olduğu gerekçesiyle tavsiye edilmiştir.

KARŞI SAYFA *Bir cadı üçayak üzerindeki kaynar kazanın başında büyü yapıyor. Oda büyü malzemeleriyle dolu.*
YUKARIDA *Ritüeller ve sihirli sözler büyünün temelini oluşturur. Bu şemada, periler kralı Oberon'un ruhunu canlandıracak çemberin nasıl çizileceği anlatılır.*

*Bir ölü diriltme ya da hayalet çağırma seansı tasviri.*

Japon kültüründe, *kotodama* ya da "sözcük cini" kavramına rastlarız. Bu görüş, sözcüklerde ve adlarda mistik güçlerin ikamet ettiğini öne sürer. Batı kültüründeki en ünlü sihirli sözcük örneklerinden biri, Romalıların sator karesidir – sator sözcüğü 5x5 tane karecikten oluşan sihirli bir büyük karenin içinde Latince bir palindrom oluşturur. İlk örneği, Pompeii kalıntılarında bulunmuştur.

Ortaçağ'da sihirli sözcükler ve büyüler grimoire denen büyük büyü kitaplarında toplanırdı. Bu pratik büyü kitapları herkesten gizlenir, içerikleri özenle korunurdu. Bu kitaplar bazen İbranice, Latince, yerel diller ve tamamen uydurma diller de ihtiva ederdi (John Dee'nin Enochian denen "meleksi" dili de böyle uydurma bir dildi; bkz. s. 236) Bazen de kitabın içindekiler Teb alfabesindeki gibi şifreli harflerle yazılırdı (bkz. s. 192).

S A T O R<br>
A R E P O<br>
T E N E T<br>
O P E R A<br>
R O T A S

*Roma Sator Karesi*

*Efsaneye göre, 12. yüzyılda yaşamış, sonradan savaşçı olan mimar Kiyomori, günbatımından önce Miyajima tapınaklarını restore etmeyi vaat etmiştir. Ama vaadini bu sürede yerine getiremeyince güneşin batmasını engelleyecek bir büyü yapmıştır.*

YUKARIDA *Odysseus'un adamlarını hayvana dönüştüren Kirke elinde asasıyla.*
KARŞI SAYFA *Bu Kirke tablosunda Ovidius'un* Dönüşümler*'inden bir sahne tasvir ediliyor. Kirke aşktaki rakibi Skylla'nın yıkanacağı suya sihirli bir iksir karıştırıyor.*

# Kirke

Kirke Yunan büyü tanrıçasıdır, bazen cadı olduğu da söylenir. Güneş tanrısı Helios'un kızı, (Altın Post'u korumakla görevli) Aietes'le (Minotor'un annesi) Pasiphae'nin kız kardeşiydi. Bazı kaynaklarda Hekate'nin kızı olarak geçer. İlk olarak, Homeros'un (İÖ on sekizinci yüzyılda yazıldığı sanılan) *Odysseia*'sında karşımıza çıkar.

Yunan mitolojisinde Kirke, Aeaea adasında, ormanın ortasındaki açıklıktaki kulübesinde yaşar – cadıların tasvirinde sık kullanılan bir mekândır ormanın ortasındaki kulübe. Odysseus ve adamlarıyla karşılaştığında onları ilaçla bayıltmaya çalışır. Odysseus kendini şifalı bir otla korur ama Kirke sihirli asasıyla adamlarını hayvana dönüştürür. Kirke'nin yabani hayvanları efsunlama ve uysallaştırma gücü de vardır.

Odysseus'un adamlarını eski haline getirdikten sonra, Kirke ona yeraltı dünyasına nasıl geçeceğini anlatır, böylece Odysseus ölü kâhin Tiresias'a ulaşıp geleceğini öğrenebilecektir. Kirke'nin yeraltı dünyası hakkındaki bilgisi Odysseus'un çok işine yarar.

Ovidius, Roma ve Yunan mitlerini yeniden anlattığı *Dönüşümler*'de Kirke'nin hayatının daha eski bir dönemini anlatır. Deniz tanrısı Glaukos tarafından reddedilince zehirli otlar ve Hekate'nin büyüsüyle aşkta rakibi Skylla'yı korkunç bir deniz canavarına dönüştürür.

Kirke'nin yeğeni Medea da bir büyücüydü. İason ile Argonotlar macerasında ortaya çıkan Medea, İason'a canavar Python'u öldürmenin yolunu gösterir ama daha sonra bir kıskançlık krizine kapılarak kendi çocuklarını öldürür.

*Romalı ozan Horatius'un bir öyküsünü temel alan bu tabloda cadı Sagana ve refakatçisi Kanidia büyülü bir heykelcik yardımıyla aşk büyüsü yapıyor.*

# ESKİ ROMA'DA BÜYÜ

Romalılar da kendilerinden önce gelen Yunanlar gibi rakiplerini lanetleme taraftarıydılar. Bu tür lanet dualarını yine Yunanlar gibi kurşun tabletlere yazdırıyorlardı. *Defixiones* diye bilinen bu lanet tabletleri genellikle tanrılardan düşmanın "elini kolunu bağlamasını" rica ediyordu.

Lanet tabletlerinin kullanımı hakkında bilgiyi, Romalı tarihçi Tacitus'un *Tarihi Kayıtlar*'ından alabiliyoruz. Roma İmparatorluğu'nun İS 14'ten 68'e kadar olan tarihini anlatan *Kayıtlar*'da, Germanicus zehirlendiğinden korkarak oturduğu binayı aratır ve "insan cesedi kalıntıları, büyüler, lanetler, 'Germanicus' adı kazınmış kurşun tabletler, alazlanmış ve kana bulanmış küller, yaşayan birini mezara sokabilecek başka cadılık alametleri" bulur.

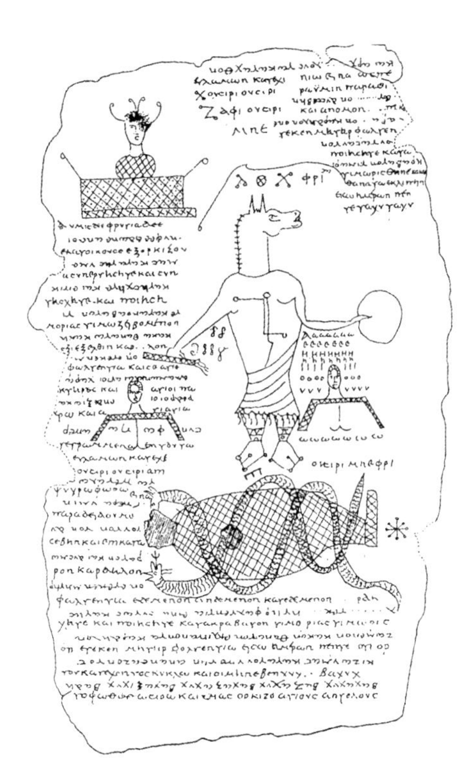

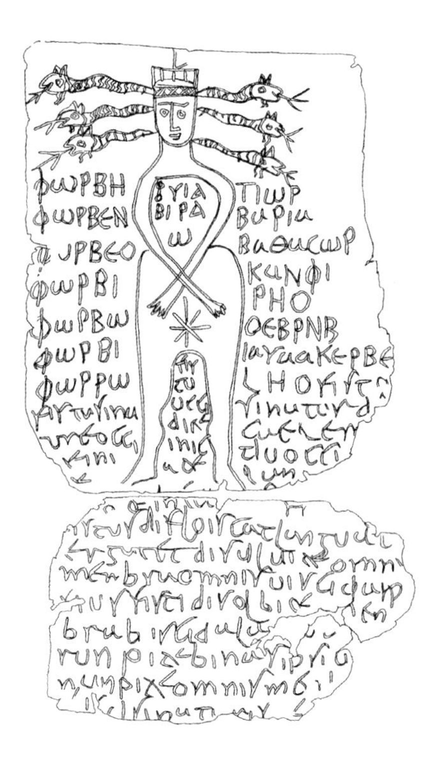

YUKARIDA, SOLDA *Roma* defixio *ya da lanet tableti model alınarak yapılmış bir çizim. İki yılana bağlı figür, "bağlama" eyleminin kurbanını temsil ediyor.* YUKARIDA, SAĞDA *lanet tableti. Metnin bir bölümü: "Senatör Fistus'u parçala, öldür… Fistus canını, ruhunu kaybetsin, çöksün ve bütün uzuvları eriyip gitsin."* YUKARIDA *Londra'da bulunmuş bir* defixio.

*Pompeii'de bulunan bu dramatik sahnede iki kadın bir cadıyı (soldan üçüncü figür) ziyaret ediyor.*

Romalıların *ars magica* karşısındaki tavrı daha örtülüdür. *Haruspicy* (kurban edilen hayvanların iç organlarından fal bakmak) ve *augury* (kuşların uçuşundan fal bakmak) resmi devlet uygulamaları arasındayken, *Lex Cornelia de sicariis et veneficis* (İÖ 82) büyüyü ve büyücülüğü yasaklıyordu. Bu yasaya göre büyünün cezası çarmıha gerilmek veya vahşi hayvanlara atılmaktı, büyücüler de yakılarak öldürülüyordu. Büyü kitaplarıyla yakalananlar adalara sürülüyordu.

İÖ ikinci yüzyıl ve İS birinci yüzyıl arasında, astroloji ve falcılığı yasaklayan pek çok yasa çıkarılmıştı. İÖ 139 ve 33'te, astrologlar ve büyücüler devlet eliyle Roma'dan sürülmüştü. Büyü karşıtı yasalar zamanla sertleşti, İS dördüncü yüzyılda her türlü teorik veya pratik büyü yasaklanmıştı.

*Pompeii'deki Dioscuri Evi'nde bulunan bu freskte bir büyücüyü (başında tuhaf bir şapka bulunan oturan figür) ziyaret eden bir gezgin tasvir ediliyor.*

# ÜÇ TOP ÜÇ BARDAK

El çabukluğu marifet göz yanıltma numaralarının tarihi eski Roma'ya kadar gider, İÖ ikinci milenyumda Mısır veya Çin'de ortaya çıktıklarını söyleyenler de vardır.

Bilinen en eski gözbağı numarası üç top uç bardak rutinidir. Sihirbaz –genellikle üç top ve üç bardak yardımıyla– topları bardakların içinden geçiyormuş gibi gösterir. Eski Roma'da bu numaraya *acetabula et calculi* denirdi. Atinalı Alkiphron geç antikçağ'da bu sihirbazlık numarasının "üç küçük bardak" ve "küçük, beyaz, yuvarlak çakıl taşlarıyla" yapıldığını anlatıyordu. Sihirbazlık numarasını izlerken felsefecinin "ağzı açık kalmıştı."

Benzer sihirbazlık numaralarına Çin ("Sonu Gelmez Fasulyeler") ve Hindistan'da da rastlanır. Üç top üç bardak numarasının açıklaması ilk olarak Reginald Scot'un *Discoverie of Witchcraft*'ında yapılmıştı (1584).

YUKARIDA *Hieronymus Bosch'un ünlü tablosunda bir sokak sihirbazı üç top üç bardak numarasını yapıyor. Şaşkına dönmüş bir izleyici öne eğilerek para kesesine ne olduğunu anlamaya çalışıyor.*
KARŞI SAYFA *Bu gravürde üç top üç bardak numarası açıklanıyor. Aslında bu numaranın kuralları sabit değildir, sürekli değişir.*

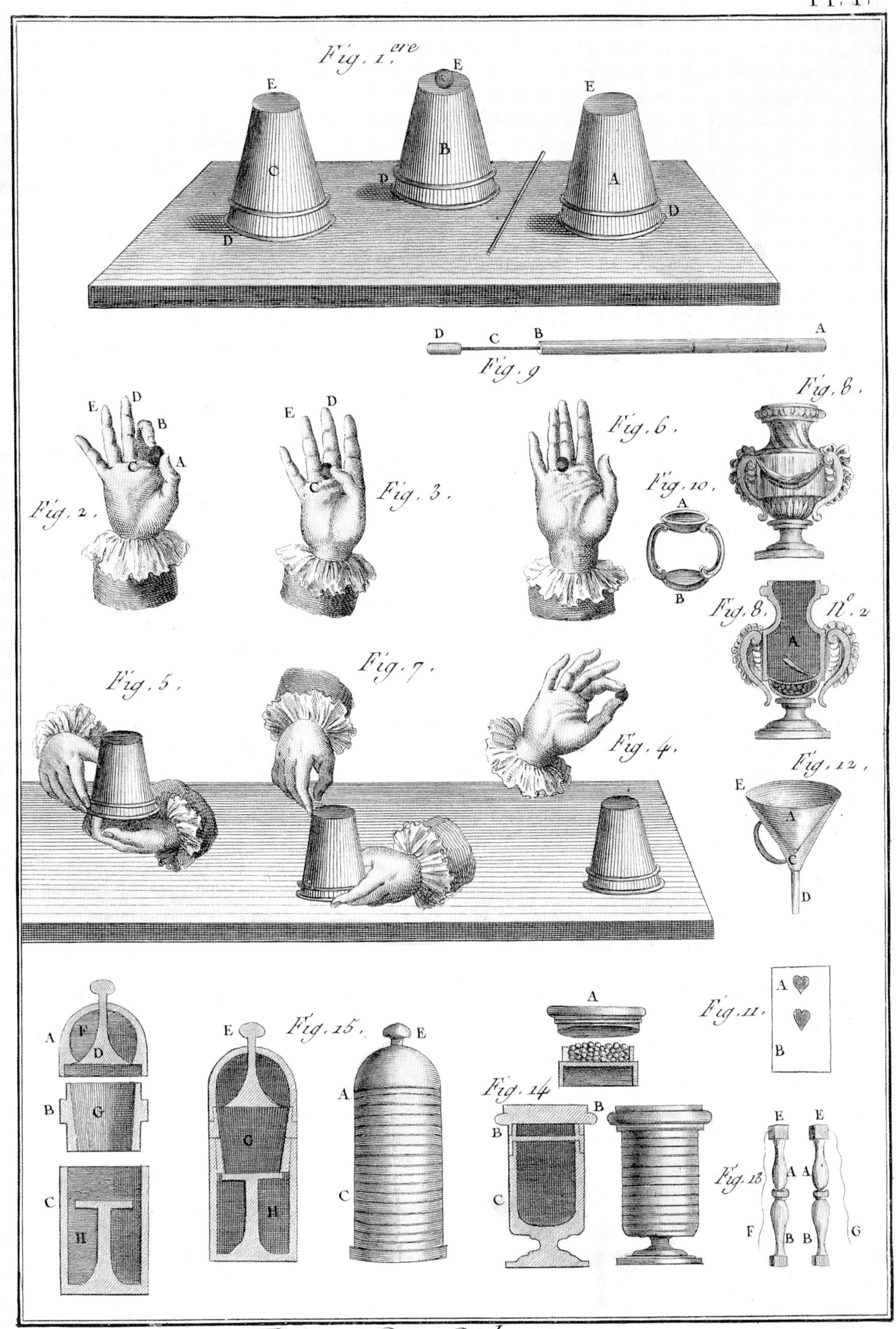


Tours de Gibeciere.

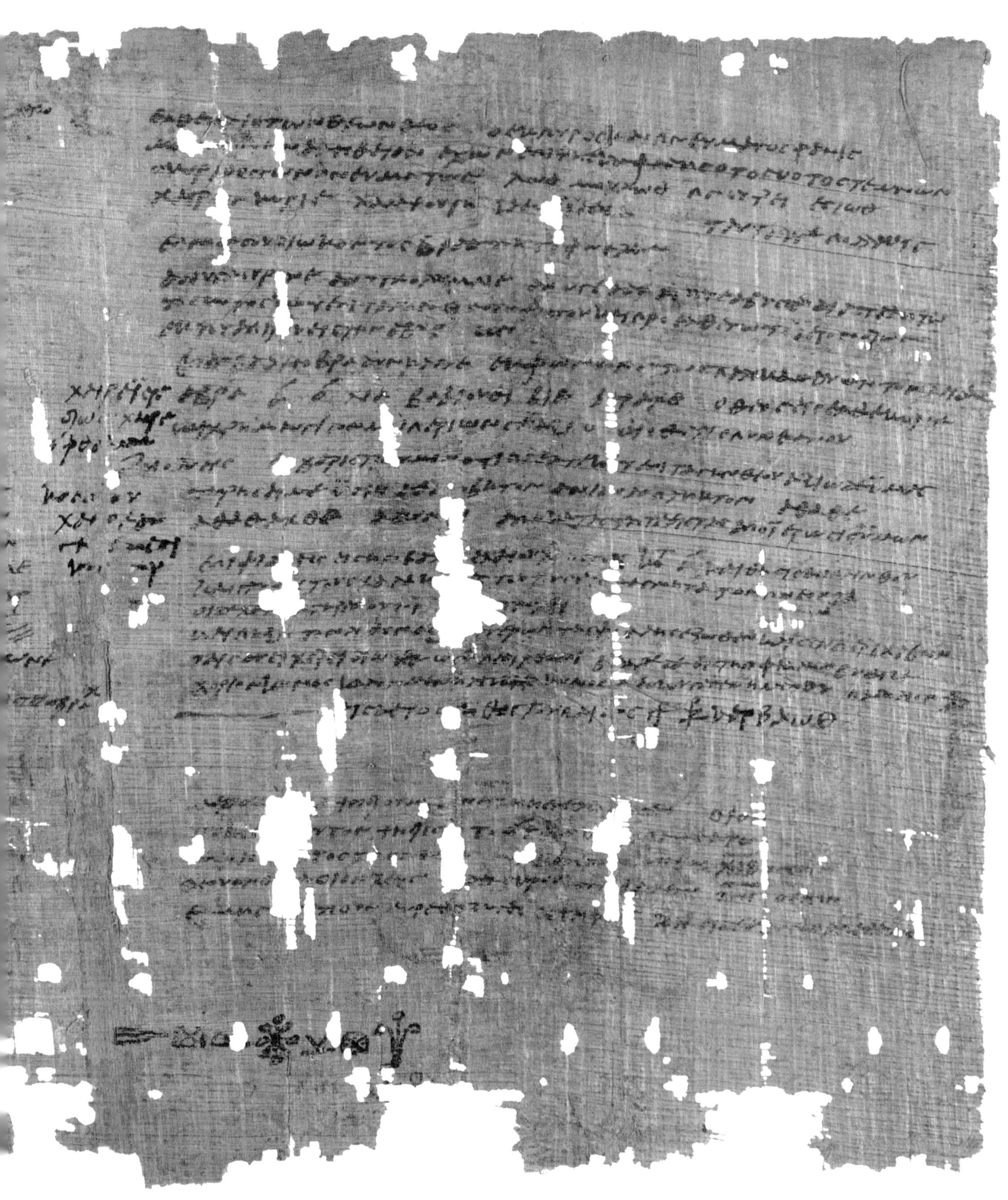

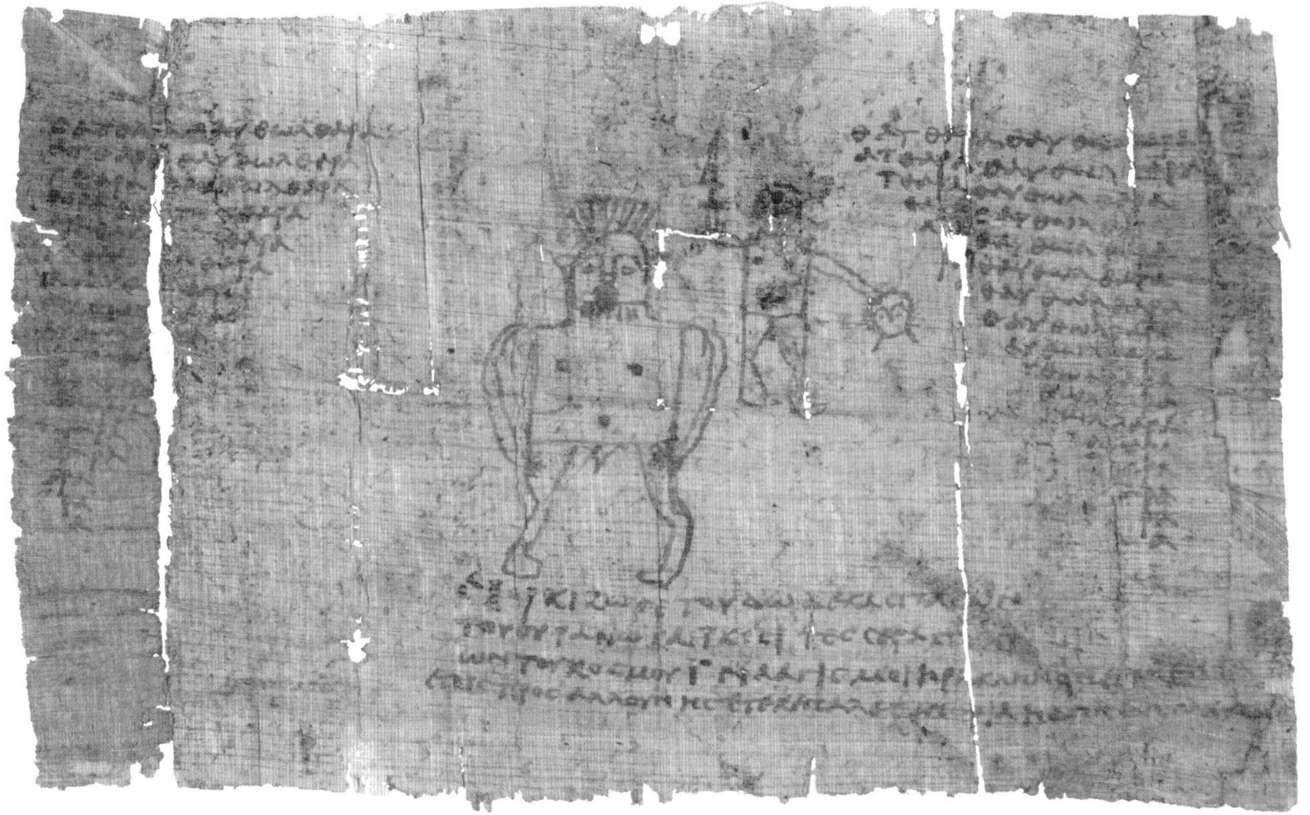

KARŞI SAYFA *İÖ 3. yüzyıldan kalma bu papirüsteki sihirli metinler arasında bir aşk büyüsü ve bir tanrıyı çağırma ve gönderme büyüsü var. Ayrıca bir tabak yağın parlak yüzeyine bakarak cinleri görmenin yolu açıklanıyor.* YUKARIDA *Herakles'i Allous'a bağlamak için yapılan bir aşk büyüsünün yazılı olduğu 4. yüzyıldan kalma papirüs: "Göklerin on iki elementi ve dünyanın yirmi dört elementi adına Herakles'i ben Allous'a ... hemen şimdi; hızla hızla bağlaman için yalvarıyorum." Soldaki figür Mısır tanrıçası Bes.*

# SİHİRLİ YUNAN PAPİRÜSLERİ

Sihirli Yunan papirüsleri, bilinen en eski büyü, sihir ve simya metinleri derlemesidir. Greko-Romen Mısır döneminden kalma papirüsler, İÖ ikinci yüzyıl ile İS beşinci yüzyıl arasında Demotik, Kıpti ve Yunan alfabesiyle yazılmıştır. Roma, Yunan, Musevi, Mısır din ve mitolojilerinden unsurlar içeren (çoğunda Hekate'nin adı geçer) papirüsler on dokuzuncu yüzyılda İskenderiyeli Giovanni Anastasi'nin eline geçmiştir. Papirüslerin tam olarak nasıl keşfedildiği bilinmese de bir büyücünün mezarından çıkarıldıkları söylenir.

Derlemenin en ünlü metni, büyücü adaylarına ölümsüzlüğün sırrını öğreten Mithra Litürjisi'dir. Ancak papirüslerde tahtakurusu istilası, bellek zayıflığı gibi daha gündelik olaylarla baş etme yöntemleri de vardır. Kitaptaki görünmezlik büyüsü için baykuş gözü, bokböceğinin yuvarladığı bir pislik topu, ham zeytinin yağı gibi malzemeler sıralanır. Hazırlanan karışım vücuda sürülür ve Helios'a söylenen sihirli sözler büyüyü etkili hale getirir.

YUKARIDA *Herakles, yenik düşmüş kentaurun cesedi üzerinden karısı Deianira'ya sarılıyor. Deianira bundan yıllar sonra Herakles'in giysilerini Nessus'un kanından yapılma, sadakat sağlayacağına inanılan sihirli iksire bular. Ama iksir aksine kocasını zehirleyerek ölmesine neden olur.*
KARŞI SAYFA *Çıplak bir cadı aşk büyüsü yapıyor; kapıda duran figür muhtemelen cadının hedefindeki kişi.*

# AŞK BÜYÜSÜ

Kusursuz eşi bulmak ve elde tutmak evrensel bir sorundur – özellikle karşı taraf gösterilen ilgiye karşılık vermiyorsa. Dolayısıyla, insanların tarih boyunca aşk büyülerinin peşinden koşmasına şaşmamak gerekir.

Aşk büyüleri hem eski Yunan'da, hem antik Roma'da çok popülerdi. Yunanistan'da iki türlü aşk büyüsü vardı; biri tutkuları ateşler (*eros*), diğeri arkadaşlık ve sadakati güçlendirirdi (*philia*). Bazı aşk büyüleri şaşırtıcı ölçüde duygusuz olabiliyordu, Sihirli Yunan Papirüsleri'nden alıntıladığımız bu büyü de öyle: "Onun kalbine yapış ve bana gelene dek karnını, göğsünü, ciğerini, nefesini, kemiklerini, iliklerini yak."

YUKARIDA *Süleyman'ın Büyük Anahtarı'ndaki bu ayrıntılı aşk mührü'nde Yaratılış'tan bir alıntı var: "İşte bu benim kemiklerimden alınmış kemik, etimden alınmış ettir ... İkisi tek beden olacak." (2:23-24)*
SAĞDA *İÖ 4. Yüzyıldan kalma bu diz çökmüş figür heykelciği, kurşun bir tablete yazılmış bir aşk büyüsünün yanında bulunmuştur.*

KARŞI SAYFA *Birbirinden ayrılmak istemeyen İrlandalı prenses İsolde ve Cornwall'lu şövalye Tristan birlikte intihar etmeye karar verir. Ama zehir yerine aşk iksiri içerler. Aşkları daha da alevlenince birlikte kaçarlar.*

Mitoloji sadakatsizlik öyküleriyle doludur. Herakles'in eşlerinden biri olan Deianira, kocasının sadakatsizliklerini engellemek için bir aşk iksiri yapmayı öğrenir fakat iksirde sonunda kocasını öldüren bir zehir vardır. Tristan ve İsolde'nin Ortaçağ'da popüler olan öyküsünde, bir aşk iksiri şövalyenin ve prensesin birbirine âşık olmasına neden olur. Onların ilişkisi de iyi bitmez.

Satanist olmakla suçlanan Peter Mora'ya atfedilen on yedinci yüzyıl grimoire'ı *Zekerboni*'deki aşk iksiri ya da *philtre*'yi yapmak için bir kırlangıcın rahmi, bir güvercinin kalbi ve büyüyü yapan kişinin kanı gerekiyordu. Ancak iksiri hazırladıktan sonra sevilen kişiye içirmek kolay olmasa gerekti. Bir başka grimoire *Süleyman'ın Mührü*'nde aşkı kazanmak için kullanılan mührün üzerinde Tekvin'den bir alıntı vardı: "Ve tek bedene dönüşecekler."

# Hermes Trismegistos

Hermes Trismegistos büyü ve simya tarihi açısından önemli bir figür fakat hakkında şaşılacak kadar az bilgimiz var. Bunun asıl nedeni, mitolojik bir karakter olması. Kökenleri Mısır'ın büyü ve yazı tanrısı, ayrıca yeraltı dünyasının rehberi olan Thot'a kadar uzanıyor.

Yunanlar, Büyük İskender komutasında İÖ 332'de Mısır'ı fethettiklerinde, Thot'ta kendi tanrıları Hermes'i buldular; Hermes de büyü ve yazı tanrısıydı. Böylece, Thot'un kutsal şehri Khmun'da yeni bir kült doğdu ve şehre Hermopolis Magna adı verildi.

Hermes Trismegistos efsanesine zamanla başka renkler eklendi. İÖ ikinci yüzyılda, Yahudi yazar Artapanu, Musa'nın hayatını yazarken Musa ile Thot arasındaki benzerliklere dikkat çekti. Romalı yazar ve devlet adamı Cicero, Hermes'e yeni bir geçmiş yazarak Argos'u öldürdükten sonra Mısır'a kaçtığını ve burada Mısırlılara yazmayı ve yasaları öğrettiğini, Mısırlıların ona Thot dediğini anlattı.

KARŞI SAYFADA VE YUKARIDA *Hermes Trismegistus genelde "egzotik" kıyafetler içinde tasvir edilir. Yukarıdaki gravürde elinde halkalı usturlap, Güneş ve Ay'ın yanında tasvir edilmiş.*

Hermes Trismegistos hakkındaki ilk somut göndermelere Sihirli Yunan Papirüsleri'nde rastlarız. Papirüslerden birinde ondan "Bütün büyücülerin başı Yaşlı Hermes," bir başkasında "üç kez büyük Hermes" diye söz edilir. "Üç kez büyük" denmesinin nedeni, eski Mısır dilinde enüstünlük derecesini anlatmak için sözcüğün üç kez yinelenmesidir. Papirüslerdeki bir başka büyü onun benzersiz güçlerini vurgular: "Gel bana, efendim Hermes, göklerin ve yerlerin sakladığı her şeyi bilen çok isimli tanrım."

Hermes Trismegistos'a dair bildiklerimizi Hermetica'ya, özellikle de *Corpus Hermetikum*'u oluşturan yaklaşık on yedi metne borçluyuz (bkz. s. 12). Derlemenin ilk metni *Poimandres* yedi gezegenin göksel kürelerini tarif eder. Gezegenlerin her biri insan ruhunun bir yönüne karşılık gelir; Merkür zekâya, Venüs aşk ve şehvete, vs. Bu mikrokozmos-makrokozmos kavrayışı bütün *Hermetika*'ya, özellikle Zümrüt Tablet'e hâkimdir (bkz. s. 228).

YUKARIDA VE KARŞI SAYFADA *Hezekiel'in mistik görüsünün iki ayrı tasvirinde çok kanatlı melekler, dört hayvan ve alev almış tekerlekler resmedilmiştir. Yahudi gizemciliğinin Merkabah geleneğinin odak noktasını oluşturan bu görünün net bir yorumunu elde etmek zordur.*

# YAHUDİ GİZEMCİLİĞİ VE KABALA

Yahudi gizemciliğinin en eski örneklerinden biri, İS 100'den İS 1000'lere kadar uygulanan Merkaba'dır. Hezekiel'in Tanrı'nın tahtı tasavvurunu ve Yeşeya'nın Tanrı'nın yüceliği tasavvurunu yeniden canlandırmak isteyen kimseler, melekler âleminden geçecekleri mistik bir yükselişi deneyimlemeye çalışırlardı. Sırasıyla karşısına çıkacak olan kapılardan geçebilmek için, adayın meleklerin adlarını ezbere bilmesi gerekiyordu. Melekler Hekhalot diye bilinen mistik gelenekte Tanrı'nın doğasını daha iyi anlatmak için çağrılırlar.

Yahudi gizemciliğinin en önemli örneklerinden biri *Sefer Yezirah*'tır (Oluşum Kitabı). Metinde Tanrı'nın İbrani alfabesinin yirmi iki harfi ve *sefirot*'u (Tanrı'nın yansımaları) temsil eden rakamlarla evreni nasıl yarattığı anlatılır, böylelikle Tanrı sözcüklere yarı sihirli bir güç kazandırmıştır. Harfler gruplara ayrılır: Yedi "çift" harf yedi gezegene ve haftanın yedi gününe, on iki "basit" harf Zodyak burçlarına karşılık gelir.

YUKARIDA *Musa, Tanrı'nın On Emri'yle Sina Dağı'ndan iniyor.*
KARŞI SAYFA *Yahudi Kabalist, Sefirot Ağacı'nı, diğer adıyla Hayat Ağacı'nı elinde tutarken tefekkür ediyor. Kabala'nın merkezi şeması olan bu ağaç on sefirot'u, yani Tanrı'nın on yansımasını ve bunlar arasındaki ilişkiyi gösterir.*

Yahudi ezoterizminin en bilinen örneği, bir yandan sonsuzla kutsal arasındaki, diğer yandan dünyevi ve sınırlı olan arasındaki ilişkiyi açıklamaya çalışan Kabala'dır. Aslında sözel geleneğe ait olan Kabala daha sonra şifrelenerek yazıldı ve okült bir araştırma alanına dönüştü.

Büyülü ve mistik geleneklerin çoğu gibi Kabala da "keşfedilen" bir kitapla başladı: Zohar (İbranice "ihtişam" veya "parlak ışık"). Kitabın onu on üçüncü yüzyılda "bulan" İspanyol haham Léonlu Moiz'in iddia ettiği gibi gerçekten İS ikinci yüzyılda Şimon bay Tohai tarafından mı yoksa Moses de Léon'un bizzat kendisi tarafından mı yazıldığı belli değildir. Kabala'nın "sözel Tevrat geleneğini" temsil ettiğini, *Kutsal Kitap*'ın Musa tarafından yazıldığı iddia edilen ilk beş kitabının mukabili olduğunu, Musa'ya On Emir'i aldığı dönemde iletilen gizli bilgileri içerdiğini öne sürenler de vardır.

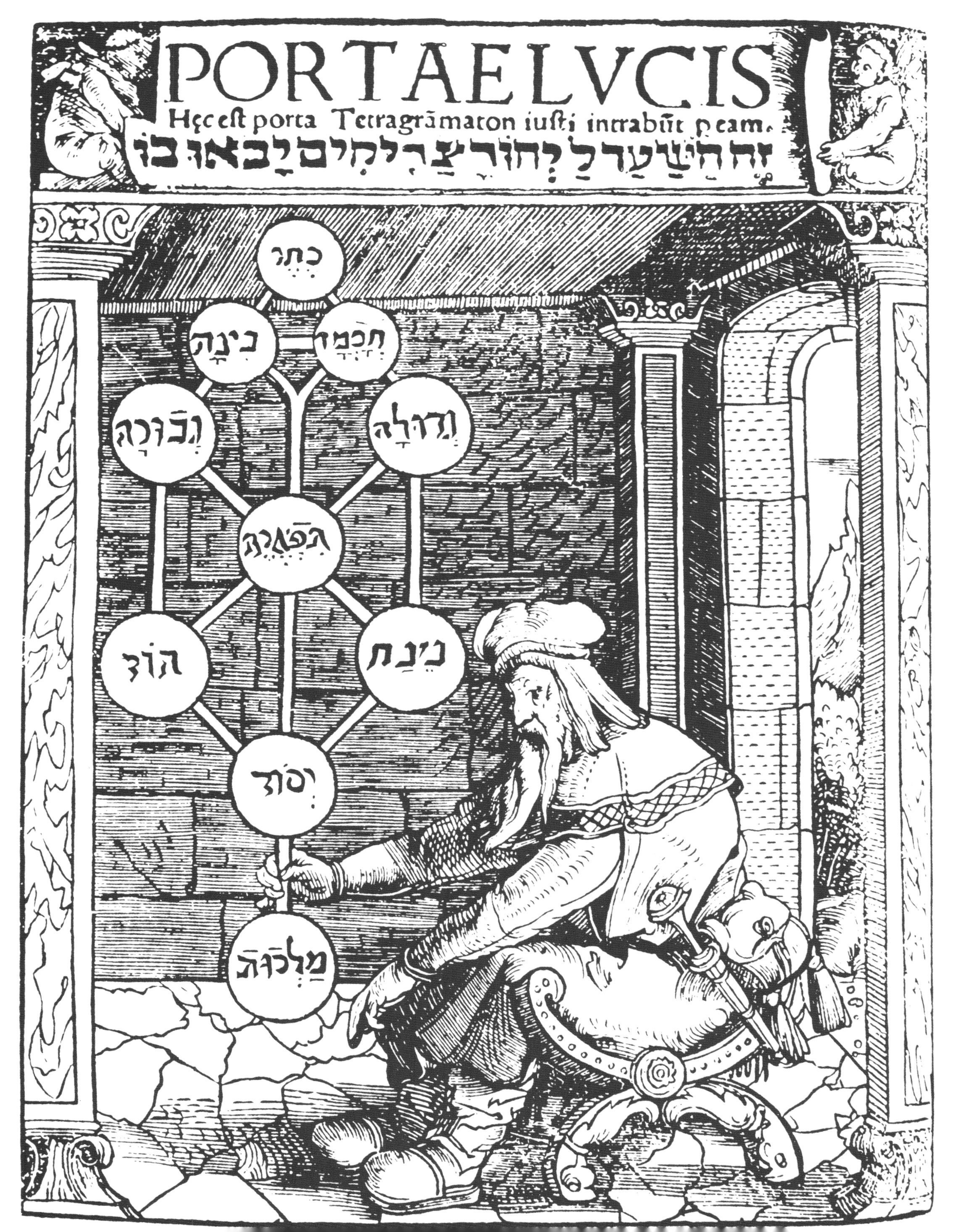
PORTAE LVCIS
Hęc est porta Tetragrãmaton iusti intrabũt ꝑ eam.
זה השער ליהוה צדיקים יבאו בו
כתר
בינה
חכמה
גבורה
גדולה
תפארת
הוד
נצח
יסוד
מלכות

SOL ARONSON

KARŞI SAYFA *Prag golemi bir sinagogun kapısını yumrukluyor. Bir golem, Tanrı'nın adlarının yazılı olduğu bir kâğıt ağzına yerleştirerek canlandırılır.*
YUKARIDA *Üzerlerine büyülü sözler –buradaki resimde Aramice– kazınan büyü kâseleri iblisleri hapsetmek amacıyla ağzı aşağı bakacak şekilde evin çeşitli yerlerine yerleştirilirdi. Bu kâse Mezopotamya'nın Seleucia (Silifke) kentinde bulunmuştur.*

Geleneksel Kabala Tevrat'ın derin anlamını bulmak için kullanılırken, "pratik Kabala" diye bilinen dalı, genellikle büyüyle – özellikle de kutsalla etkileşim aracılığıyla gerçekliği aktif bir şekilde biçimlendirmeyle ilişkilendirilir. Tevrat falcılığı ve büyücülüğü yasakladığından, pratik Kabala marjinal bir alandır.

Yahudi yasalarıyla menkıbelerinin temel kaynağı olan Talmud, Yahudilerin antik dönemin sonunda, genellikle iblislere karşı büyü kullandığını açıkça anlatır. Kanıtı, Mezopotamya'da İS dördüncü ve altıncı yüzyıllar arasında yapılmış olan, üzerlerine Aramice veya Süryanice (ilkini Yahudiler, ikincisini Hıristiyanlar yapmıştır) yazılar kazınmış dua kaplarıdır. Yazılardan çoğu belli melekleri çağırır.

Yahudilikte büyücülüğün en bilinen örneklerinden biri, kutsal sözler sayesinde canlandırılan, kil veya çamurdan yapılma, insan biçiminde figürler olan golemlerdir. En ünlü örneği on altıncı yüzyıldaki "Prag Golemi" olsa da, ilk golem tarifi on ikinci yüzyılda yapılmıştır.

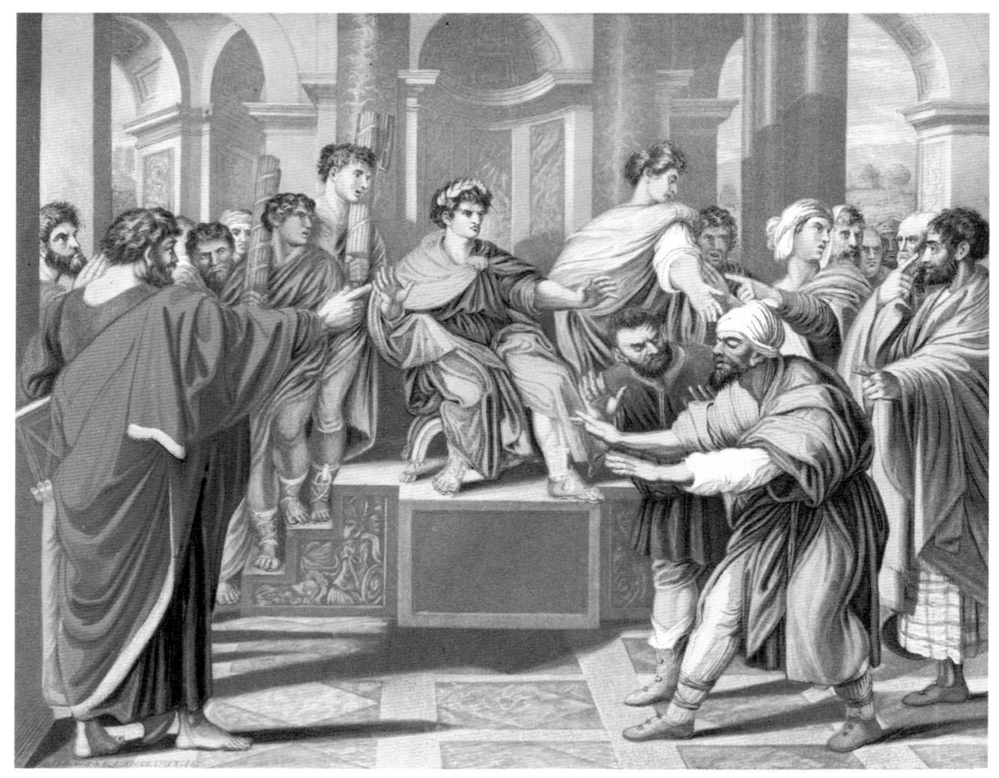

YUKARIDA *Havarilerin Öyküsü'nde Büyücü Elymas. Büyücülüğünün cezası olarak Tanrı tarafından geçici olarak körleştiriliyor.*
KARŞI SAYFA *Hieronymus Bosch'un bir takipçisinin resmettiği bu Altın Efsane hikâyesinde (arka taraftan yaklaşan) Büyük James ile Hermogenes adlı büyücünün (tahtta oturan figür) karşılaşması anlatılır. James'in emrindeki iblisler Hermegones'i bağlayarak ona getirir.*

# HIRİSTİYANLIĞIN İLK DÖNEMİNDE BÜYÜ

Yeni Ahit'te Hıristiyanlık'ı seçen büyücülerden birkaç örnek verilir – aralarında en iyi bilineni, "Samarya halkını büyüleyen" Simon Magus'tur. Pavlus, Galatyalılara Mektup'ta büyüyü "benliğin işlerinden" sayıyordu. Birinci yüzyıl ortalarına tarihlenen Hıristiyanlık incelemesi Didake'de açıkça "büyü yapmayacaksın, sihirbazlık yapmayacaksın" deniyordu.

Hıristiyanlık'ın ilk dönemlerinde, başka dinlere büyücülük atfetmek yaygındı (aynı suçlama, İsa ve havarilerine de yapılmıştı). Yine de, İS ikinci yüzyıldan günümüze ulaşan Kıpti metinler Hıristiyanlık'ın başlangıçta güçlü büyülü öğelere sahip olduğunu gösteriyor, hatta büyülerden bazılarında Teslis'e seslenildiği anlaşılıyor. Belli ki, yerel halk büyüleri geleneğiyle yeni din arasında bir denge gözetilmeye çalışılmış.

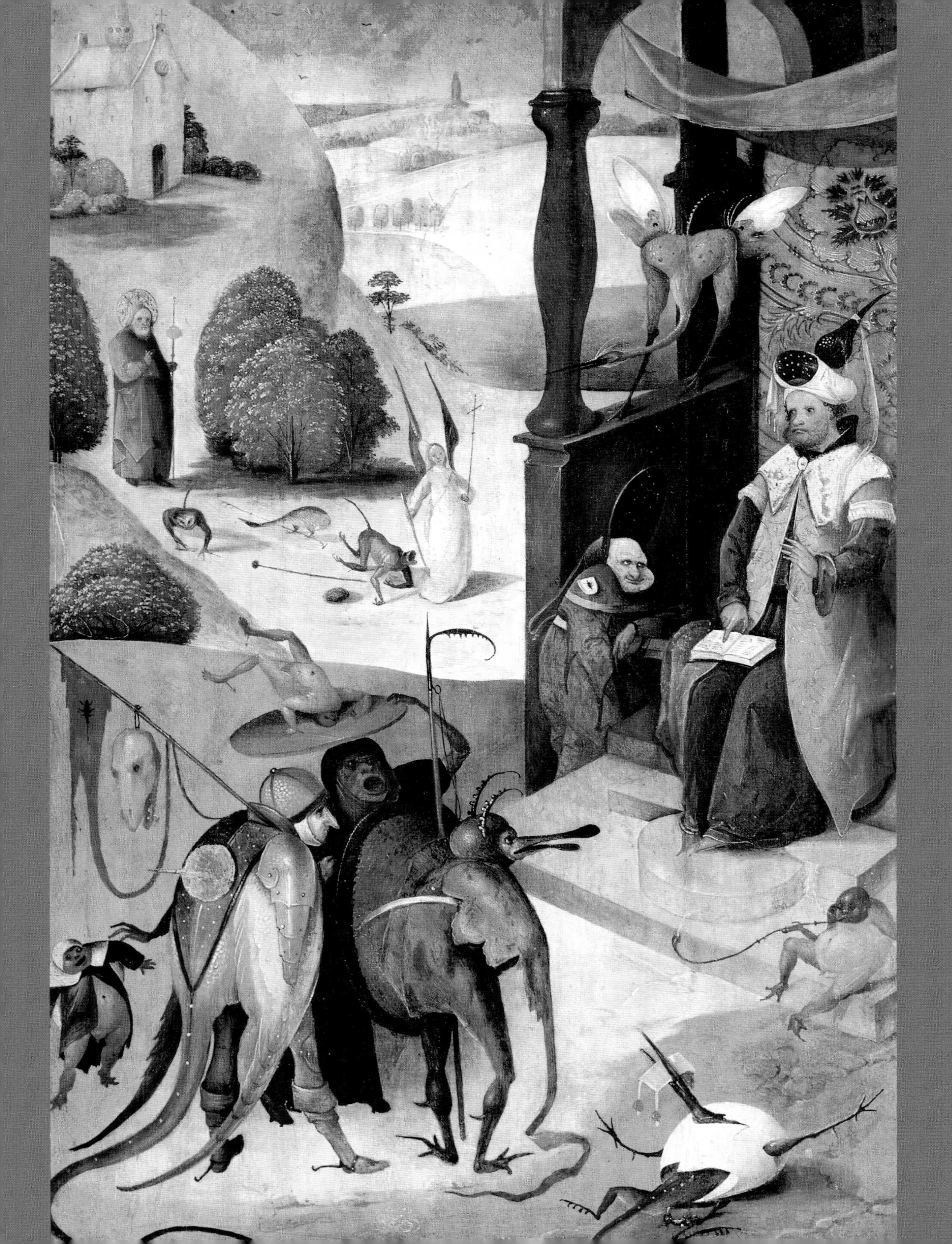

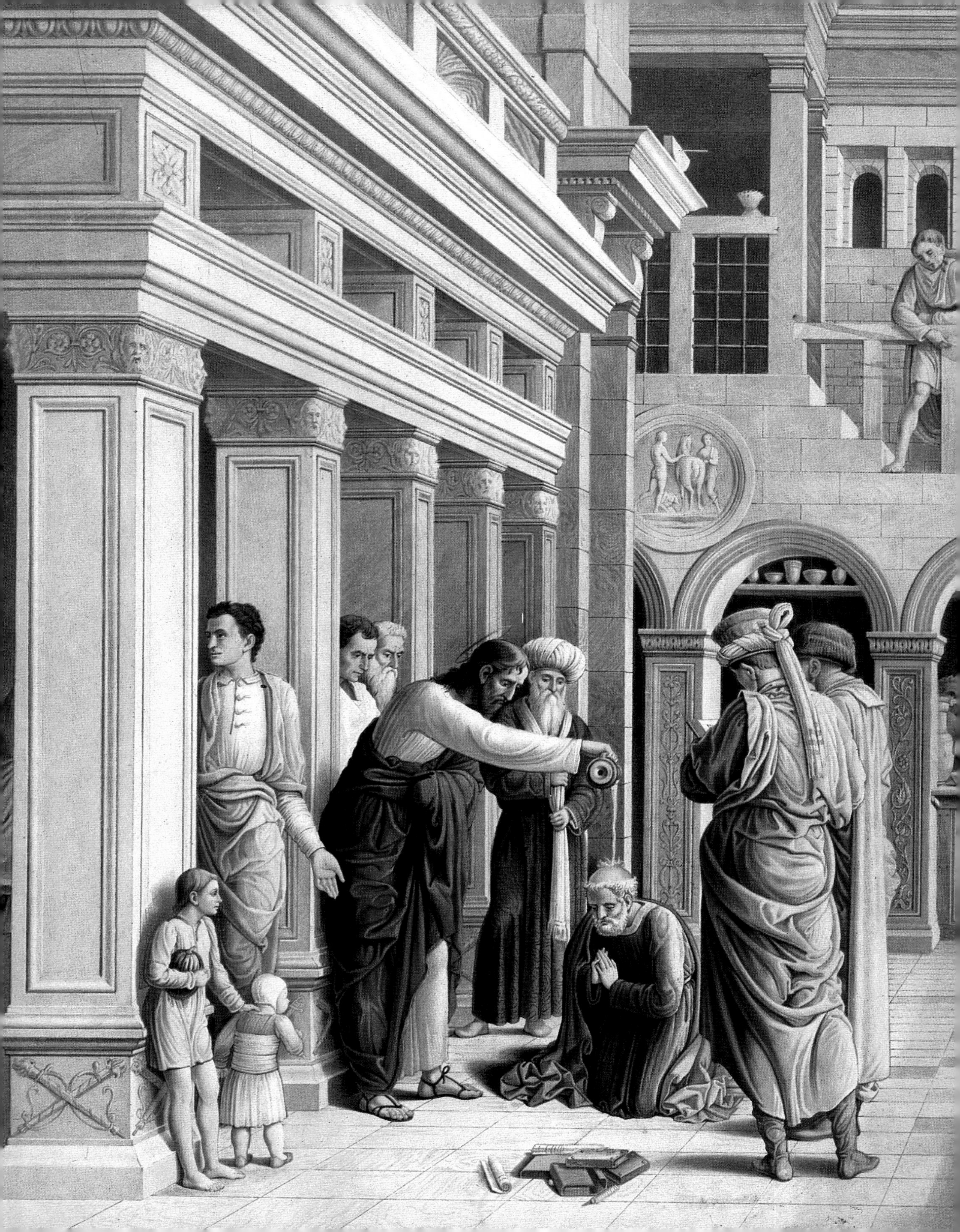

KARŞI SAYFA *Hermogenes sonunda büyücülükten vazgeçer ve Hıristiyanlık'a döner. Hermogenes'in vaftizini tasvir eden bu resimde, terk ettiği büyü kitapları ön taraftadır.*
YUKARIDA *Hıristiyan olan, daha sonra büyüyle ilgilenmeye başlayan büyücü Simon Magus. Apokrif kabul edilen Petrus'un İşleri'nde Roma Forumu üzerinde havaya yükselmeye çalışırken düşerek öldüğü anlatılır.*

# 3.

# Kuzey Büyüleri

*Britanya'nın en büyülü yerlerinden biri olan Stonehenge'de, bir Druid festivali tasviri.*

Okült ilimler Akdeniz ve Yakındoğu'nun sıcak iklimlerinde gelişedursun, epey uzakta, Kuzey Avrupa'da başka şeyler oluyordu. Keltler ve onlardan sonra İskandinavya'nın Germen halkları, doğaya yakın, temellerinde zorlu doğal koşullar olan kendi büyülerini ve ritüellerini oluşturuyorlardı.

Bu geleneğin en eski kanıtlarından biri, İngiltere'nin güney batısındaki Stonehenge'dir. İÖ üçüncü ve birinci yüzyıllar arasında inşa edilen yapı güneşe tapınma, şifacılık ve Druid ritüelleriyle ilişkilendirildi. Peki Druidler kimdi? Demir Çağı'nda İngiltere ve Fransa'da dinin ve ritüelin dayanak noktası olan Druidler hakkında bildiklerimizi, Romalılar ve Yunanların onların kültürünü anlama çabası sayesinde öğreniyoruz. Druidlerden ilk olarak Julius Caesar'ın Britanya Adaları'nın fethini anlattığı kayıtlarda söz ediliyor. Ancak Romalılar sonradan Druidizm'in kökünü kazıyacaklardı – (İS 14-37 yılları arasında tahta çıkan) İmparator Tiberius Druidlik'i, müneccimliği ve şifacılığı yasaklamıştı. Druidler İS ikinci yüzyılda Romalıların tarihi kayıtlarından da tamamen silindiler.

Duridleri gösteren imgeler de yok elimizde, bugün gördüklerimizin hepsi tarihi ipuçlarına göre sonradan inşa edilen görseller. Ökseotu ve Druidler arasındaki ilişki bile Plinius'un yazılarında geçen tek bir cümleye dayanıyor: "Druidler –Keltler büyücülerine böyle diyor– için ökseotundan daha kutsal şey yok." Ökseotunun ayın altıncı gününde toplanması ve altın bir orakla kesilmesi gerektiğini de Plinius'tan öğreniyoruz. Romalılardan öğrendiklerimiz ikinciel anlatılar olsa da, Druid büyüsünün kökenlerinde doğanın ve doğal çevrenin bulunduğuna kuşku yok.

Britanya Adaları'nda ve Galya'da yaşayan Kelt halkları cadılara ve sihirbazlara, lanetlere, tılsımlara ve kutsal hayvanlara çok düşkünler. Zamanla bölge Hıristiyanlık etkisine giriyor fakat Druidler başlangıçta Hıristiyanlık'a büyülü güçlerini kullanarak direniyorlar. Aziz Adamnan, –İS altıncı yüzyılda İskoçya'da Hıristiyanlık'ı yayan– *Aziz Columba'nın Hayatı*'nda Druidizm'in çöküşünü de anlatıyor. Bu anlatıda, Pikt Druidleri'nden "magi" diye söz edilmesi dikkat çekiyor. *Kutsal Kitap*'ın İrlandaca çevirilerinde, Simun Magus'un adı Simun Druí olarak geçiyor – Druid büyücüyle eş tutuluyor. Daha sonraları, Taliesin Kitabı gibi Galler epiklerinde Druidler geleceği gören biliciler ve kâhinler olarak tasvir ediliyor.

Büyü ve büyücülük, İrlanda ve Galler-Kelt geleneklerinde önemli yer tutar. Galler geleneğinden Kral Arthur efsaneleri doğmuştur. İrlanda-Kelt mitoloji geleneği edebiyat aracılığıyla günümüze en eksiksiz ulaşanıdır. Diğer yandan (Britanya,

*Büyücü Merlin Stonehenge'i inşa ederken. Arthur efsanelerinin bazı erken versiyonlarına göre Merlin inşaatta kullanacağı taşları İngiltere'nin güneyindeki Salisbury Plain'e (Stonehenge'in bulunduğu yer) taşımak için büyüye başvurmuş ve Afrikalı bir devden yardım almıştır.*

Et bien tirant e bien crole
Que par force a la menor
Ne purrent faire prendre un tour

Traiez vous dit merlin en sus
Ja par force ne ferez plus
Or verrez engine e savoir

*Germen mitolojisinin kahramanlarından Siegfried, bir ejderhanın kanında yıkanarak yenilmezlik kazanmıştır. Vücudunun sadece bir kısmı, kürekkemikleri arasındaki bir bölge korunmasız kalmıştır ve bu tasvirde savaşçı Hagen mızrağını o bölgeye doğrultmaktadır.*

Galler ve Cornwall'ı kapsayan) Britonik mitoloji geleneğinin en önemli yapıtı, on birinci ve on üçüncü yüzyıllara tarihlenen düzyazı öyküler derlemesi *Mobinogion*'dur – bu metin büyü ve büyülü nesnelerle doludur. İrlanda mitolojisinde kadim tanrılar ırkı Tuatha Dé Danann'ın dört sihirli hazinesi anlatılır: Hedefini asla şaşırmayan bir mızrak, her seferinde öldüren bir kılıç, herkesin karnını doyuran bir kazan ve gerçek kralın ayağının altında kükreyen bir kaya. Galler mitolojisinde benzer şekilde Britanya adasının On Üç Hazinesi'ni buluruz – kişiyi istediği yere götüren bir at arabası, içindekileri yenileyen bir sepet ve Arthur'un giyeni görünmez yapan pelerini bu hazinelerden bazılarıdır.

Britanya Adaları'nın doğusu ve kuzeyine bir başka din ve dünya görüşü hâkimdi. Germen ve İskandinav ülkelerinde pagan Germen-İskandinav dini hüküm sürüyordu – Thor ile Odin'in, Loki ile Freya'nın dini. Birbiriyle yakın ilişki içinde olan İskandinav, Germen ve Anglosakson mitolojilerinin temelinde büyü vardır ve bu büyü tanrıların ülkesiyle insanların dünyası arasında bir bağdır.

Germen ve İskandinav bölgelerinde yaşayan insanlar geride yazılı kayıt bırakmadığından arkeolojik bulgulardan ve başka halkların anlatılarından yararlanmak zorundayız. Bu halkların büyü geleneği hakkındaki en eski bilgileri Romalılardan, özellikle de Tacitus'tan alıyoruz. İS birinci yüzyılda Kuzeylilerin kehânet ve falcılık yöntemlerini anlatan tarihçi, onların beyaz atların kişnemesinden anlam çıkardıklarını da söylüyor.

Romalılar, Germen ve İskandinav kabilelerinin baş tanrısını Merkür olarak kabul ettiler ama Kuzeyliler için o Odin ya da Woden'dı. Odin de Merkür gibi (Yunanlar için Hermes) temelde büyü tanrısıydı, biçim değiştirebilir, ölülerle konuşabilirdi. On üçüncü yüzyılda İzlanda'da yazılan –bugün *Düzyazı Edda* ve *Şiir Edda* diye bilinen– öykülerle şiirlerden öğrendiğimize göre Odin, Runik alfabeyi insanlara getirmek için kendini feda etmişti. Dokuzuncu yüzyılda eski Almanca dilinde yazılan iki büyüden oluşan Merseburg Büyüleri'nde şifa verme gücü için ona yakarılır. *Şiir Edda*'daki "Loddfafnir'in Şiiri"nde, Odin şöyle der: "Bir ağacın yüksek dallarından sallanan bir ceset görsem, yazdığım ve boyadığım güçlü runlarla onu aşağı indirir, konuştururum." Runların bir ölüyü hayata döndürebilecek kadar güçlü olduğuna inanılıyordu.

*Odin, Heimdallr ve Sleipnir gibi Nors mitolojisi figürlerini içeren* Düzyazı Edda*'nın elyazması kopyasının ilk sayfası.*

KARŞI SAYFADA VE YUKARIDA *Kelt ve İskandinav mitolojilerinin ortak noktalarından biri büyülü nesnelere olan ilgidir. Karşı sayfada Fin mitolojisinde karşımıza çıkan gizemli büyülü nesne Sampo'nun imal edilişi tasvir edilmektedir; yukarıdaki resimde Yunan Kralı Tuis'in büyülü domuz derisine sahip olmak için kavga eden adamlar tasvir edilmektedir.*

# KELT BÜYÜLERİ

Keltler dünya tarihinin en gizemli halklarındandır. Haklarında bildiklerimizi üçüncü ağızlardan öğreniyoruz çünkü en azından başlangıçta yazılı kayıt tutma gelenekleri yoktu. Romalıların fethinden önce Avrupa'nın her yerine yayılmış olan Keltlerin dilleri bugün yalnızca Fransa'nın kuzeybatısında, İrlanda ve Galler'de konuşuluyor.

Keltler animizme, yani ruhların her yerde olduğuna inanıyorlardı, onlara göre yaşayan her şeyin bir ruhu vardı. Druidler Kelt toplumunun temel taşlarıydı ama büyüyle ilgilenen başkaları da vardı. Özellikle tanrılar ve tuhaf yaratıklar hakkında büyülü öyküler anlatan ozanlar (*bard*) el üstünde tutuluyordu. İS altıncı yüzyılda yaşayan Taliesin adlı ünlü bir ozanın gelecekten haberler verdiğine inanılıyordu. Aynı dönemde İrlanda'da geleceği görebildiğine inanılan, *file* denen bilici-şairler ortaya çıktı.

YUKARIDA *Mabinogion'daki hikâyelerden birinde kırmızı ve beyaz ejderhalar arasındaki kavga anlatılır. Bu resimdeki tasvirde Kral Arthur figürü kavgayı izlemektedir.*
KARŞI SAYFADA *Kelt efsaneleri kahraman ve büyücü figürlerinden yana çok zengindir. Burada ünlü ozan Oisín'in rüyalarında göründükleri haliyle tasvir edilirler.*

Ozanlar bazen anlatılan öykülerin kahramanıydılar. Efsanelere göre İrlanda'nın en ünlü ozanı Oisín'di – bir Druid tarafından geyiğe çevrilen bir kadının oğluydu. Oisín'i ziyaret eden peri Niamh onu gençlik ülkesi Tír na nÓg'a götürür. Orada üç yıl kaldıktan sonra, Embarr adlı sihirli bir atın sırtında İrlanda'ya döner. Oraya vardığında aslında 300 yıl önce yola çıkmış olduğunu anlar.

Kelt mitolojisinde büyünün önemli bir yeri vardır. Kelt efsanelerinin en ünlü kitaplarından *Mabinogion*'da, çirkinler çirkini oğluna bilgelik kazandırmak için bir yıl bir gün boyunca iksir kaynatan Ceridwen gibi kadın sihirbazlar anlatılır.

*16. yüzyıldan kalma bu ağaçbaskıda piromansi (alevlerin yorumlanması), hidromansi (su yorumu), karaciğer falı, el falı ve nekromansi gibi çeşitli bilicilik biçimleri tasvir edilir.*

# BİLİCİLİK

Bilicilik, doğaüstü yöntemlerle geleceği görme sanatıdır. En eski ve en yaygın büyü biçimlerinden biridir. Farklı yöntemleri olsa da, kabaca iki ana kategoriye ayrılabilir: Kleromansi (zar vb. atarak kehanette bulunma) ve alametleri okuma. Biliciliğin İngilizce karşılığı olan "*divination*" sözcüğünün kökünde "ilahi olandan esinlenme" anlamı vardır – çünkü görünürde sıradan bir olay bilici için aslında bir tanrı ya da iblisin iradesinin ifadesidir.

Bilicilik yöntemleri şaşılacak kadar çeşitlidir. Örneğin rabdomansi bir asa veya sopa yardımıyla geleceği görmektir, bibliyomansi yönteminde bir kitabın sayfaları çevrilip rastgele bir pasaj seçilir. Jiromansi yönteminde, kişi harflerden oluşan bir çemberin ortasına geçer ve başı dönene kadar döner. Düştüğü veya bastığı yerdeki harfler bir mesaj oluşturur.

*Kolomb öncesi Meksika'dan kalma bilicilik kitabının bir sayfası; sayfanın bir kısmında bir kadının hayatının dört dönemi tasvir ediliyor. 17. yüzyılda bu klasik metin, sihirbaz John Dee'nin eserlerini de toplayan Başpiskopos Laud'a aitti.*

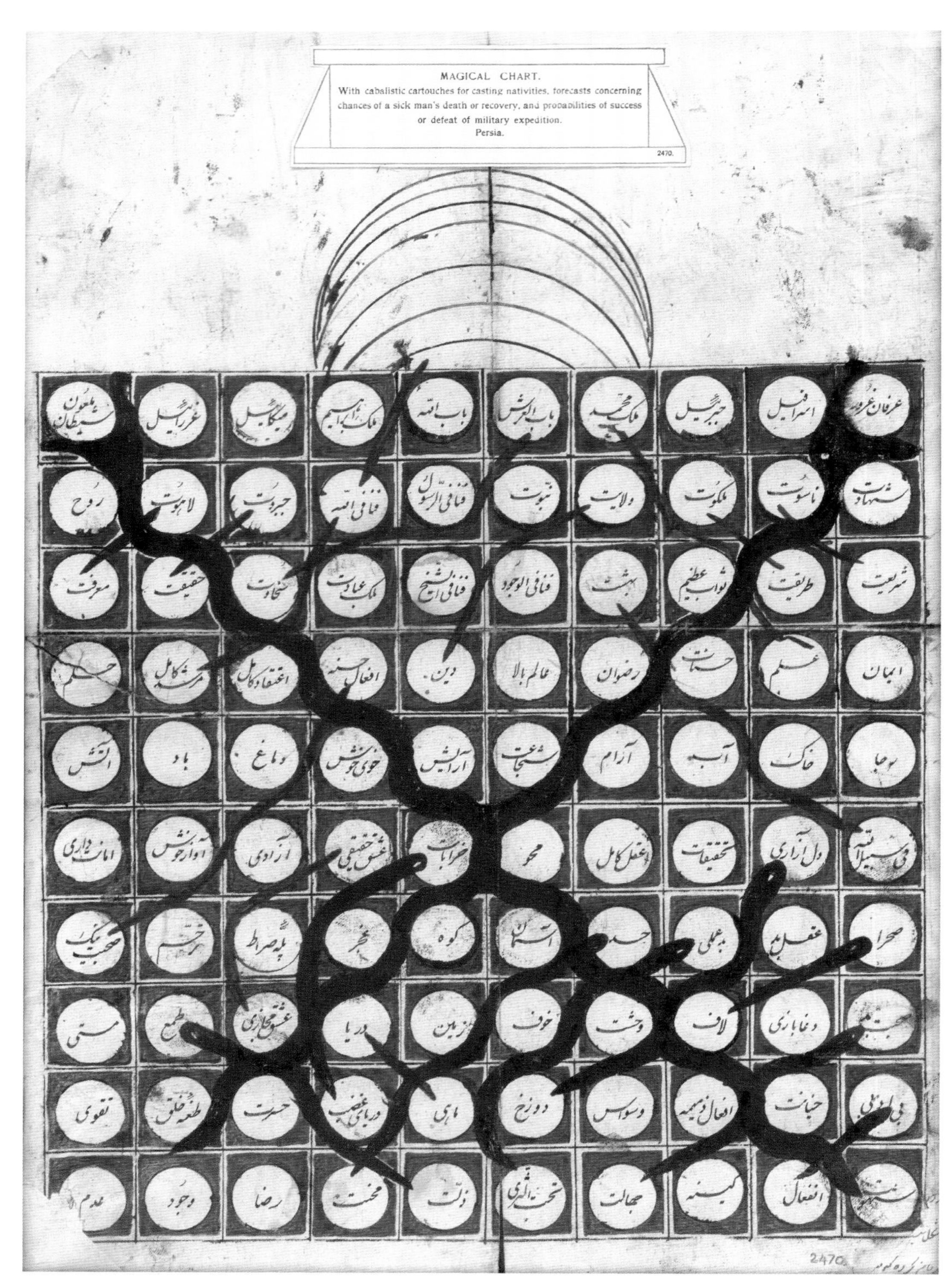


*19. yüzyıl ortasından kalma bu Pers şeması insanların ölüp ölmeyeceğini veya askeri başarıları öngörmek için kullanılırdı.*

*İslam ve Yahudi ikonografisiyle bezeli bu bilicilik kâsesini kullananlar, kâsenin kenarındaki ışık yansımalarına bakarak kehanette bulunmuş olabilir. Diğer bilicilik yöntemlerinden bazıları, taş veya zar atmak ve kurban edilmiş bir hayvanın iç organlarının oluşturduğu şekilleri yorumlamaktır.*

Bilicilik beklenmedik yerlerde karşımıza çıkar. Elçilerin İşleri'nde on ikinci havari olarak Yehuda İskariyot'un yerini alabilecek iki adam arasında kura çekilir: "Ardından bu iki kişiye kura çektirdiler; kura Mattiya'ya düştü, böylelikle Mattiya on bir elçiye katıldı" (Elçilerin İşleri, 1:26). Belomansi – ok atarak veya sadaktan ok çekerek kehanet yöntemi– *Kutsal Kitap*'ta da geçer: "Çünkü Babil kralı iki yolun ayrıldığı, yolların çatallaştığı yerde fala bakmak için duracak. Okları silkeleyecek, aile putlarına danışacak, kurban edilen bir hayvanın ciğerine bakacak" (Hezekiel 21:21).

Litomansi, değerli ve değersiz taş ve kristallerle geleceği görme sanatıdır, nephomansi de bulutları yorumlama sanatı. Fakat bütün kehanet ve bilicilik yöntemlerinin belki de en korkuncu, geleceği görmek için ölülerle iletişim kurma sanatı olan nekromansidir.

The Druids; or, the Conversion of the Britons to Christianity.


YUKARIDA VE KARŞI SAYFADA *Druidlerin ritlerinden biri de kutsal kabul edilen ökseotunu ayın altıncı gününde altın bir orakla kesmekti (karşı sayfada). Yukarıdaki sahnede, bu ritüelin Hıristiyanların gelişiyle yarım kalışı tasvir edilmektedir; Hıristiyanlar zaman içinde Druid geleneğini tamamen bastıracaktı.*

# DRUİDLER

Demir Çağı'nda Galler, Britanya ve İrlanda'daki Kelt halkları arasında ve başka yerlerde, Druidler eğitimli, profesyonel sınıfın üyeleriydi. Aralarında şairler ve hekimler olmasına rağmen, genellikle dini liderler olarak bilinirlerdi.

Druidler hakkında pek az şey biliyoruz. Kendilerini anlatan yazılı kayıtlar bırakmadılar ve varlıklarının tek kanıtı Yunan, Romalı ve başka yazarlarla sanatçılardan günümüze ulaşan az sayıda birkaç tarif, bir de daha sonra Ortaçağ yazarlarının kurguladığı öyküler.

KARŞI SAYFADA VE YUKARIDA *İlk Druidler hakkında çok az bilgi var; günümüze sadece karşı sayfadaki gibi hayal ürünü yorumlar kalmış. Tamamen erkeklere özgü bir gelenek olduğu savunulsa da, bu teze karşı çıkanlar da var.*

Demir Çağı'ndaki dini ritüellerle ilgili arkeolojik kanıtlara ulaşmış olmamıza rağmen, kadim Druidlerle kuşku götürmeyecek bir şekilde ilişkilendirilebilecek tek bir eser ya da imge gün ışığına çıkarılamadı. Yine de Druidler hakkındaki Greko-Romen anlatılardan edindiğimiz bilgilere göre hayvan ve hatta insan kurban ediyor, bir tür reenkarnasyona inanıyorlardı ve Kelt halkları içinde saygın bir konuma sahiptiler. Druid kültü hakkında hemen hiç bilgimiz yok, yalnızca meşeyi ve ökseotunu kutsal saydıklarını biliyoruz ve bunu da Yaşlı Plinius'un yazdıklarından öğreniyoruz. Bu ritüelde, Druidler bir meşe ağacından ökseotu aldıktan sonra iki beyaz boğa kurban eder. Sonra da her tür zehrin panzehri olduğuna inanılan ökseotuyla bir iksir hazırlanır.

# BÜYÜLÜ YERLER

Büyü genellikle sınırlardaki zaman ve yerlerle ilişkilendirilir, özellikle de dörtyol ağızlarıyla. En çok da Hekate kültünde belirgindir bu ilişki. Büyünün yoğun ağaçlı yerlerle, –karanlık, sihir dolu– büyülü ormanlarla bağlantısını hepimiz biliriz, dünyanın her yanında halk masallarında işlenen bir temadır bu. Julius Caesear, güney Almanya'nın büyük bölümünü kaplayan kadim ve sık Bavyera Ormanı'nın tek boynuzlu atların yuvası olduğunu söylüyordu. İskandinav mitolojisinde de Járnviðr ormanı canavarların doğum yeridir.

Büyünün dünyanın merkezinde daha güçlü olduğu kabul edilir. Eski Yunanlar, korkunç Piton canavarının öldürüldüğü Delphoi'yi dünyanın merkezi kabul ediyorlardı. Yunan geleneğinin en ünlü bilicisi Delphoi Kâhini de, dünyanın göbeğini temsil eden konik taş *omphalos*'la işaretlenen Delphoi kentinin tapınağındaydı.

KARŞI SAYFADA *Rus folklorunun merkezi figürlerinden Ivan Tsarevich maceralarında sayısız sihirli yere gider. Ateş kuşu ve altın yeleli atı aradığı macerasında ise kendini kritik bir kavşakta bulur ve bir karar vermek zorunda kalır.*
YUKARIDA *Pythia adıyla bilinen Delphoi kâhinine danışan insanlar. Delphoi kâhininin, Piton canavarının öldürüldüğü yerde kehanette bulunduğu söylenir – adı da buradan gelir.*

*Stonehenge bugünkü anıt inşa edilmeden önce de kutsal bir yerdi. Günümüzde büyü ve büyücülük için çok uygun bir yer olduğu kabul edilir ve özellikle gündönümlerinde çok kişi tarafından ziyaret edilir.*

Çoğu büyü ve büyücülük geleneğinde, bazı yerlerin büyü için başka yerlerden daha uygun olduğuna inanılır. Abramelin ritüelini gerçekleştirmek isteyen Aleister Crowley, ritüelin başarılı olması için uygun konumda bulunan bir ev satın almıştı (bkz. s. 361).

Mısır piramitleri, yıldızlarla bağlantıları ve geometrik payandalarının da etkisiyle uzun zamandır büyülü yapılar olarak kabul ediliyor. Büyük Gize Piramitleri, astrolojik açıdan Orion takımyıldızıyla aynı hizadadır.

Günümüzde Romanya'nın orta bölümünde kalan Transilvanya Alpleri'nin uzak ve kuytu bir köşesinde olduğu söylenen Scholomance, Şeytan'ın kara büyü okuluydu. Efsaneye göre, Şeytan okula bir seferde on öğrenci kabul ediyor, on öğrenciden birini mezun etmeyip hizmetine alıyordu.

*Büyülü yerler genelde yerin altında bulunur. Büyü ritüellerinde kullanılan bu "inisiasyon kuyusu", Portekiz, Sintra'daki Quinta da Regaleira bölgesinde bulunmuştur.*

# İSKANDİNAV VE GERMEN BÜYÜLERİ

İskandinav kültüründe, büyü genellikle kaderi anlama ve biçimlendirme çabasıyla ilişkilidir. Bu açıdan önemli karakterlerden biri, "sihirli asa taşıyan" anlamına gelen *völva*'ydı. Bu kadın biliciler kendilerini tanrıça Freya'nın hizmetkârı olarak görürlerdi.

İskandinav kültüründe aslında üç tür büyü vardır. Ritüel büyüye *seiðr* denir ve genellikle kadın büyücülerin işidir. Tanrı Odin'le de ilişkilendirilir ve Şamanist kökenleri olduğu iddia edilir. *Galdr* sihirli runlar ve tekerlemelerle yapılır, efsanelere göre gemi batırıp fırtınalar çıkarabilir. Üçüncü tür büyü ya da *trolldómr* cadılığa en çok benzeyendir. Grettir sagasında, kahramanın annesi oğlunu şöyle uyarır: "Büyüye karşı uyanık ol, kara büyüden güçlü pek az şey vardır." Sekizinci ve on ikinci yüzyıllar arasında İskandinav ülkelerinin Hıristiyanlaştırılması neticesinde, bu gelenekler yitirilmiştir.

*Odin,* Şiir Edda*'nın ilk şiiri "Völuspá"dan bir völvaya hitap ederken asasına yaslanıyor. Kazılar ortaya çıkarılan çok sayıda völva mezarında çok sayıda asa benzeri nesne bulunmuştur.*

*Huld mitolojik bir völva ya da seiğkona'dır – yani seiğr (ritüel büyü) yapan kadın. Bu figür Ynglinga destanında, Sturlunga destanında ve Ortaçağ'ın son döneminden bir İzlanda öyküsünde karşımıza çıkar.*

KARŞI SAYFADA *Bu Viking madalyonunda bir yılan cesedinin kalıntıları var. Bu tür tılsımların sihirli özellikleri olduğuna inanılırdı.*
YUKARIDA *Nors tanrıları, tanrıça Idunn'un yetiştirdiği Ölümsüzlük ve Gençlik Elmaları'nı yiyor.*

Büyü, İskandinav mitolojisinin önemli öğelerinden biridir. Cüceler, ejderler, lanetli altınlar ve sihirli silahlar bir araya gelerek hiçbir şeyin göründüğü gibi olmadığı büyülü bir dünya yaratır. Baş büyücü Hreidmar'ın önderliğindeki cüceler sihirli nesneler yaratmakta ustadır: Thor'un sihirli çekici Mjölnir'i, Odin'in mızrağını, Draupnir adlı kendi kendini kopyalayan yüzüğü cüceler yapmıştır. Ancak bu tür objelerin en ünlüsü Andvaranaut'un lanetli yüzüğüydü. Altın üretebilen bu yüzüğü koruyan cüce Fafnir, bu amaç için kendini bir ejderhaya dönüştürmüştü. Ejderi öldüren Sigurd, onun kanını içtikten sonra kuşların dilini anlamaya başladı.

# BÜYÜLÜ NESNELER

En yaygın sihirli nesneler, yüzüklerdir. Yunan mitolojisinde, Lidya hükümdarı Giges'in takanı görünmez yapan bir yüzüğü olduğu anlatılır. Benzer özelikler taşıyan yüzükler *Mabinogion*'da ve Tolkien'in *Yüzüklerin Efendisi* romanında da karşımıza çıkar. Anglosaksonlar, üzerine sihirli runlar kazınmış yüzükler takarlardı, Kral Süleyman'ın havayı ve hayvanları kontrol etmesini sağlayan büyülü bir yüzüğü vardı. Alaaddin sihirli yüzüğüyle cin çağırabiliyordu.

Sihirli giysiler de oldukça yaygındır. Yunan tanrıçası Athena'nın bir görünmezlik pelerini vardı. *Harry Potter*'daki Hortkuluk denen bir dizi sihirli nesneden biri de bir görünmezlik pelerinidir.

*Yunan mitolojisine göre Lidya kralı Gigges'in büyülü yüzüğünü bir çoban bronz bir atın içinde bulur. Çoban yüzüğü kullanarak kraliyet ailesine sızar ve kendisi Lidya kralı olur.*

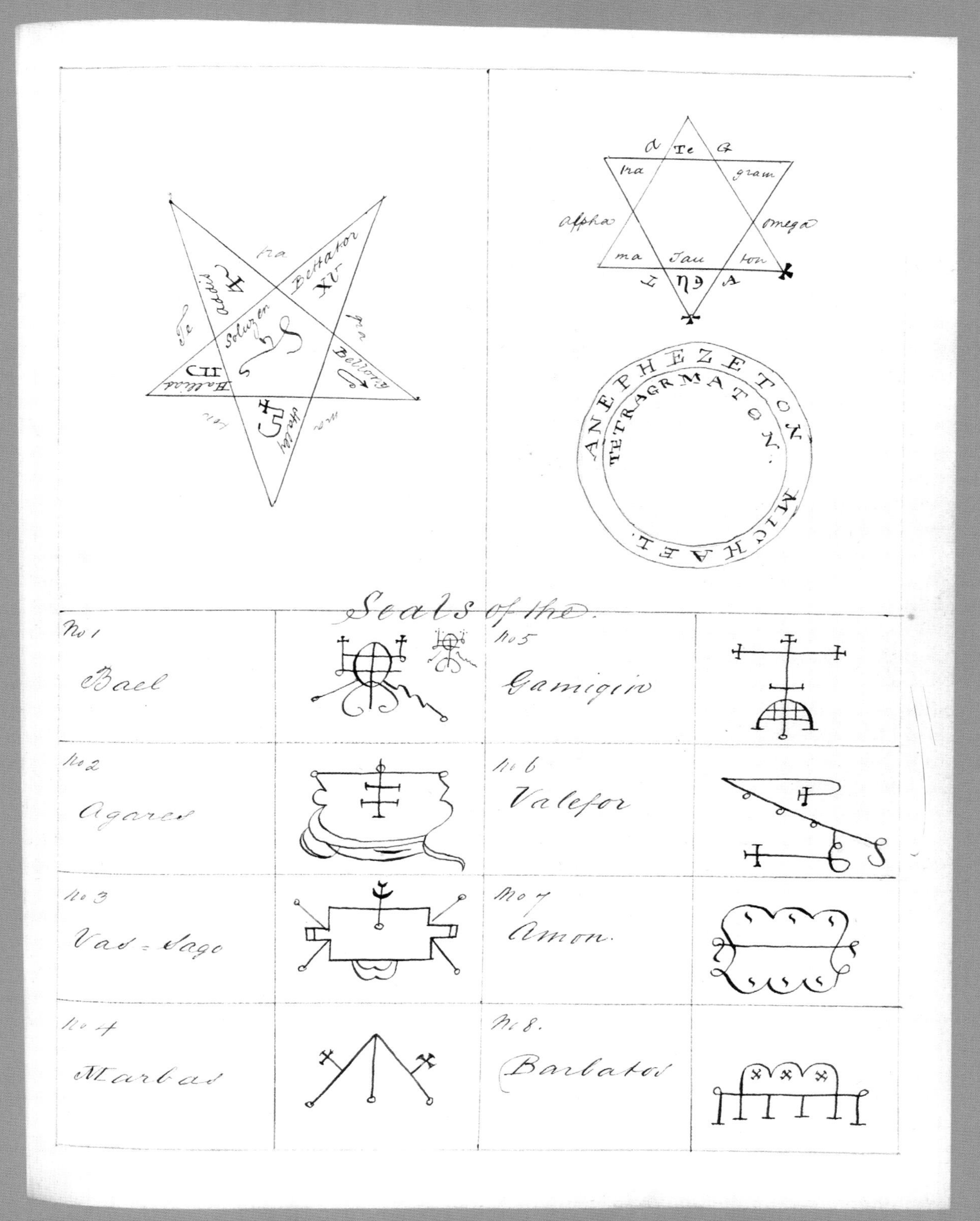


*Çeşitli büyülü nesnelerin tasarımları. Sol üstte kalbin üzerine gelecek şekilde takılacak altın veya gümüş bir beşgen. Sağ üstteki altı köşeli yıldızın dana derisi parşömenle yapılır ve çağrılan ruha gösterilerek sahibine itaat etmesini sağlar. Onun altındaki çizim Süleyman'ın büyülü yüzüğüne aittir ve sayfanın alt yarısında, belirli cinlerin mühürleri gösterilir.*

*Arthur büyülü Ekskalibur kılıcını kayadan çekerek tahtın esas vârisi olduğunu gösteriyor. Arthur efsanesinin başka versiyonlarında kılıcı Arthur'a Gölün Hanımı verir.*

*Maymun Kral Sun Wukong, yaklaşık 8 ton ağırlığındaki büyülü demir asasını taşıyor. Maymun Kral'ın vücudundaki her kıldan kendi klonu yapılabilir.*

Büyülü silahlar, mitolojinin dayanak noktalarıdır. Japon halk kültüründe, *Kusanagi-no-Tsurugi* adlı kılıca sahip olanın rüzgârları yönetebileceğine inanılır, Thor'un sihirli çekici Mjölnir her atışında ona geri döner. On altıncı yüzyılda yazılan epik Çin öyküsü *Batı'ya Yolculuk*'ta, Maymun Kral, Ruyi Jingu Bang adlı sihirli bir demir asa taşır ve bu asa sahibinin emri üzerine kısalıp uzayabilir.

Galler mitolojisinde, Britanya adasının On Üç Hazinesi'nden biri olan Dyrnwyn adlı kılıcın onu hak etmeyen kişinin ellerini yakacağı söylenir. İran mitolojisinde, Şamşir-i Zümrütnegar veya zümrütlü kılıç aslında Kral Süleyman'a aittir ve kullananı büyüden korur.

*Odin'e adanan bu bürgücüğe (ince işlenmiş değerli metal), tılsım özellikleri taşıyan "alu" sözcüğünün runları kazınmış.*

# TILSIMLAR, RUNİK HARFLER VE MÜHÜRLER

İskandinavların gizemli Runik alfabesi uzun zamandır büyüyle ilişkilendiriliyor. Dördüncü ve on ikinci yüzyıllar arasına tarihlenen taş üzerine kazınmış harfler, çoğunlukla büyü formülleriydi. İskandinav mitolojisinde, Odin'in kendini Yggdrasil ağacında kurban etmesinden sonra Runik harflerin kendilerini ifşa ettiği anlatılır.

*Şiir Edda*'da, (Brynhildr adıyla da bilinen) Valkür Sigrdrífa, Sigurd'un boynuz kadehine "mutluluk runları" ekleyerek içkisini tanrılar için içmesini sağlar. Sigurd'a Runik harflerin büyülü özelliklerini anlatır, kılıcının kabzasına, gövdesine ve kınına "zafer runları" kazımasını öğütler.

Runik harflerin bilicilik amacıyla kullanılmış olması da mümkün. Romalı tarihçi Tacitus tahta parçalarına kazınmış "sembollerle" fal bakıldığını anlatır fakat söz konusu simgelerin Runik harfler olduğundan emin olamayız.

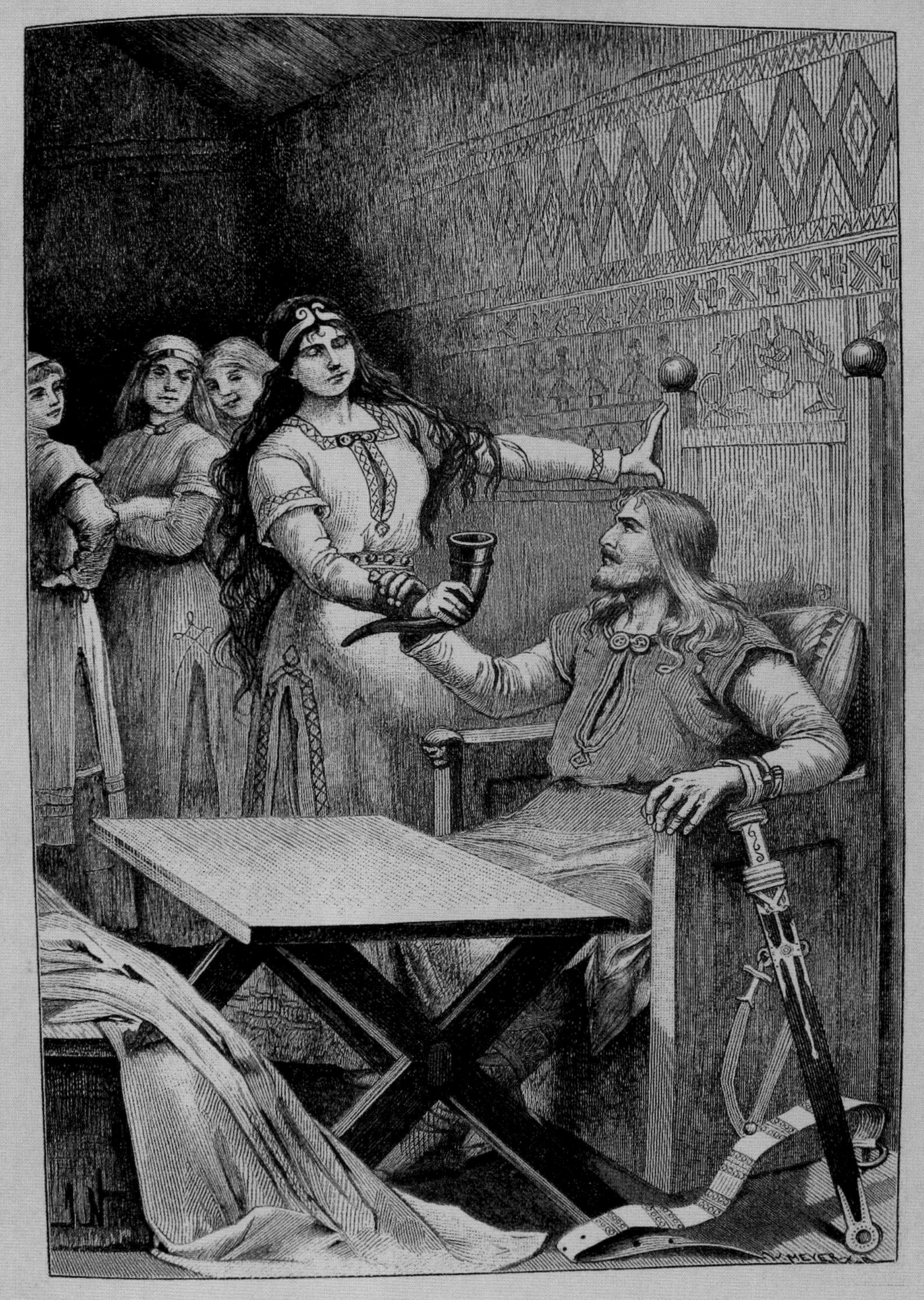

Şiir Edda*'dan bu sahnede Sigrdrífa Sigurd'a bir boynuz kadehi veriyor.*
*Sigurd kadehte büyülü runlar olduğunu bilmiyor.*

*İsveç'in run taşlarını deşifre etmek zordur. Runların büyülü özellikleri olduğuna inanılsa da, bu taşlar genelde mezarları işaretlemek için kullanılırdı.*

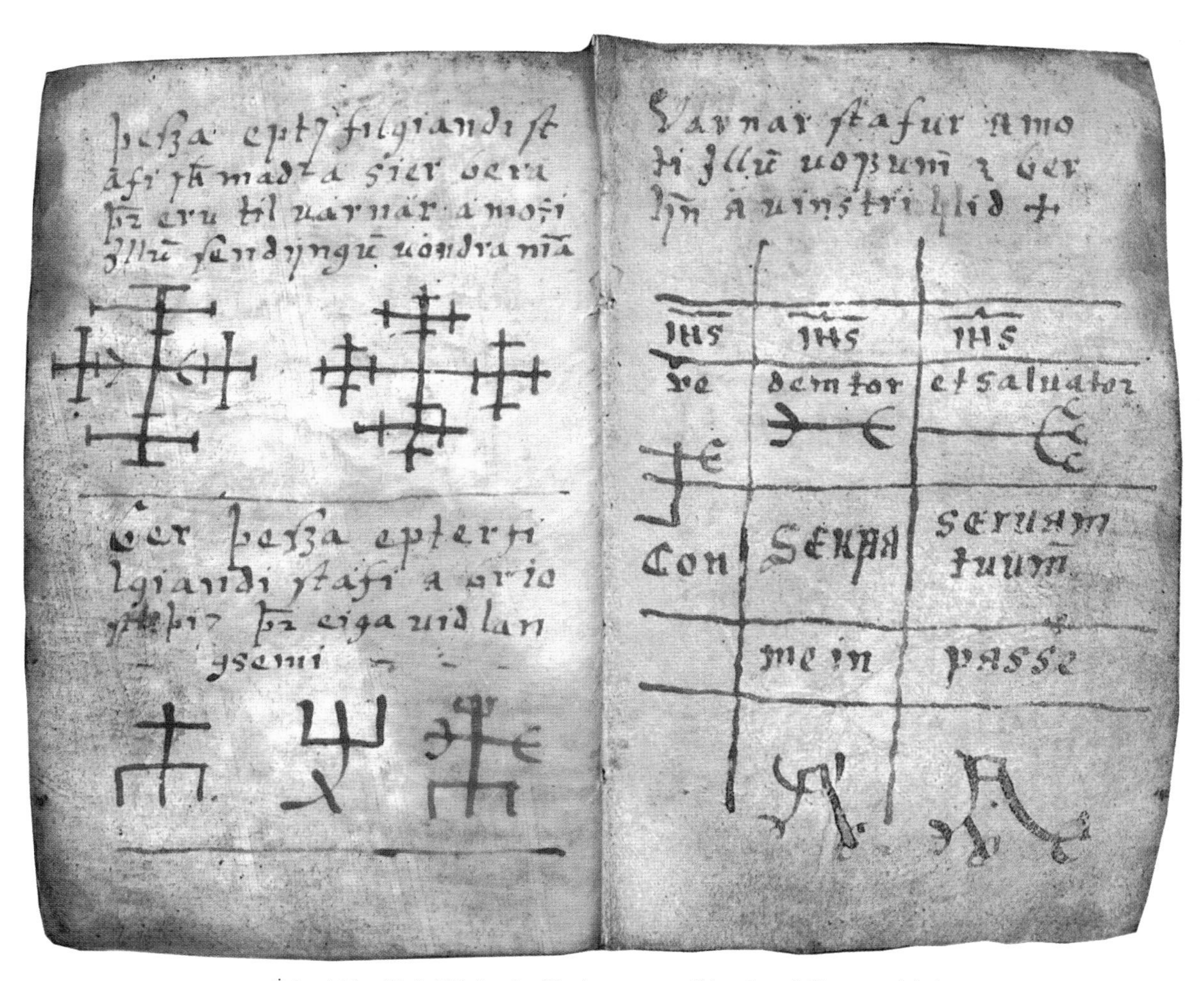


*İzlanda'dan büyücülük üzerine bir elyazmasının iki sayfasındaki asa tasvirleri.*

Büyü inancının diğer İskandinav ülkelerinden daha uzun süre dayandığı İzlanda'da, mühürler ve tılsımlar da yaygındı. *Sigil* denen bu sihirli simgeler düşmanlardan korunmak, mahkemede kazanmak ya da hastalıkları tedavi etmek gibi çok çeşitli amaçlarla kullanılabiliyordu. İzlanda büyü ve büyücülüğünün ürkütücü örneklerinden biri, ölü bir adamın derisinden yapılan pantolonlardı. Üzerine işlenen mühürler sayesinde giyeni zengin edeceğine inanılan bu pantolonlar, on yedinci yüzyıl gibi yakın bir tarihe kadar kullanılıyordu.

Şiir vezinli Anglosakson tılsımları, büyülü tekerlemeler aracılığıyla olayları ve durumları etkilemek için kullanılıyordu. Bilinen örneklerden bazıları "Dokuz Şifalı Ot Tılsımı" ve "Arı Oğulu Tılsımı"dır. Zehirlenmeye karşı kullanılan ilk tılsımdaki dokuz rakamının İskandinav mitolojisinde özel bir yeri vardır. Anglosakson tıbbi metinler ve dualar derlemesi *Lacnunga*'da cücelerden korunmak için tılsımlar bile vardı.

YUKARIDA *Bazı öykülerde Merlin'in bir karabasanla bir rahibenin çocuğu olduğu söylenirken bazıları da doğum sırasında vaftiz edilirken ilahi erdem ve kehanet gücüyle donatıldığını savunur.*
KARŞI SAYFADA *Gölün Hanımı'na bildiği her şeyi öğreten Merlin kendi büyüsüyle kendi çöküşünü başlatır – buradaki tasvir Edward Burne Jones'un eseridir.*

# Merlin

Büyücü Merlin, Kral Arthur ve şövalyeleri öykülerinde önemli bir figürdür. Karakterin yarı mitolojik kökenlerinden biri Galler efsanelerindeki kâhin Myrddin'dir. Myrddin'in kehanetleri Monmouth'lu Geoffrey'nin 1130'larda yazdığı *Prophetiae Merlini* sayesinde popüler oldu. Kısa süre sonra, *Historia Regum Britanniae*'de Geoffrey güçlü bir büyücüye dönüşen Merlin figürünü Kral Arthur'un sarayına getirdi.

Geoffrey, Merlin öyküsüne ilginç ayrıntılar ekledi, örneğin Stonehenge'i onun inşa ettirdiğini yazdı. Merlin hakkındaki üçüncü kitabı *Vita Merlini*'de Merlin'e güçlü bir sihirbaz rakip olan Morgan le Fay'i (bkz. s. 142) armağan etti.

Daha sonraki anlatılarla Merlin efsanesine yeni ayrıntılar eklendi – örneğin Merlin'in babası bir *sukkubus*'tu (uyuyan kadınlarla cinsel ilişkiye giren erkek iblis) ve Merlin doğaüstü güçlerini ondan almıştı ya da biçim değiştirip hayvanların ya da başka insanların kılığına girebiliyordu. Ortaçağ Fransız şairi Robert de Boron'a göre, ünlü Yuvarlak Masa'yı tasarlayıp yaratan da Merlin'di.

Merlin bir kâhindi ve Kutsal Kâse'nin peşindeki şövalyelerin karşılaşacağı zorlukların çoğunu önceden gördü. Fakat Avalon hükümdarı Gölün Hanımı'nın büyüsüne kapılan Merlin'in sonu geldi. Bütün büyülerini öğrendikten sonra Gölün Hanımı onu bir ağacın içine (bazı öykülerde bir mağaraya) hapsetti.

KARŞI SAYFADA *14. yüzyıl tarihli elyazmasında Sir Galahad, bir keşiş eşliğinde Arthur'un sarayına ulaşıyor. Diğer şövalyeler meşhur yuvarlak masada oturuyor.*
YUKARIDA *İtalya, Otranto'da bir Arthur mozaiği. Kral Arthur Cath Palug adıyla bilinen insan yiyen kediyle birlikte.*

# KRAL ARTHUR EFSANELERİ

Kral Arthur ve Yuvarlak Masa Şövalyeleri en ünlü efsanelerden biridir. Hikâyeye göre Kral Arthur, beşinci ya da altıncı yüzyılda Britanya adalarında hüküm sürmüş, topraklarını Sakson işgalcilere karşı savunmuştu. Galler öykülerinde ortaya çıktığında, canavar kediler, devler, ejderhalar gibi doğaüstü düşmanlara karşı mücadele etmişti. Ancak Kral Arthur ve maiyeti gerçek ününü 1130'ların sonunda, Monmouth'lu Geoffrey'nin *Historia Regum Britanniae*'sından sonra kazandı. Geoffrey, tarih kitabı *Historia*'da Arthur efsanesinin en önemi sihirli öğelerini kayda geçirdi: Ekskalibur, annesinin Arthur'a Tintagel'de büyüyle hamile kalışı (babası Uther Pendagron Merlin'in büyüsüyle bir düşmanının karısını ele geçirmişti) ve kralın büyülü Avalon'daki son uykusu.

*Yaralı Kral Arthur büyülü Avalon adasına götürülüyor. Krala bu son yolculuğunda Morgan le Fay eşlik ediyor* *(bkz. s. 142).*

Efsaneye kısa sürede başka sihirli ayrıntılar da eklendi. Lancelot figürü ve öykünün –ölümsüzlük verdiğine inanılan– Kutsal Kâse'yle ilişkilendirilmesi on ikinci yüzyılda Fransız şair Chrétien de Troyes'nin yaptığı eklemelerdir. On üçüncü yüzyılda kayaya saplı kılıç da öyküye eklendi. Kılıcı yalnızca gerçek kral Arthur'un alabileceği şekilde kayaya yerleştiren Merlin'di. Ana öyküye zamanla başka sihirli ayrıntılar, Tristan ve İsolde, yuvarlak masa şövalyeleri gibi karakterler de eklendi. Efsane, Thomas Malory'nin *Arthur'un Ölümü* kitabıyla on beşinci yüzyılda son halini aldı.

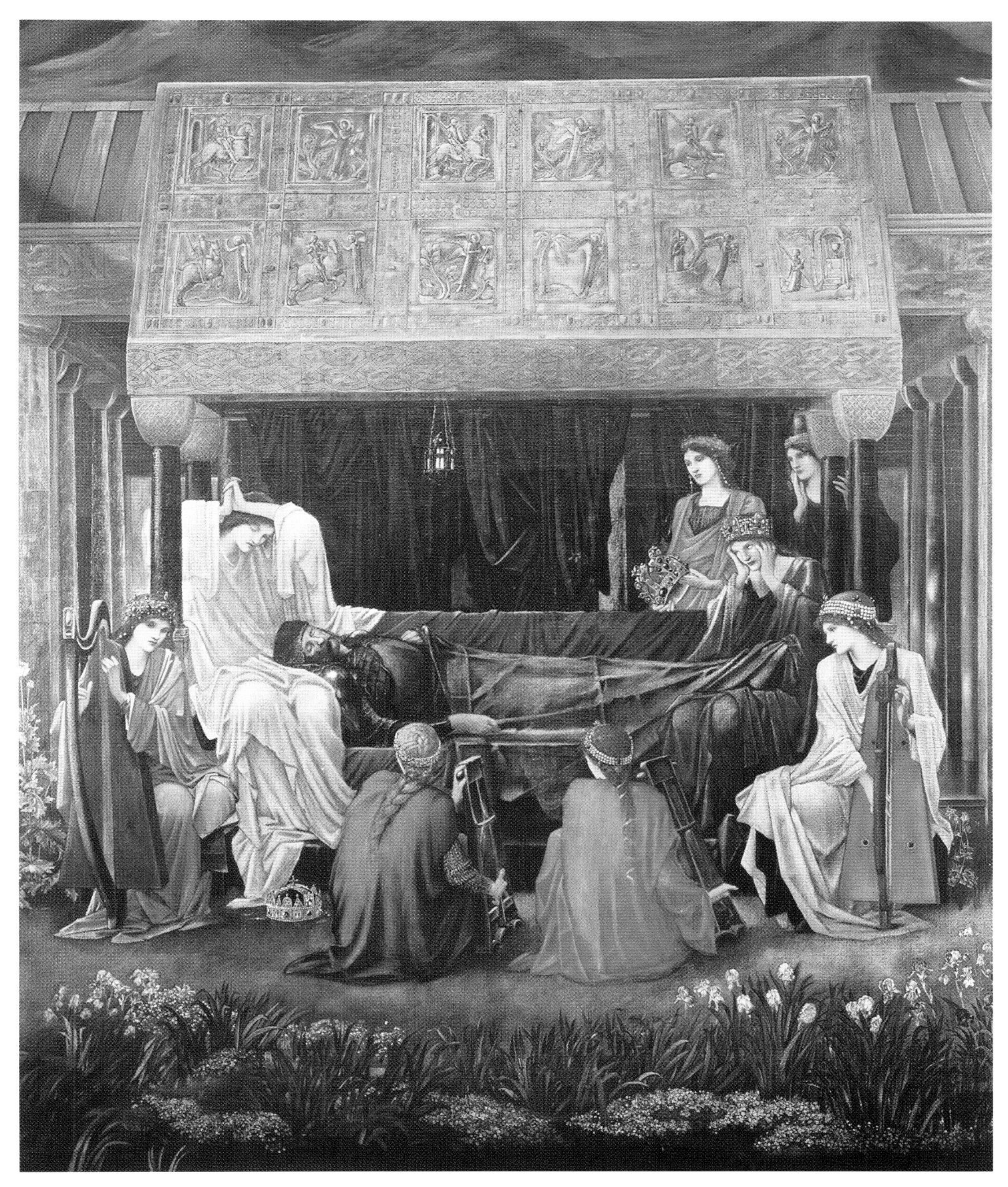

*Efsaneye göre Kral Arthur Avalon'da ölmüştür ama bazıları ihtiyaç olduğunda tebaasına yardım etmek için geri döndüğüne inanır.*

*Morgan Ekskalibur'un kılıfını göle atarak Arthur'u hiddetlendiriyor. Bazı kaynaklara göre kralın kız kardeşi ya da anne ya da baba tarafından kardeşiydi.*

*Morgan, Tristan adıyla da bilinen Cornwall'lu şövalye Tristram'a bir kalkan veriyor.*

# Morgan le Fay

"Fay" "kadın büyücü" demektir ve peri anlamına gelen "fairy" (eski Fransızcada *fae*) sözcüğünden türetilmiştir. Başlangıçta Morgan le Fay bir şifacı ve büyülü Avalon adasının sakini –ya da– hükümdarıydı.

Merlin'in çırağı olan Morgan, zamanla Arthur'un düşmanı olur. Kral Arthur ve şövalyeleri efsanesinde Morgan Guinevere'in nedimesidir, Camelot'tan kovulunca intikam almak ister. Arthur ve karısını büyüyle öldürme denemeleri engellenir.

Morgan'ın aile ilişkileri her öyküde farklıdır. Bazılarında sekiz kız kardeşi vardır ve bütün büyücüler gibi biçim değiştirebilir. Başka öykülerde Arthur'un kız kardeşidir, bazılarında da Gölün Hanımı'nın kız kardeşi. Bazen periler kralı Oberon'un annesi olduğu söylenir (babası da güya Julius Caesar'dır).

Zamanla, Morgan'ı konu alan öyküler karanlıklaşır. Morgan, "Tanrı'ya meydan okuyan" ve ejderleri çağıran biri olarak tarif edilir. Dönüşü Olmayan Vadi adlı bir yerden geldiği, bazı pasajlarını okuyan herkesin ölümüne neden olan kara bir büyü kitabı olduğu anlatılır.

Günümüzde Morgan güçlü bir büyücü kadın imgesine dönüştü, çağdaş edebiyatta popüler bir figür oldu. Onu asıl büyülü kılan da geçirdiği bütün bu değişimler olsa gerek.

*Büyücü Morgan le Fay bir büyü ritüeli sırasında.*

# 4.

# Ortaçağ'da Büyü

*Cadı Sabbatı kavramı günümüzde bilindiği haliyle Ortaçağ'ın sonlarına doğru ortaya çıkmıştır.*

Ortaçağ'da Avrupa büyüye daha gelişmiş bir yaklaşımın doğumuna sahne oldu. Bu yaklaşım giderek daha incelikli bir hale gelen "Hıristiyan" okültizm geleneğinin yanı sıra, eski Hermes, Kabala ve simyacılık geleneklerine –ve önceki yüzyıllarda büyük oranda kayıp olan Yunan filozofların çalışmalarına– dair bilgilere erişimin giderek artmasıyla ilişkiliydi.

Bu kayıp bilgiler nasıl tekrar ortaya çıktı? Özellikle simyacılık, eski klasik metinlerin çevirileriyle Ortadoğu kaynaklı orijinal düşüncelerin bir karışımından oluşan Arapça çalışmalara muhtaçtı. Örneğin Pers bilge Râzî'nin çok önemli simyacılık ve tıp risalelerinin yanı sıra Arap kimyager Câbir bin Hayyan'ın *Kitab-al Kimya*'sı (Kimya Alaşımları Kitabı) gibi eserler on ikinci yüzyılda Latinceye çevrilmişti (Câbir ve El-Râzî için bkz. s. 228). Bu tür eserler Ortaçağ boyunca ve Rönesans başlarında simyacılığın esas metinleri oldu. Benzer biçimde, Hermes Trismegistus'a atfedilen Zümrüt Levha on ikinci yüzyılda Latinceden Arapçaya çevrildi.

Arapçadan çevrilen bir başka ana metin *Secretum Secretorum*'dur (Sırların Sırrı). Portekiz kraliçesinin siparişiyle tercüme edilen ve ilk Latince baskısı 1120'de basılan kitap astroloji, simya, büyücülük, değerli taşlar, sayılar ve bilimi konu edinir. Kitabın on üçüncü yüzyıl versiyonunda, konusu açısından büyük öneme sahip *Zümrüt Levha*'nın yeni bir çevirisi vardır. Levhanın metninde, kitabın Yunancadan Arapçaya çevrildiği iddia edilir – *Secretum Secretorum* ağırlıklı olarak Aristoteles'in Büyük İskender'e yazdığı rivayet edilen mektuplardan oluşmaktadır. Ancak metnin Yunanca versiyonu bulunamamıştır. Bu iddia, eski Hellenistik düşünceyle Arabistan kökenli bilimsel düşüncenin sentezinden ibaret olan fikirlere bir köken atfetme yolunda bir girişim de olabilir.

*Ortaçağ'da simyaya ilgi giderek daha da arttı ama simyacılık işleminin adımları genelde gizli tutuluyor ve muğlak resimlerle aktarılıyordu. Bu suluboya resim kokuşma aşamasını temsil eder (bkz. s. 224).*

*13. yüzyılda yaşayan filozof ve keşiş Roger Bacon simyaya tutkulu bir merak besliyordu ve çok sayıda simya deneyi yaptı – bu resimde kemerli bir manastırda simya deneyi yaparken tasvir ediliyor.*

*Secretum Secretorum* Ortaçağ düşüncesine derinden etki etmiştir, hatta bazı araştırmacılar dönemin en çok okunan kitabı olduğunu savunmuşlardır. Kitaptan etkilenen kişilerden biri de İngiliz filozof Roger Bacon'dı (1214/20-1292). Bilimsel yöntemin öncüsü sayılan Bacon bir tür efsuncu olarak nam salmıştı ve gaipten haber veren bir "pirinç kafa" imal ettiğine inanılıyordu.

Bacon'la aynı dönemde yaşayan Alman din adamı Albertus Magnus (yak. 1200-1280) özellikle astrolojiyle ilgileniyordu. Bu ilgisi, Paris Üniversitesi'ndekiler başta olmak üzere diğer Kilise otoriteleriyle arasının açılmasına yol açtı. İşgüzar Paris Piskoposu Tempier, Hıristiyan öğretilerine aykırı bulduğu –astroloji, cadılık, nekromansi ve remil de dahil olmak üzere– 219 öğretiyi sapkın olduğunu ilan ederek yasaklamıştı.

Paris Yasakları adı verilen bu dönemde en büyük kaygılardan biri semavi güçlerle işbirliği yapmanın insanları özgür irade yükümlülüğünden kurtaracağıydı. Bir yandan, azizlerin hikâyelerinin büyük bölümünde tamamen büyülü bir hayat tasvir ediliyordu. Mucizevi özellikleri olduğuna inanılan azizlerin kutsal emanetleri, on üçüncü yüzyıl tarihli *Altın Efsane* gibi azizlerin hayatlarını anlatan derlemelerin de etkisiyle giderek daha da popülerleşti. Esasında bu emanetler birer muskaya dönüşmüştü – bu durum, birkaç yüzyıl sonraki Reformasyon'un yolunu açacaktı. Öte yandan, popülerliği giderek artan ve geniş kabul gören Hermetik eserler konusunda Hıristiyanlık'ın resmi tutumu ne olmalıydı?

Kilise, çözüm olarak astrolojiye müsamaha gösterirken nekromansi gibi pratikleri ağır bir biçimde cezalandırmayı seçti. On üçüncü yüzyıl başlarında yazan Auvergneli William "doğal büyü"yü kötü büyüden ayırmaya uğraştı. Ona göre doğal büyü "doğal etki"lerle –bitkilerin, gezegenlerin, taşların doğal gücü– işliyordu. Ama cinlerden yardım alarak kehanette bulunmayı ve simge veya sembollerle yapılan büyücülüğü –buna "simge büyücülüğü" diyordu– kesinlikle kınıyordu. Ayrıca Hermes Trismegistus'un çalışmalarını da kesin bir dille lanetlemişti.

Ancak "iyi" ve "kötü" büyü arasında kesin bir ayrım yapma girişimleri, kadim bilgileri temel alan okült eserlerin çığ gibi artmasına engel olamadı. Ortaçağ yazarları büyü ve ritüelleri günümüzde büyücünün el kitabı (*grimoire*) diye bilinen derlemelerde bir araya getiriyordu. Okült geleneklere yönelik bu ilgiyi kısmen Haçlı Seferleri'nin tetiklemiş olması da ilginç bir tesadüftür; özellikle Dördüncü Haçlı Seferi (1202-04) sırasında Konstantinapol'ün yağmalanmasıyla klasik elyazmalarının büyük bölümü Batı Avrupa'ya geçti. Ortadoğu'ya düzenlenen Haçlı Seferlerine katılanlar da zan altındaydı; bilindiği gibi, Tapınak Şövalyeleri gizemli ritüeller düzenleme ve iblislerle iletişime geçme suçlamalarıyla yargılanıp mahkûm edilmiştir. Ortaçağ'da kadınlardan çok erkeklerin cadılıkla suçlanma olasılığının yüksek olması da ilginçtir.

On üçüncü yüzyılın başında İspanyol haham Leónlu Moiz'in (yak. 1250-1305), Zohar'ı –Kabala'nın temel metni– keşfetmesiyle Kabala öğretisi doğmuştur. O dönemde İspanya'nın bazı bölgeleri hâlâ Müslümanların kontrolündeydi, aynı zamanda büyük bölümü Arapça konuşan büyük bir Yahudi nüfusu da vardı. Zohar Avrupa'da hızla yayıldı ve ilerleyen yıllarda Batı Avrupa'daki okültizm ve büyücülük üzerinde kayda değer bir etkisi oldu.

*Bulgaristan, Rila Manastırı'nda bulunan bu 19. yüzyıl başlarından kalma duvar resmi Ortaçağ sonlarının düşünme biçimini yansıtır: "Büyücüler ve şifacılar şeytana hizmet eder. Resimdeki şeytanların çok neşelenmesinin, etrafta zıplayıp durmasının, bu inşalara başvuranların önünde dans etmesinin nedeni budur… Tanrı'ya, yasalara, kiliseye sırtını dönüp şifacılara gidenler İyinin değil şeytanın hizmetindedir."*

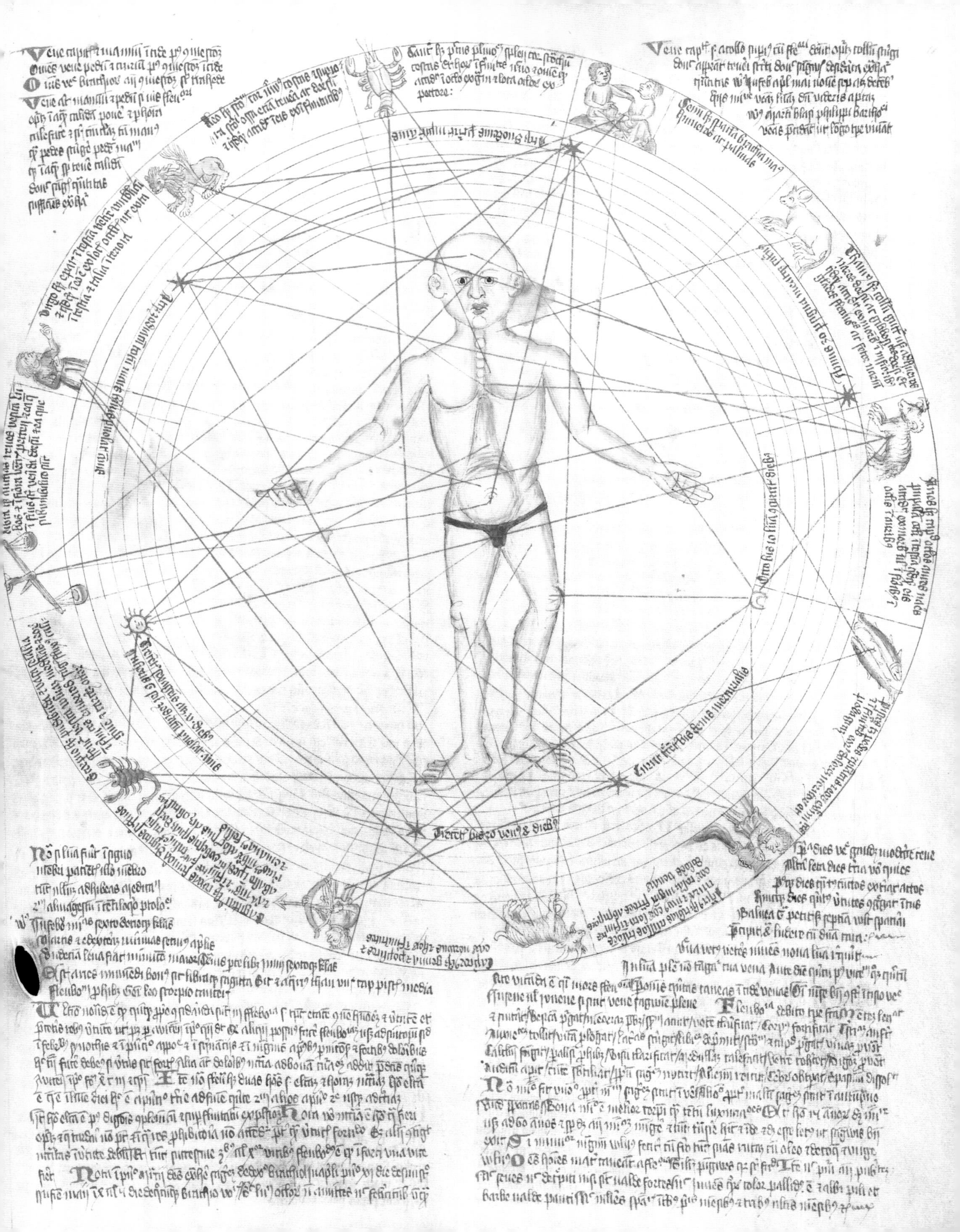

KARŞI SAYFADA *Bu kan çekme çizelgesi bireyle kozmos arasındaki ilişkiyi açıklar ve Zodyak'ın ve gezegenlerin insanlar üzerindeki etkisini gösterir.*
YUKARIDA *İsviçre'deki Lozan Katedrali'ndeki Gül Pencere, dört mevsim, on iki ay, dört element, Zodyak, Cennet'in dört ırmağı ve Yaratılış alegorileriyle Ortaçağ düşüncesinin başyapıtlarından biridir. Ortaçağ evreninin kati bir beyanıdır.*

# MİKROKOZMOS VE MAKROKOZMOS

"Aşağıda olan yukarıda olan gibidir" Hermetikliğin temel öğretisidir. Bu öğreti, daha yüce bir varlık düzlemiyle etkileşime geçerek insanların amellerine etki etmeye uğraşan büyücülüğün büyük bölümünün mantıki temelidir. Mikrokozmosla (insan) makrokozmosun (evren) birbiriyle ilişkili olduğu düşüncesinin kökeni, Platon'dan kalan ve üçüncü ve altıncı yüzyıl arasında Neoplatoncular tarafından tamamen geliştirilen "Büyük Varlık Zinciri" kavramına kadar uzanır. Bu kavram en basit ifadesiyle Tanrı'dan cansız nesneye kadar her şeyin, insanın tam ortasında bulunduğu bir zincirde birbirine bağlı olduğunu ifade eder.

Bu karşılıklı bağlı olma hali büyücülüğün büyük bölümünün entelektüel payandası açısından esas önemdedir çünkü insan evrenin küçük bir kopyasıysa ya da evrene bir şekilde bağlıysa, ikisi arasında doğal bir şekilde tekrar eden modeller ve paylaşılan duygular olması gerekir.

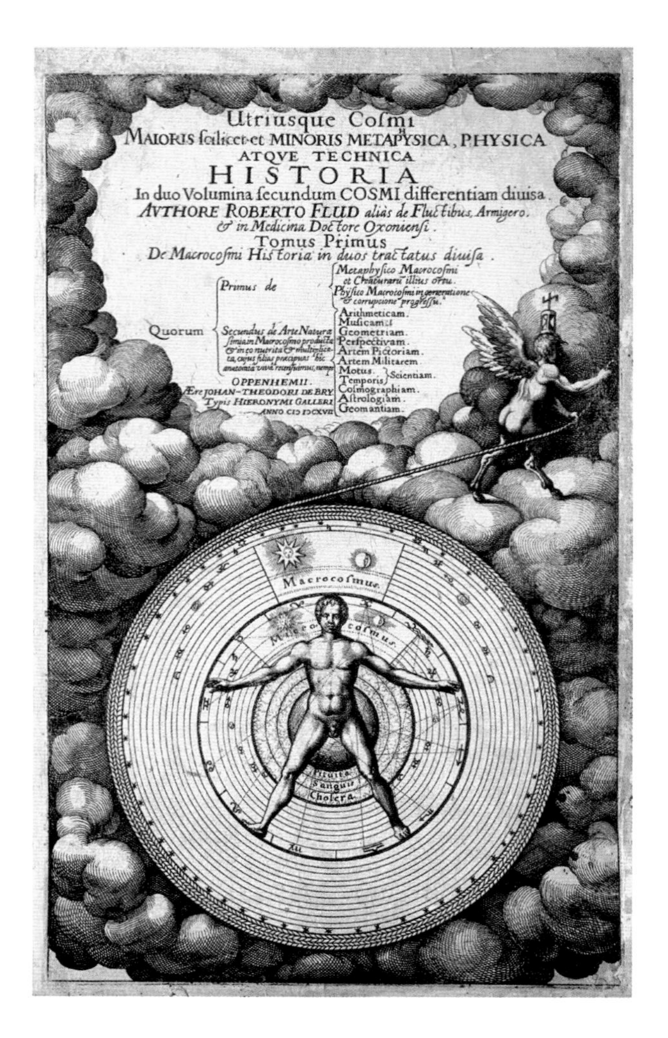


YUKARIDA *Robert Fludd'ın* Utrisque Cosmi ... (1619) *kitabının başındaki resimli sayfada, insanın makrokozmosla ilişkisi tasvir ediliyor. Resmin üst kısmında Tanrı'dan dünyaya uzanan halat görülür.*

KARŞI SAYFADA *Ortaçağ'da gezegenlerin hareketleri, meleklerin hareket ettirdiği bir dizi döner küre tasviriyle açıklanırdı. Büyü düşüncesinde meleklerle iletişim kurulup fiziksel dünyaya etki etmeye ikna edilebileceklerine inanılırdı.*

On ikinci yüzyılda iyice yerleşmiş olan –ve elbette o dönemin toplumunun hiyerarşik yapısını da destekleyen– insanın evrende sabit bir yeri olduğu anlayışı, Giovanni Pica della Mirandola (bkz. s. 196) gibi önde gelen figürlerin insanların meleklerden daha üst seviyeye yükselebileceğini savunduğu Rönesans'ta sorgulanmaya başlamıştır.

Bununla birlikte, insanlığın ilahi düzenle bağlantılı olduğu inancı Rönesans'ın Vitruvius Adamı kavrayışında yaşamaya devam etmiştir. On altıncı yüzyılda Sir Walter Raleigh daha da ileri gitmiş, insanın başındaki saç telini çim yaprağına, damarlarında akan kanı nehirlere benzetmiştir. Vücudun farklı bölümlerinin Zodyak burçlarına karşılık geldiğini savunan astrolojik inançta da, dört suyuğun (kan, balgam, sarı safra, kara safra) dört elemente karşılık geldiği görüşünde de bu kavrayışın izleri vardır.

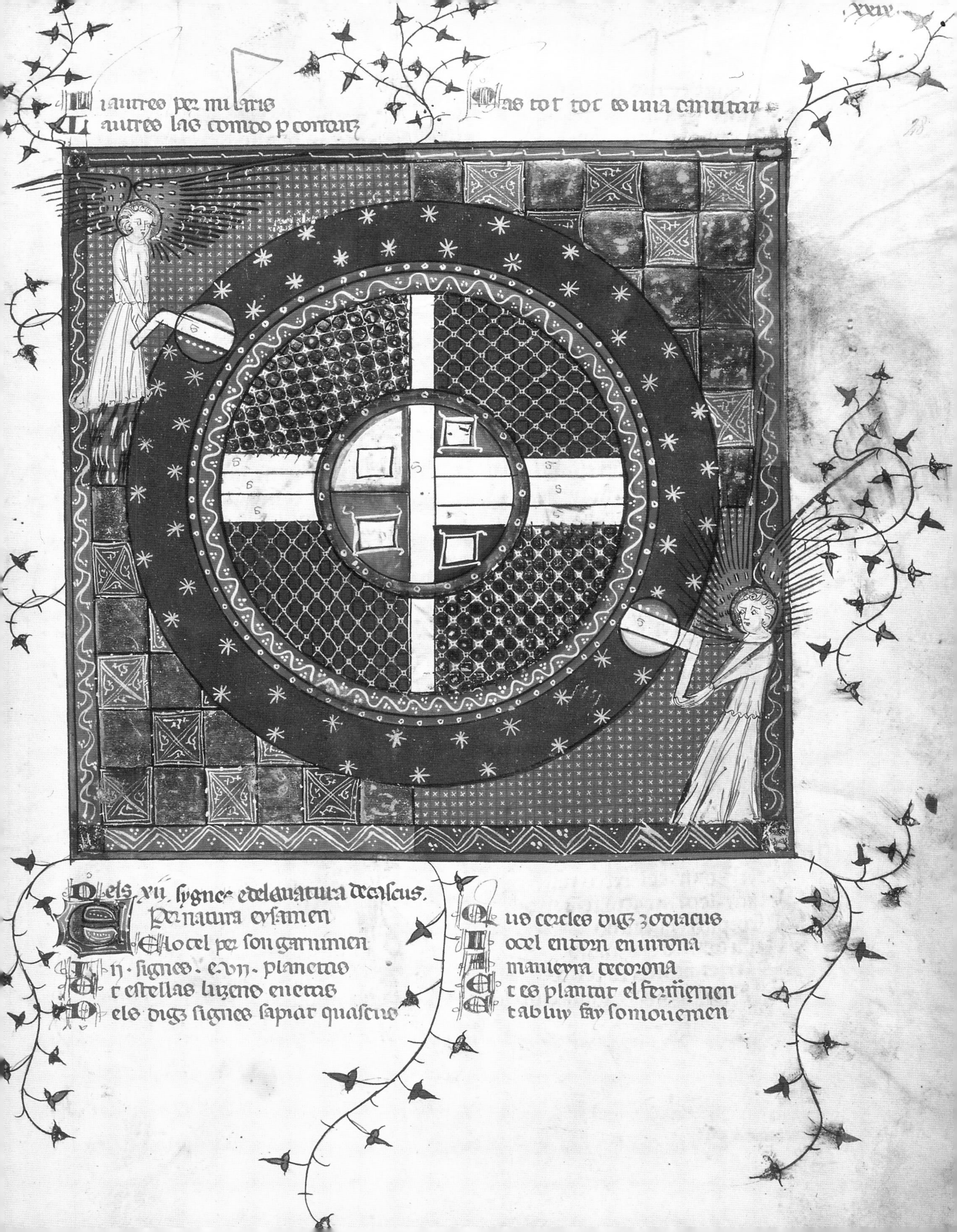



Li autres per miliaris
Li autres las comtes p contariz

Mas tot tot es una cantitat .

Dels .xii. sygnes e de la natura de cascus.
E per natura eyssamen
E lo cel per son garnimen
Li .xii. signes e .vii. planetas
Et estellas luzens e netas
Dels digz signes sapiat quascus

Quus cercles digz zodiacus
Lo cel entorn environa
A maniera de corona
Et es plantat el fermamen
Et ab luy fay so movemen

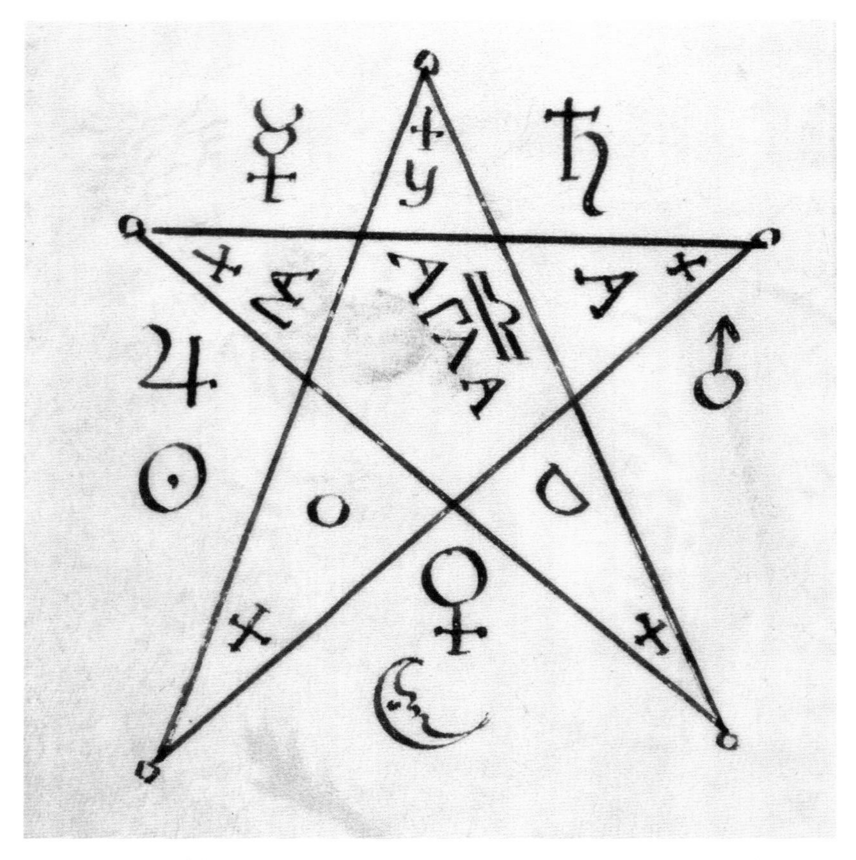

YUKARIDA *Bu resimdeki pentagram mührü Şeytan'la özdeşleştirilir ama kökenleri Kral Süleyman'a kadar uzanır. Bu örnek* Cyprianus *ya da* Kara Kitap*'tan alınmadır (bkz. s. 297)*
KARŞI SAYFADA *Pentagram insan vücuduyla da –Leonardo'nun Vitruvius Adamı'nın okült biçimi– ilişkilendirilir. En üstteki çizimde yıldızlarla insan arasındaki uyuşum tasvir edilir.*

# SİHİRLİ ŞEKİL VE SİMGELER

Simge ve şekiller büyücülük için çok önemli olmakla birlikte çoğunun anlamının kökeni Yunan felsefesinde (bazen de *Hermetica*'da) bulunur. Örneğin kare şekilleri Yunan dünya görüşündeki dört yönle (kuzey, güney, doğu, batı) veya dört suyukla ilişkilidir, öte yandan mikrokozmosu makrokozmosla bağdaştırmak için daha çok geometriye başvurulur.

Pentagram ya da beş köşeli yıldız genelde okült bir simge olarak bilinir ve sıklıkla Şeytan'la bağdaştırılır. Aslında yukarı bakan bir pentagramın iyiye, aşağı bakan bir pentagramın kötüye işaret ettiği fikri Eliphas Levi'ye (bkz. s. 346) atfedilen bir on dokuzuncu yüzyıl icadıdır. Pentagram kullanımının izi sıklıkla Kral Süleyman'a kadar sürülür, Almanya'da ise *Drudenfuss* adını almış ve kötülüğe karşı koruyan bir simge olarak kabul edilmiştir.

Influxus Astrorum

Influentia Planetarum

Fig. 4.

Agla
EL
Dextra dñi fecit Virtutus
Dextra dñi exaltavit me
Messias
Tetragrammaton
Elphilbry
Omega
alpha
adonay
Jesu Nazarenus
Emanuel
Jah
Panthon
Dextra dñi fecit Virtutem
Dextra dñi exaltavit me

KARŞI SAYFADA VE YUKARIDA *Çemberler büyücülük için önemli şekillerdir.*
KARŞI SAYFADA *Birto, Agares, Bealpharos ve Vassago cinlerini çağırmak için kullanılan simgeler gösterilmektedir. Simgelerin açıklaması şöyledir: "Cin 1. Şeklin içinde belirecektir; 3. Şekil Usta içindir, 2. Şekil ise bu ikisinin arasına çizilmeli, her şekil arasında en az 1 metre mesafe bulunmalıdır. Usta ve eşlikçileri Bealpharos cinini çağırırken 4. Şeklin ortasında durmalıdır."*
YUKARIDA *Büyüde sıklıkla kullanılan sonsuzluk simgesi ouruboros.*

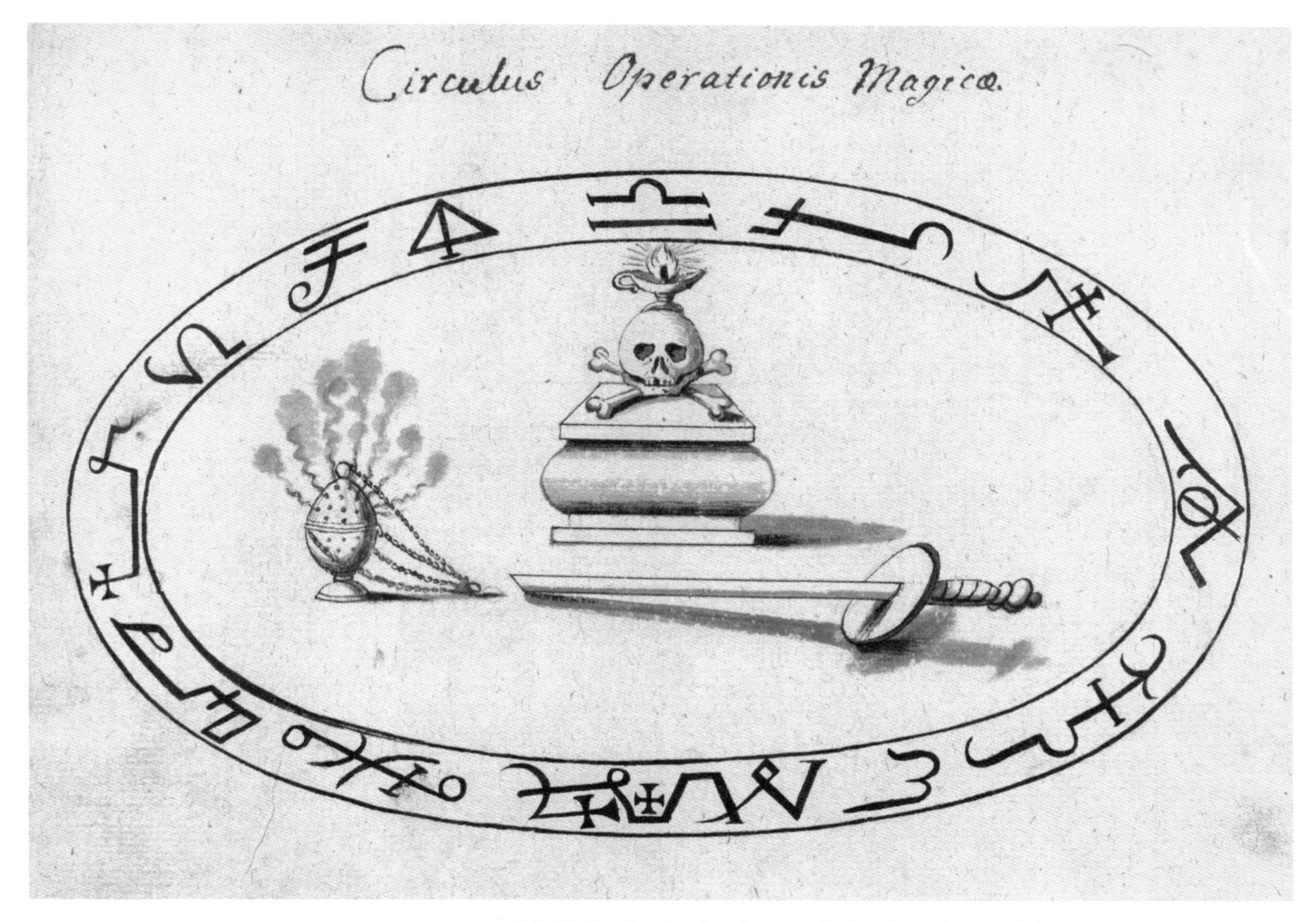


KARŞI SAYFADA VE YUKARIDA *Büyücü cin çağırırken önce koruyucu bir büyülü çember çizmelidir. Karşıda bir meşale, kılıç ve süpürgeyle resmedilen büyücü, asılmış bir adamın saçının kullanılacağı bir kara büyü ritüelinde. Yukarıdaki çemberin içinde Kabala simgeleri bulunmaktadır.*

Çember de hem simyacılıkta, hem pratik büyülerde sık sık karşımıza çıkar. Simyacılıkta, sonsuzluk simgesi *ouroboros* (kendi kuyruğunu ısıran yılan ya da ejderha) kullanılır. Pratik büyüde iblis çağıran ya da ölülerle iletişime geçen büyücünün etrafına bir çember çizilerek kötülükten korunması sağlanır. Genelde bu çemberlerin içine büyülü simge ve harfler çizilir.

Cadılar sıklıkla bir çember oluşturacak şekilde toplanmış halde tasvir edilir ve günümüz modern cadıları da çemberi düzenli olarak kullanır. Çizilen çemberin içindeki büyücü büyülü sözler söyleyip dans ederek bir "güç konisi" oluşturur.

Büyücüler kasten belirsiz simgeler kullanmaktan da hoşlanırlar. Bir kısmı simya veya astrolojiden ödünç alınmış bu simgelerin bazıları da bizzat büyücünün, otomatik yazma yoluyla ya da yaratımlarındaki gücün cisimleşmiş hali olarak ürettiği şekillerdir.

Bu şekilde güçle donanan diğer sihirli simgelerden bazıları da İzlanda kökenli "sihirli çizgiler"den oluşur. Bunların en bilineni, taşıyanı koruduğuna inanılan Dehşet Dümeni'dir. Diğer sihirli simgeler ekini korumak, başarılı olmak ya da hastalıktan kurtulmak gibi amaçlara hizmet eder. Voodoo büyülerindeki "veve" çizimlerinde olduğu gibi, güç simgenin yaratılış sürecinden kaynaklanır.

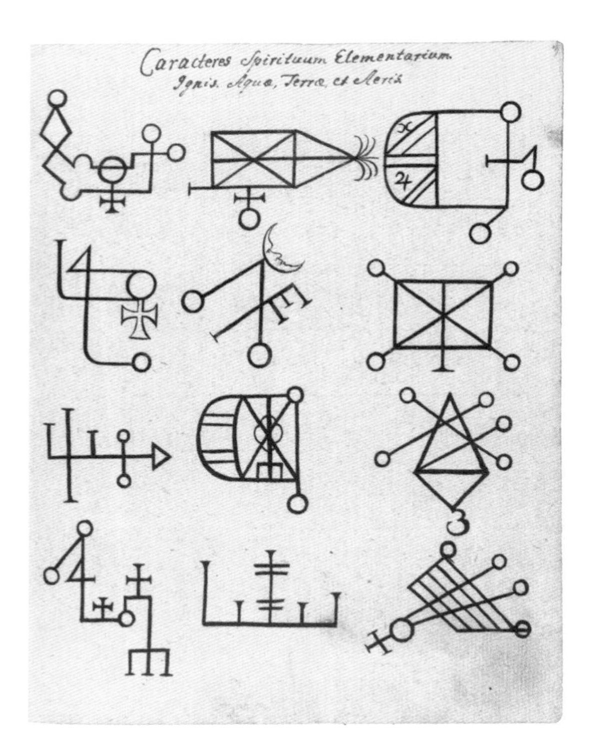


ÜSTTE *İzlanda'da başkalarının içine korku salmak için kullanılan büyülü Dehşet Dümeni.*
YUKARIDA, SOL VE SAĞDA *Hava, toprak, ateş ve su cinlerinin sembolleri.*
KARŞI SAYFADA *"Kuzey Kralı, Haşmetli Egin Cini"ni çağırmak isteyen büyücülere bu törende kullanılacak çemberin nasıl oluşturulacağını anlatan çizim.*

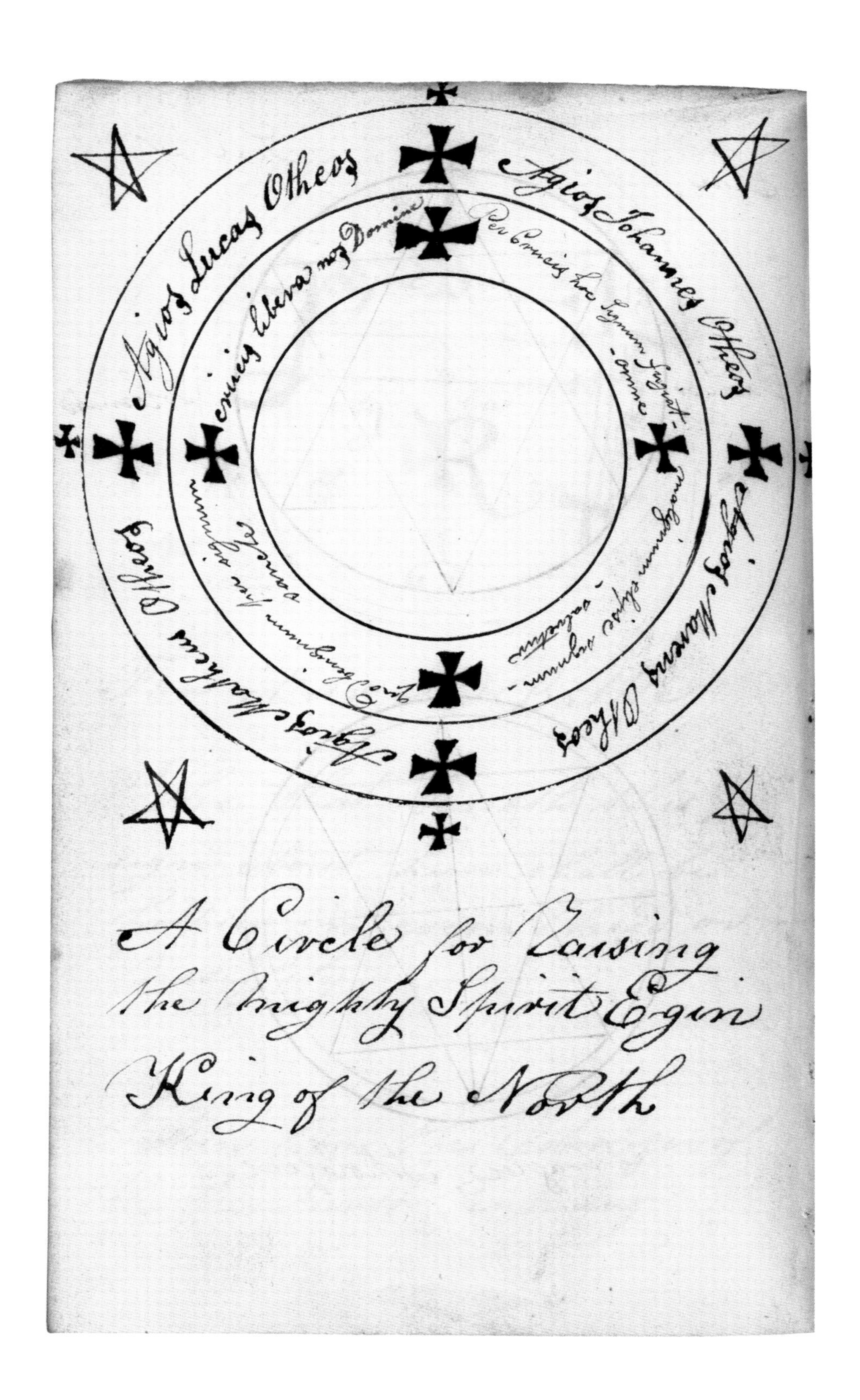
Agios Lucas Otheos
Agios Johannes Otheos
Agios Marcus Otheos
Agios Matheus Otheos
crucis libera nos Domine
A Circle for Raising
the Mighty Spirit Egin
King of the North

YUKARIDA *Albertus Magnus Paris'te öğrencilere ders veriyor.*
KARŞI SAYFADA *Albertus Paris sokaklarında fizik öğretilerini izah ediyor.*

# Albertus Magnus

1200 civarında Bavyera'da doğan Albertus Magnus Paris Üniversitesi'nde ders veren nüfuzlu bir Katolik piskopostu. Zamanının en büyük Alman teoloğu ve filozofu olarak bilinen Albertus, dönemindeki Aristoteles çalışmalarına yön vermiş, ayrıca öğrencisi Aquinalı Tomasso'yu da derinden etkilemiştir.

Albertus özellikle astrolojiyle ilgileniyordu. Bu alanın Hıristiyanlık'ın dünya görüşüne çok uygun olduğunu düşünüyordu çünkü ona göre mikrokozmosla (insan) makrokozmos (evren) ayrılmaz şekilde bağlıydı. 1270 civarında yazdığı *Speculum Astronomiae* (Astronominin Aynası) kitabında astrolojiyi Hıristiyanlık bağlamında meşru kılmanın yollarını arar. Bu kitapta astrolojik büyücülüğü inceler ve (o zamanlar popüler olan) mühür ve tılsımların yanı sıra dua ve zikrin de kullanıldığı "Süleymancı" uygulamaları kınar.

Albertus ölümünden sonra simyacı ve büyücü olarak nam saldı. Bunun bir nedeni bazı çalışmaların yanlış yere ona atfedilmesidir. Bu eserlerden biri de bir dizi "deneyin" ve belli taş ve bitkilerin gücü hakkında bilgiler içeren *Secreta Alberti* (Albert'in Sırları) kitabıdır. Kitap Albertus tarafından yazılmamış olabilir ama yazarın mütekabiliyet teorisine olan ilgisi ve Aristoteles'e atıfla büyücülük çalışmalarını savunması Albertus'u andırır: "Büyücülük ilmi kötü değildir çünkü büyü hakkında bilgi sahibi olmak kötü şeylerden sakınmaya, iyi şeyleri elde etmeye yarar." Efsaneye göre felsefe taşını (bkz. s. 223) eksiksiz üretmeyi başaran Albertus sırrını öğrencisi Aquinolu Tommasso'ya aktarmıştır.

YUKARIDA *Belial cini Kral Süleyman'a sicilini gösteriyor.*
KARŞI SAYFADA *Canavarımsı "Karanlıklar Tanrısı Dagol" insan uzuvlarını yerken.*
*Demonoloji, her biri kendine özgü kötü özelliklere sahip sayısız iblisin varlığını savunur.*

# DEMONOLOJİ

İblislerin din ve büyü pratiklerinde tuhaf bir yeri vardır, birinde varlıkları reddedilirken diğerinde kötü talihin nedeni olarak anılırlar. Bununla birlikte, tanrılık vasfı taşımadan doğaüstü düzene etki eden yaratıklar olmaları nedeniyle okültist büyü pratiklerinde çok önemli bir rol üstlenirler. Bu nedenle pek çok büyücü iblislerle iletişime geçip onları kontrol etmeye uğraşmıştır.

İblislere dair bilgiler özellikle Hz. Süleyman'la ilişkilidir; sarayını inşa etmek için iblislerden yararlandığına inanılırdı. Eski Ahit'in Hz. Süleyman Kitabı'na göre (İS birinci ve beşinci yüzyıl arası) iblisleri mührüyle damgalayarak onları kendine köle edebiliyordu – büyü kitaplarında Süleyman mühürlerine verilen önem de bu mühürlerin büyücünün doğaüstü güçleri kontrol altına almasını sağladığı inancından gelir.

Ortaçağ'da bu konu üzerine bilgi veren ana metin Bizanslı yazar, filozof ve devlet adamı Mikhail Psellos'un on birinci yüzyılda yazdığı *De Operatione Daemonum*'dur. O yüzyılda Ortodoks Hıristiyanlık'ta iblislerin varlığı kabul ediliyor ama Cennet'ten sürgün edilmiş melekler oldukları, dolayısıyla onlarla iletişime geçilmemesi gerektiği düşünülüyordu.

Sein Rauch A:
Haar von geschnitt
und Teufelsdreck.

Der fürst der finsternis: Dagol:

YUKARIDA *Büyücülükte iblisler hakkında bilgi –adları, mühürleri, görünüşleri– büyük önem taşır. Bunlar, Cehennem'in ileri gelenlerinden bir kısmının "resmi portreleri"dir.*
KARŞI SAYFADA *Merkezinde Şeytan'ın durduğu, iblislerin günahkârları cezalandırdığı bir Cehennem tasviri.*

Melekler gibi iblisler de en üst kademede Şeytan'ın bulunduğu bir hiyerarşiye dahildir. Bu hiyerarşideki işbölümü uyarınca her iblise bir "özel uzmanlık alanı" verilmişti. İnançlı bir Hıristiyan'ın da ilgisini çekecek olan bu bilgi ritüel büyücüleri için büyük önem taşır.

Ortaçağ'dan itibaren büyücülükte ağırlıklı olarak iblislere belli işler yaptırmak için onları adıyla çağırmaya odaklanılır. Örneğin on altıncı yüzyıldan kalma *Pseudomonarchia Daemonum*'da altmış dokuz iblisin adı ve bu iblislerin nasıl çağrılacağı anlatılır. On yedinci yüzyıl tarihli büyücülük kitabı *Süleyman'ın Küçük Anahtarı*'nın ilk kitabı olan *Ars Goetia*'da yetmiş iki cin her biri için uygun mühürle birlikte listelenir. Bu iki kitap da *Liber Officium Spirituum*'dan (Cinler Makamı Kitabı) ilhamla yazılmıştır.

# BÜYÜNÜN CEZALANDIRILMASI

Büyü karşıtı yasaların ilkine, İÖ ikinci milenyumda Babil'de yazılan Hammurabi Kanunu'nda rastlanır. Bu yasaya göre büyücülükle suçlanan birinin masumiyetini anlamak için kutsal nehre atılarak boğulup boğulmayacağına bakılır.

Kadim Roma hukukunun temelini oluşturduğu kabul edilen Lex XII Tabularum (On İki Levha Kanunu) da İÖ beşinci yüzyılda büyüyü yasaklamıştır. Aslında Roma İmparatorluğu'nda da büyücülük istikrarlı bir şekilde cezalandırılıyordu. *Lex Cornelia*'da (İÖ 82) şöyle yazar: "Birisini büyüleme, efsunlama ya da bağlama amaçlı kâfirce ritüellere veya gece ritüellerine başvuranlar ... çarmıha gerilir ya da vahşi hayvanlara yem edilir... Büyücüler ise canlı canlı yakılır." İS 292'de İmparator Diocletianus simya kitaplarının yakılmasını emretmiştir.

İS dördüncü yüzyılda Aziz Augustinus büyüyle mucizeyi birbirinden ayırt etmeye uğraşmış ve *İblislerin Vahyi Üzerine* kitabını yazmıştır. Ancak sadece Tanrı'nın evrenin yasalarını askıya alabileceğine inandığından, büyücülüğün az da olsa tehlikeli bir tarafı olduğunu da savunmuştur.

KARŞI SAYFADA *Günümüzde Türkiye sınırları içinde bulunan Efes ahalisi Aziz Pavlus önünde büyü kitaplarını yakıyor.* SAĞDA *Bir dikilitaşa kazılı Babil Hammurabi Kanunu'nda büyü kesin bir dille yasaklanır.*

YUKARIDA *Tapınak Şövalyeleri kâfir olmakla ve kara büyü yapmakla suçlandılar. Büyük bölümü yakılarak öldürüldü.*
KARŞI SAYFADA *Romalı asker, Galler, Anglesey'de Druidlerin yakılmasını izliyor.*

On üçüncü yüzyılda sapkınlığın daha çok kaygı yaratmasıyla birlikte işler değişmeye başlar. İtalyan rahip ve Katolik bilgin Aquinolu Tommasso iblislerin varlığını kabul ederken büyüyü reddetmiştir. *Summa Theologica*'da (1265-74) "büyü sanatı hem yasaya aykırıdır hem de anlamsız" yazmıştır. Ona göre iblisler kehanette bulunma yetisine sahipti ama bunu Tanrı'nın onayını almadan yapıyorlardı.

Tommasso tıbbi şifalı bitkileri harmanlarken kutsal simge veya Tanrı'nın duası dışında ayinlere veya büyülü sözlere başvurmanın caiz olmadığını açıkça belirtmiştir. Tapınak Şövalyeleri büyücülük ve sapkınlık suçlamasıyla dağıtıldıktan sonra halk büyücülüğünün Ortaçağ'da büyük oranda cezasız kaldığı anlamına gelir bu. Cadı avı ise 1486'da *Malleus Maleficarum*'un yayımlanmasıyla başlamış ve on yedinci yüzyıla kadar sürmüştür.

VI.

LES DRUIDES BRULÉS

dans l'Isle d'Anglesey.

en 64.

*Dessiné par Monet* *Gravé par David*

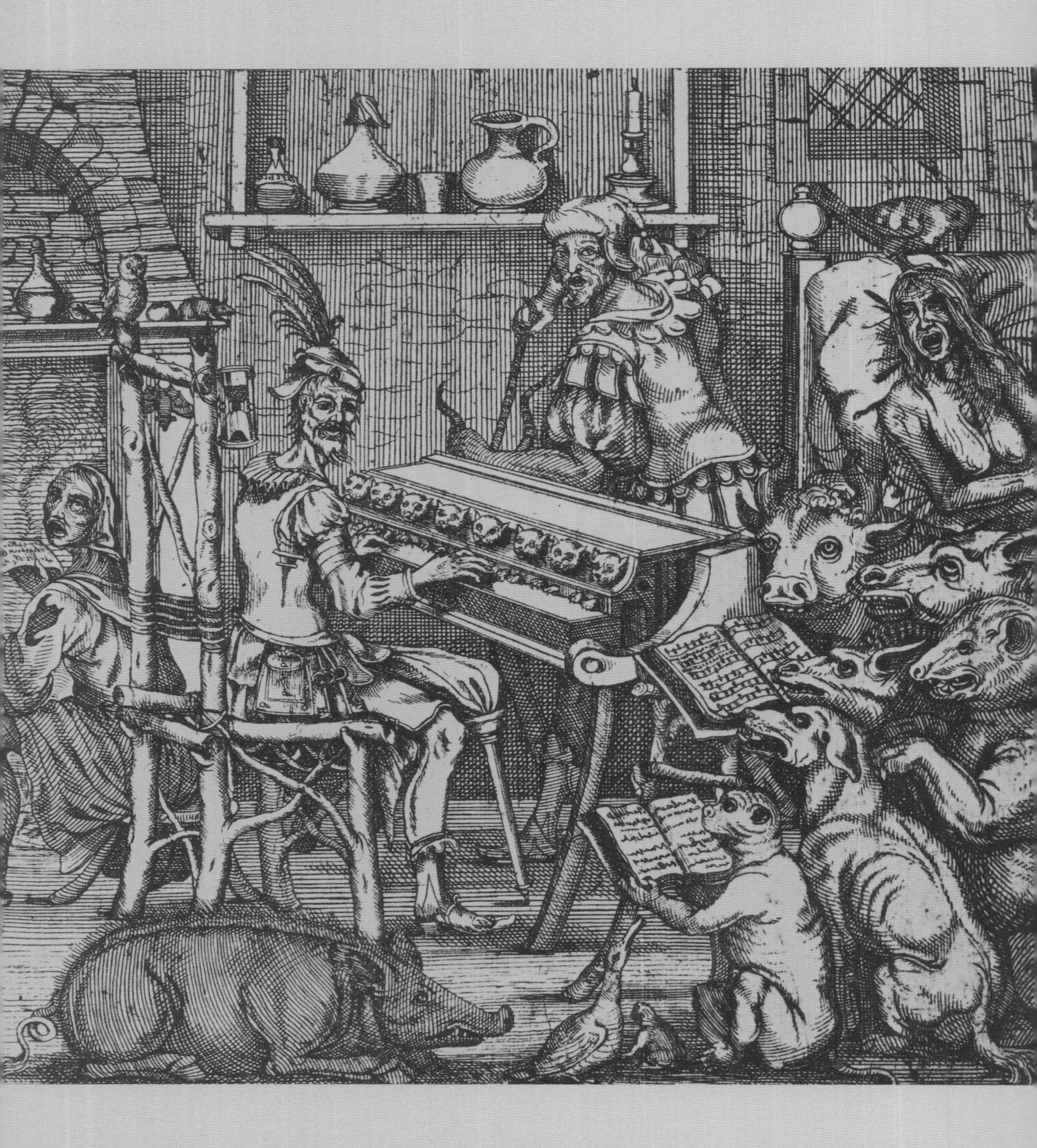

# GRIMOIRE'LAR

Grimoire'lar genelde büyü tarifleri içerir ama bazıları özellikle iblis çağırma hakkında bilgi veren yazılardan oluşur. En bilinen grimoire'lar *Honorius'un Yeminli Kitabı*, *Munıch İblis Çağırma* ve *Grand Grimoire* (Büyük Büyü Kitabı)'dır. Her birinin kaynağı belirsizdir ama çoğunun kayıp ortak ataları olduğu da açıktır. Tebli Honorius tarafından yazıldığı varsayılan *Honorius'un Yeminli Kitabı* bilinen en eski büyü kitabıdır. Eski elyazması versiyonu on dördüncü yüzyıldan kalmadır ve bir dönem matematikçi okültist John Dee'ye ait olmuştur. Ancak kitabın ilk basılı versiyonu ilk kez 1629'da ortaya çıkar.

*Picatrix* de bilinen bir büyü kitabıdır. Muhtemelen on birinci yüzyılda (ve belki de daha önce) Arapça yazılmış olan bu kitap büyücüye yardımcı olacak büyü ve iksir tarifleri, astrolojik bilgiler ve felsefi pasajlardan oluşur. Rönesans'ın ünlü figürleri Marsilio Ficino ve Heinrich Cornelius Agrippa üzerinde etkili olmuş kitap dışkı, beyin, kan gibi "alışılmadık" iksir malzemesi bolluğuyla da bilinir.

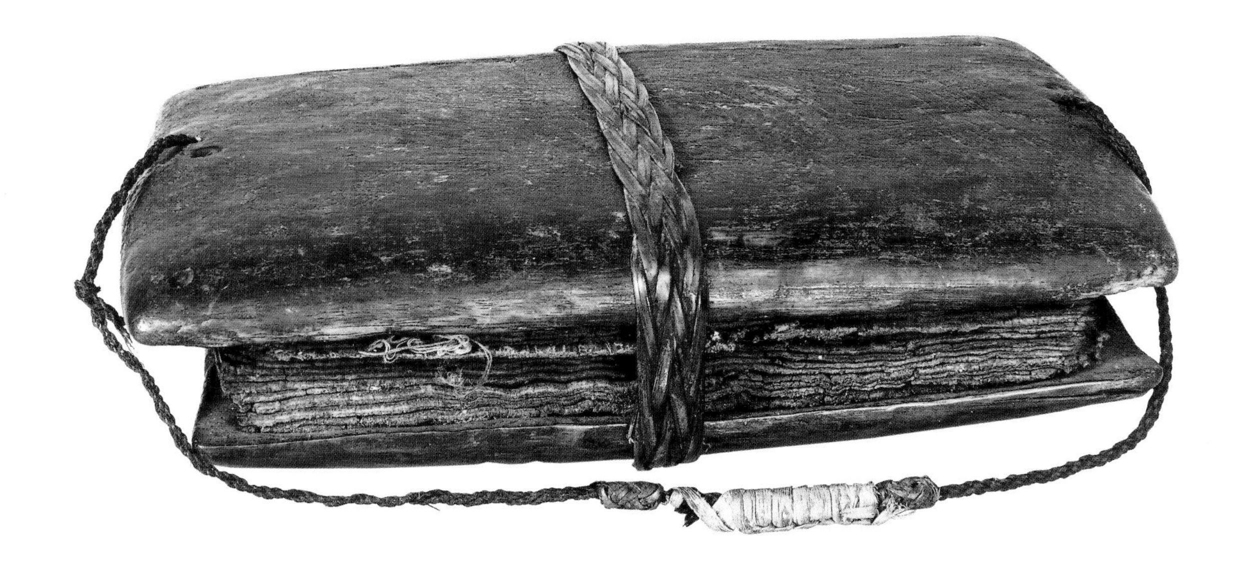

KARŞI SAYFADA *Tuhaf yaratıklar olağandışı bir klavsenin etrafında toplanmış, büyük büyü kitabından şarkı söylüyor. Yatakta yatan cadı da onlara eşlik ediyor.*

YUKARIDA *Tuhaf yaratıklar olağandışı bir klavsenin etrafında toplanmış, büyük büyü kitabından şarkı söylüyor. Yatakta yatan cadı da onlara eşlik ediyor. Sumatra'dan bir büyü kitabı. Kitabın sayfaları ağaç kabuğundan yapılmadır.*

res, et surtout avec ceux qui sont plus doux que les autres; Si c'est une femme qui doit opérer, qu'elle le porte dans la poche gauche, ou entre les mammelles; que l'homme écrive cette figure le jour de Mars : la femme le peut faire grâver tous les autres jours.

## Des Esprits & de leur pouvoir.

L'Esprit supérieur est le Prince qui se nomme Lucifer; après lui, Belzebut; les inférieurs qui sont sujets à Lucifer, habitent l'Europe et l'Asie; ceux qui dépendent de Belzebut, sont dans l'Amérique; Lucifer et Belzebut ont sous eux deux Chefs qui commandent à leurs Sujets, s'attribuent toute puissance et ordonnent tout ce qui se fait dans tout le monde: ils apparoissent à leurs Sujets, en forme d'un Cheval, Serpent ou Bouc, et à leurs Chefs, en leur forme ordinaire.

Quand tu voudras obtenir quelque chose d'eux, tu dois premiérement tenir en main leur Caraƒtere, et si tu l'oubliois, tu

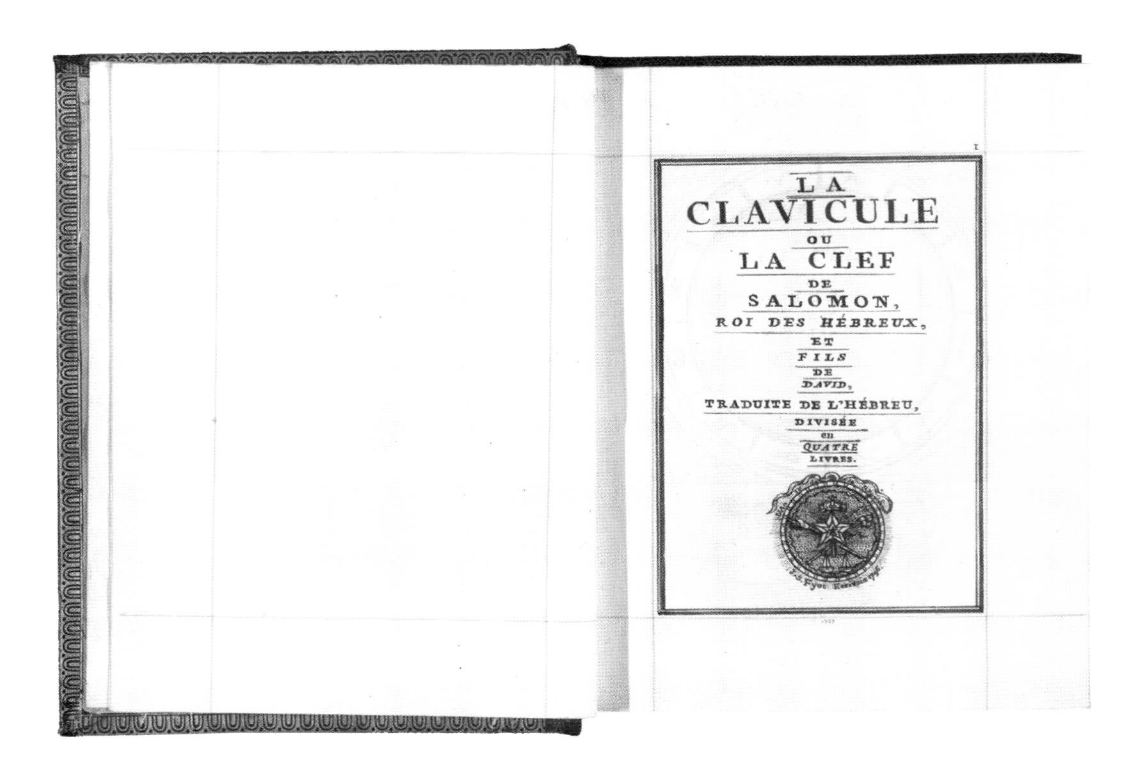

LA
CLAVICULE
OU
LA CLEF
DE
SALOMON,
ROI DES HÉBREUX,
ET
FILS
DE
DAVID,
TRADUITE DE L'HÉBREU,
DIVISÉE
en
QUATRE
LIVRES.

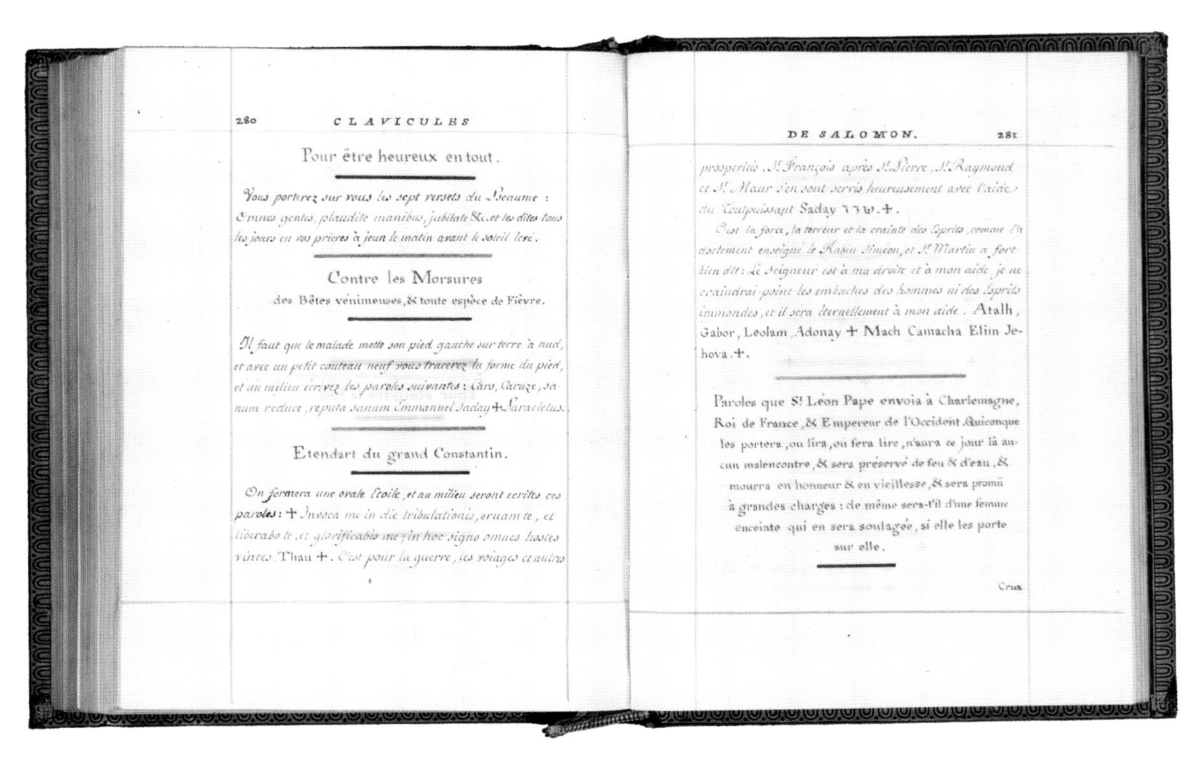

280 CLAVICULES

Pour être heureux en tout.

*Vous porterez sur vous les sept versets du Pseaume : Omnes gentes, plaudite manibus, jubilate &c. et les dites tous les jours en vos prieres à jeun le matin avant le soleil levé.*

Contre les Morsures
des Bêtes vénimeuses, & toute espèce de Fièvre.

*Il faut que le malade mette son pied gauche sur terre à nud, et avec un petit couteau neuf vous tracerez la forme du pied, et au milieu écrivez les paroles suivantes : Caro, Caruze, sanum reduce, reputa sanum Emmanuel Saday + Paracletus.*

Etendart du grand Constantin.

*On formera une ovale Etoile, et au milieu seront ecrites ces paroles : + Invoca me in die tribulationis, eruam te, et liberabo te, et glorificabis me ; in hoc signo omnes hostes vinces.* Thau +. *C'est pour la guerre, les voiages et autres*

DE SALOMON. 281

*prosperités. St. François après St. Pierre, St. Raymond et St. Maur s'en sont servis heureusement avec l'aide du Toutpuissant* Saday שדי. +.

*C'est la force, la terreur et la crainte des Esprits, comme l'a doctement enseigné le Rabin Simeon, et St. Martin a fort bien dit : Le Seigneur est à ma droite et à mon aide je ne craindrai point les embuches des hommes ni des Esprits immondes, et il sera éternellement à mon aide.* Atalh, Gabor, Leolam, Adonay + Mach Camacha Elim Jehova. +.

Paroles que St. Léon Pape envoia à Charlemagne, Roi de France, & Empereur de l'Occident. Quiconque les portera, ou lira, ou fera lire, n'aura ce jour là aucun malencontre, & sera préservé de feu & d'eau, & mourra en honneur & en vieillesse, & sera promû à grandes charges : de même sera-t'il d'une femme enceinte qui en sera soulagée, si elle les porte sur elle.

Crux

KARŞI SAYFADA, ÜSTTE VE DIĞER SAYFADA Süleyman'ın Anahtarı'*ndan sayfalar. Bu sayfalardan birinde (karşı sayfadaki) iblislerin hiyerarşisi açıklanır.*

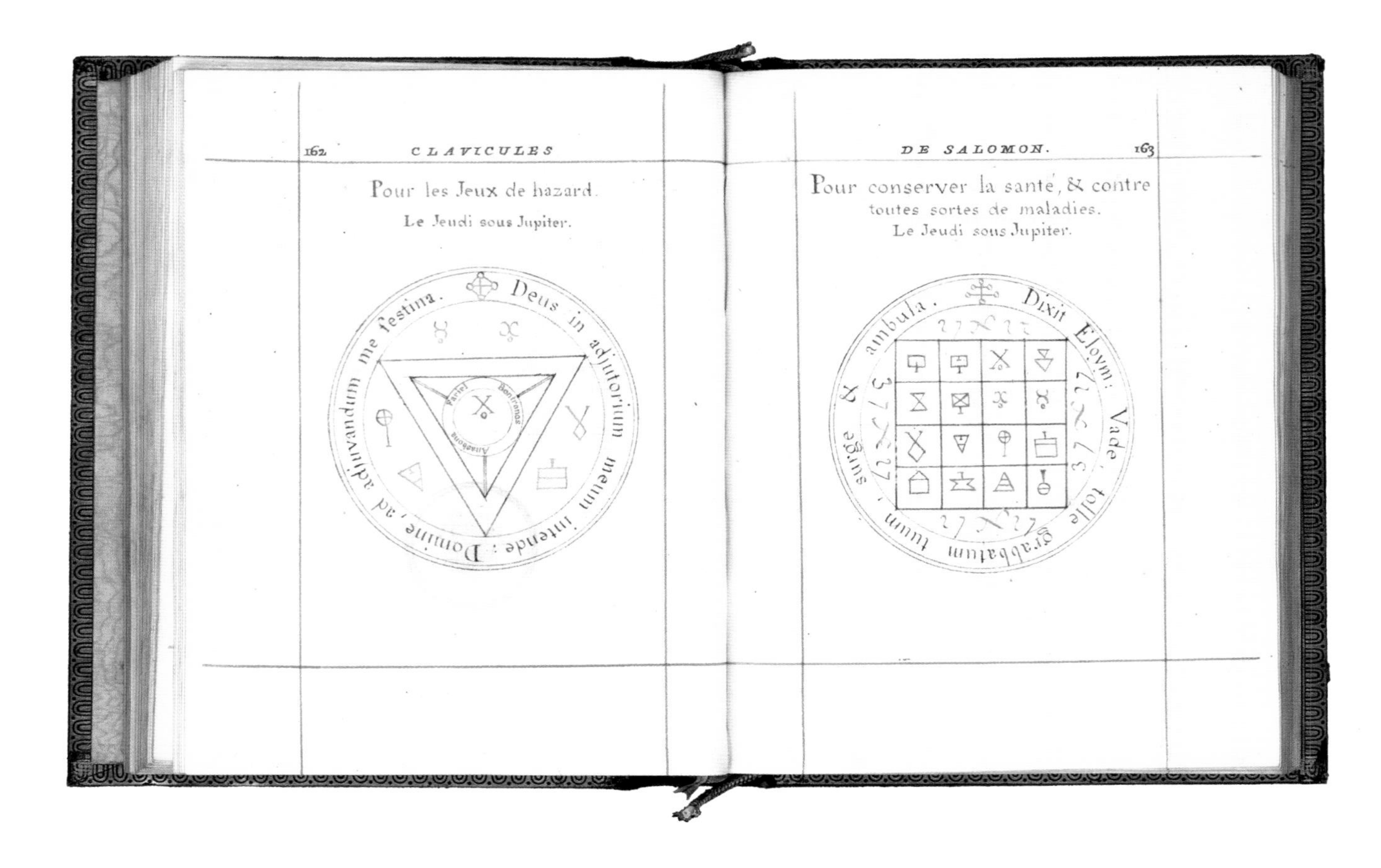
162 CLAVICULES

Pour les Jeux de hazard.

Le Jeudi sous Jupiter.

DE SALOMON. 163

Pour conserver la santé, & contre toutes sortes de maladies.

Le Jeudi sous Jupiter.

*Süleyman'ın Anahtarı* ve *Süleyman'ın Küçük Anahtarı* ünlü grimoire'lardır. İlkinin on beşinci yüzyıldan kalma Yunanca metin *Süleyman'ın Büyü Tezleri*'ni temel aldığı düşünülür. Çeşitli büyüler (örneğin, aşkta kazanma büyüsü, görünmez olma büyüsü), ölülerle iletişime geçme ve onları kontrol etme üzerine yönergeler ve ritüellerde giyilecek giysiler, kullanılacak araçlar vb. pratik bilgiler içerir. *Süleyman'ın Küçük Anahtarı* ise on yedinci yüzyıla tarihlenir ve meşhur *Ars Goetia* da dahil olmak üzere beş kitaptan oluşur.

Daha ünlü grimoire'lardan bazıları iddia edildiği kadar eski değildir. Örneğin *Büyücü Abramelin'in Kitabı*'nın on dördüncü yüzyılda Mısır'a gitmiş ve kitapta aktarılan büyüleri öğrenmiş Worms'lu Abraham adlı Yahudi'nin özyaşamöyküsü olduğu iddia edilir. Kitap koruyucu melekleri ve iblisleri çağırma (ve harf içeren kareler sayesinde) onlardan alınacak yardımla gömülü hazine bulma, aşkı elde etme, görünmez olma ve uçma üzerine yönergelerden oluşur. Bu kitabın en eski elyazması on yedinci yüzyıl başına tarihlenir. Kitap çok daha sonra Altın Şafak Hermetik Cemiyeti ve Aleister Crowley'nin *Thelema*'sı üzerinde çok etkili olacaktır (bkz. s. 361).

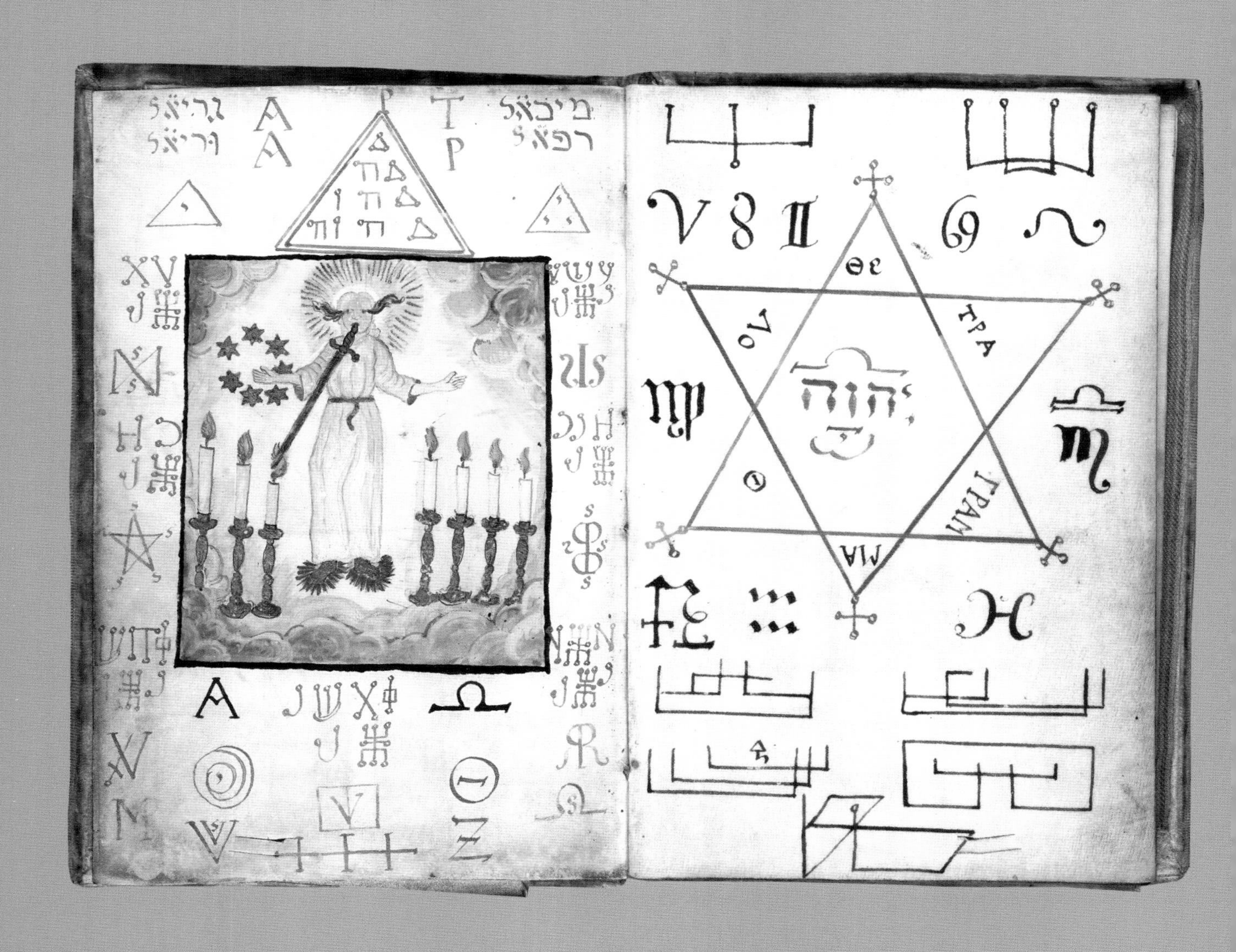


*18. yüzyıl tarihli* Cyprianus*'tan iki sayfa. Soldaki sayfada başmelek Metatron etrafında simya simgeleriyle tasvir edilmiştir. Sağdaki sayfada Approbata Mührü resmedilmiştir.*

# TIP VE BÜYÜ

Ortaçağ'a kadar tıpla büyüyü birbirinden ayırmak çok zordu. Tedaviler şifalı bitkilerle yapılıyor ya da dört suyuk arasındaki uyumsuzluğu düzeltmeye odaklanıyordu (bu da hacamat gibi uygulamalara yol açıyordu). Chaucer'ın dördüncü yüzyıl sonunda yazdığı *Canterbury Hikâyeleri*'nden de görüleceği üzere, doktorlar astrolojiye de sık sık başvuruyordu:

> Bir de HEKİM vardı bizimle sahi,
> İlaçlar konusunda olsun, cerrahi
> Alanında olsun ya da,
> Onun kadar derin hekim yoktu dünyada.
> Astrolojiye dayanırdı bilgisinin temeli,
> Yakın gözlem altında tutardı hastasını günün belli
> Saatlerinde.*

Şiirin devamında doktorun büyücülük ve tıp üzerine çalışmalarıyla bilinen Arap âlimler İbn-i Rüşd ve Râzi'yi (Ebubekir Muhammed bin Zekeriya) sular seller gibi bildiği belirtilir.

* Geoffrey Chaucer, *Canterbury Hikâyeleri*, çev. Nazmi Ağıl, YKY, 2015, s. 43-44.

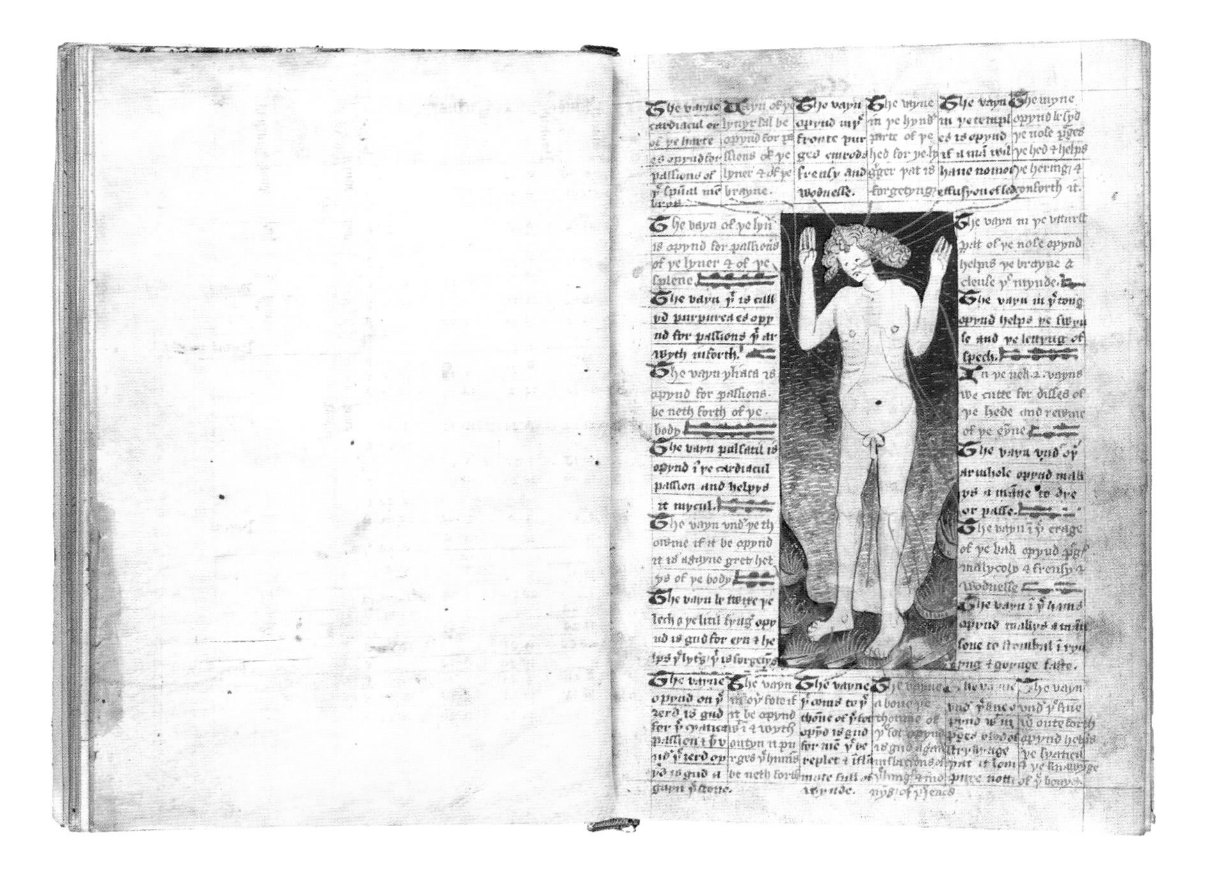

KARŞI SAYFADA *Hekimin Elkitabı: İngilizce Tıp ve Astroloji Mecmuası'nın (1454) bir nüshası.*
YUKARIDA *Bu alegoride bir eczacı, bir doktor ve bir cerrah mesleki aletlerle tasvir edilmiştir. Doktor, okuduğu kitaplar –Râzî, İbn-i Sina, Arnoldus de Villanova– nedeniyle diğerlerinden üstte durur, eczacı ise simyacının imbiğini başına yerleştirmiştir.*

# SİHİRLİ BİTKİLER

Bitki ve otlar ister iksir tariflerinde ister ritüellerde kullanılsın, her zaman büyünün ana malzemeleri olmuştur. Örneğin zehirli itüzümü Yunan tanrıçası Kirke'yle ilişkilendirilmiş, öte yandan alıç dalları Romalılar tarafından büyücülüğe karşı korunmak için, Sırplar ve Hırvatlar tarafından da vampirleri öldürmek için kullanılmıştır (daha yakın tarihli efsanelerde vampirlere karşı sarımsak kullanılır). Kelt rahipler ökseotu ve meşe ağacını kutsal sayardı. Odysseus'un Kirke'nin büyücülüğünden korunmak

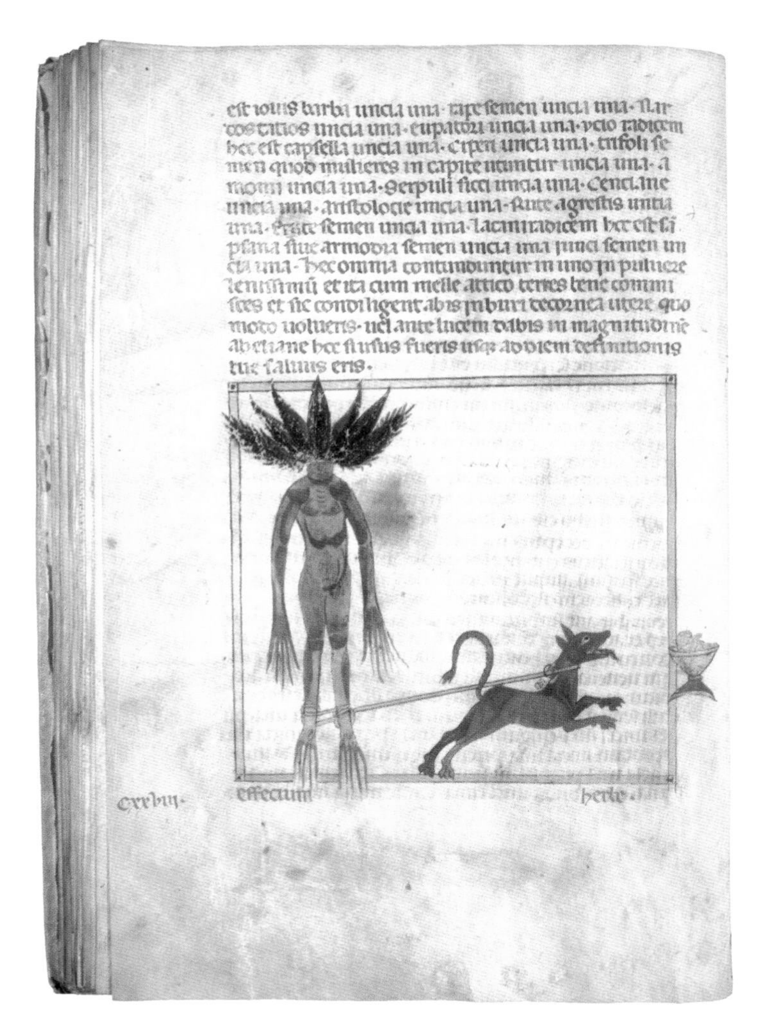

KARŞI SAYFADA *Elinde Druidlerin kutsal saydığı ökseotunu tutan bir Druid.*
YUKARIDA, SOLDA *Adamotunun kökünden sökülünce çığlık attığına, bu çığlığın duyanı öldüreceğine –ya da delirteceğine– inanılırdı. Bu nedenle adamotu ip kullanılarak ya da bir köpek yardımıyla kopartılırdı.*
YUKARIDA, SAĞDA *Adamotu kökleri bir insanı andırır ve genelde oymayla süslenirdi.*

için yediği moly gibi bazı büyü bitkileri ise muhtemelen tamamen hayal ürünüdür.

Ancak özellikle bir bitkinin sihirli olduğu konusunda görüş birliği sağlanmıştı: Adamotu. Bunun bir nedeni de bitkinin köklerinin ürpertici bir şekilde bir insanı andırmasıdır. Bu özelliği adamotu köklerinden yapılma tılsımların Ortaçağ'da çok yaygınlaşmasına yol açmıştır. Bu inancın bir başka nedeni de, bitkinin kökünü yiyenlerin halüsinasyonlar görmesi, hezeyana kapılmasıdır.

Adamotu kökleri sihir ve büyüde bazen bir insan figürü olarak da kullanıldığından bitki ezelden beri büyücülükle ilişkilendirilir. Jeanne d'Arc'ı cadılıkla suçlayanlar da üzerinde adamotu kökü taşıdığını iddia etmişti.

YUKARIDA *Güvenli bir mesafeden ip aracılığıyla adamotu koparma.*
KARŞI SAYFADA *Ortaçağ'a tarihlenen bir Arap elyazmasındaki adamotu tasviri.*

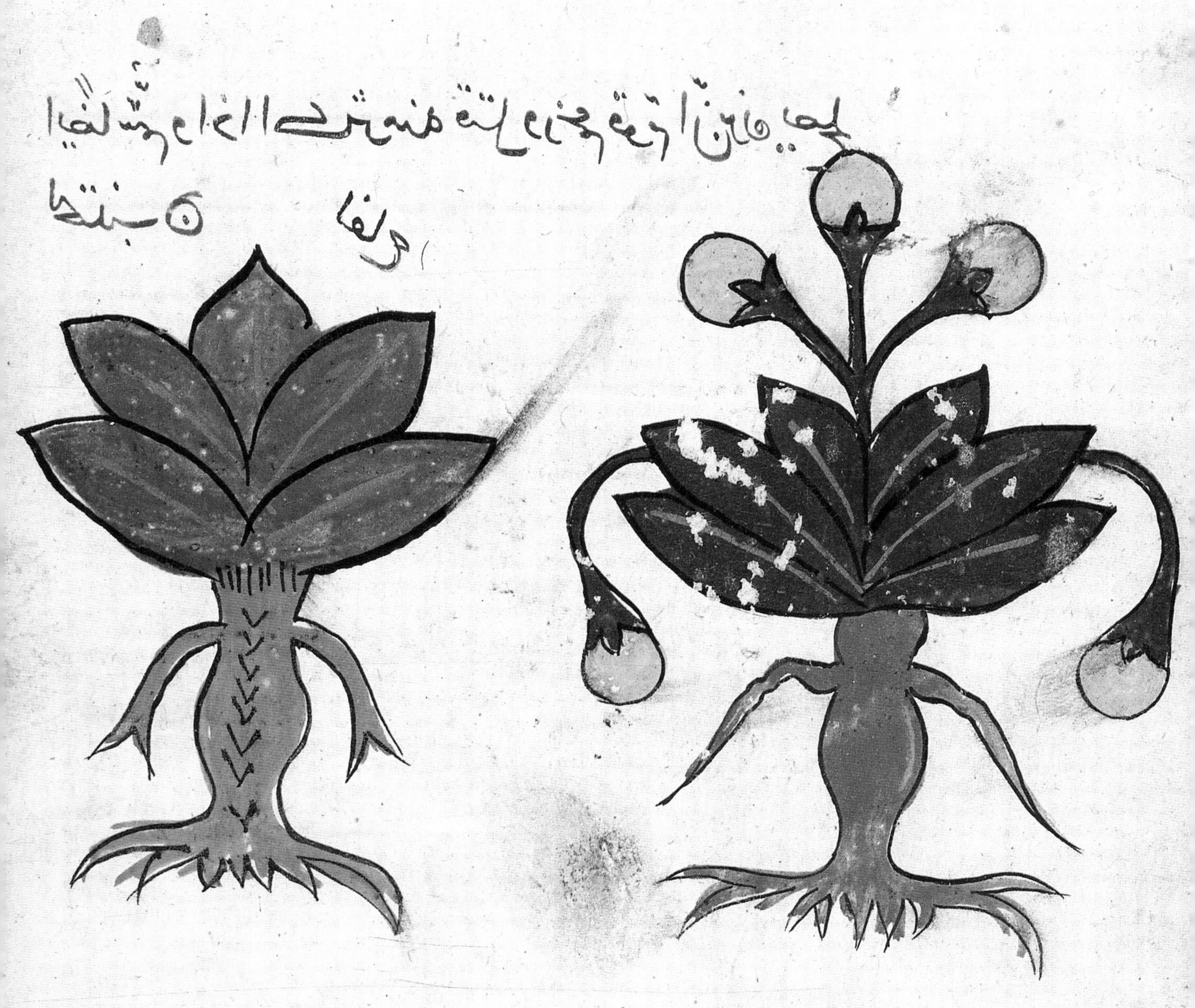

[illegible]

ومن [illegible] من يسميه [illegible] ومنهم من يسميه

[illegible] ومنهم من يسميه

[illegible]

F. Hayman inv.t et del.
A. Walker sc.
The Druids, or the Conversion of ye Britons to Christianity


*Ökseotu toplayan Druidler*

*Ortaçağ Avrupası'nda uzaklardaki ülkelerde bol bol büyülü bitki yetiştiğine inanılırdı. Bu meşhur örnek Orta Asya'daki Tataristan'dan "koyun sebzesi"dir.*

*Nors mitolojisinde dünyayı bir Yggdrasil ağacının taşıdığına inanılırdı.*

YUKARIDA *Nicolas Flamel'in tahmini bir portresi.*
KARŞI SAYFADA *Flamel tarafından yazılıp resimlendirildiğine inanılan bir kitaptaki simyacı ekipmanı tasviri.*

# Nicolas Flamel

Bu kitapta tanıtılan bazı büyücüler gibi Nicolas Flamel de yaptıklarıyla değil, yaptığı iddia edilen şeylerle ünlenmiştir. 1330 civarında Fransa'daki Pontoise'de doğan Flanel Paris'te elyazması satıcılığı ve kâtiplik yapıyordu. 1418'de öldü ve Fransa'nın başkentine gömüldü.

Flamel'in ölümünden iki yüzyıl sonra hakkında çeşit çeşit hikâye ortaya çıkmaya başladı. 1612'de *Le Livre des figures hiéroglyphiques* adlı kitapta Flamel hakkında bir dizi iddia yayımlandı: Birincisi, simyacılık sanatını mükemmelleştirerek felsefe taşını ürettiği, ikincisi bu efsanevi maddenin yardımıyla hem çok zengin olduğu hem de karısı ve kendisi için ölümsüzlüğü sağladığıydı. İddialara göre Flamel okuyamadığı gizemli bir kitap eline geçtikten sonra simyayla ilgilenmeye başlamıştı. Kitabın tercümesinde yardım almak için İspanya'ya gitmiş ve orada tanıştığı Hıristiyanlık'a geçmiş bir Yahudi kitabın *Abramelin Kitabı*'nın bir parçası olduğunu tespit etmişti. Flamel kitabın şifresini çözmüş ve kısa bir süre sonra simya sanatını geliştirmeye başlamıştı. *Abramelin Kitabı*'nın da on beşinci yüzyıl civarında yazıldığı varsayılırken kitabın en eski elyazmasının yaklaşık 1608 tarihli olması da ilginçtir.

Flamel efsanesi giderek büyüdü ve (ölümsüz olduğu için) on yedinci yüzyılda görüldüğü iddia edildi. Ayrıca Isaac Newton *Theatrum Chemicum* kitabının küçük bir bölümünde Flamel'i tartıştı. Daha yakın tarihte ise *Harry Potter* serisinde (1997-2007) bir karakter olarak ortaya çıkan Flamel kitapta felsefe taşını icat eden kişi olarak sunulur.

2
2
12
13
3
8
8
1
13
10
11
4
4
6
6
5
9
9
12

# 5.
# Rönesans'ta Büyü

*Büyücü John Dee Kraliçe I. Elizabeth karşısında büyü yapıyor.*

On dördüncü yüzyıldan on altıncı yüzyıla kadar süren Rönesans, sanatı, mimarisi ve edebiyatıyla bilinir. Ama bu dönemde Hermetik gelenek ve onunla ilişkili olan simya ve Kabala başta olmak üzere büyüye ve okülte yönelik ilgideki artış ise daha az bilinen bir olgudur.

Rönesans'ta Hermetik geleneğin yükselişinin başlangıç noktasını tek bir kişide sabitleyebiliriz: İtalyan Marsilio Ficino (1433-1499). Floransa'nın nüfuzlu sakinlerinden Cosimo de'Medici'nin hamisi olduğu Ficino, Platon hayranıydı. 1460'ta Platon'un bir metnini Yunancadan Latinceye çevirirken Cosimo'nun "metin izcilerinden" biri –özellikle ilgi çekici elyazmalarının izini sürmek üzere işe alınmış kişi– Makedonya'da bugün *Corpus Hermeticum* adıyla bilinen kitabın bir kopyasını buldu. Ficino bunun üzerine hemen Platon çalışmalarına ara vererek bu yeni elyazmasını Yunancadan Latinceye çevirmeye başladı. Tamamlanan çeviri 1463'te Cosimo'ya sunuldu ve 1471'de basıldı. İzleyen bir buçuk yüzyılda Hermetik yazılar düşünce dünyasında önemli izler bıraktı, simya ve büyü çalışmalarının başlamasına yol açtı ve İtalyan filozoflar Giordano Bruno ve Giovanni Pico della Mirandola'nın çalışmaları üzerinde etkili oldu.

Ficino'nun büyü konusundaki tutumu *Hayat Üzerine Üç Kitap* (1489) başlıklı çalışmasının sonuncusunda bulunabilir, bu kitap muska ve tılsım yapımı için semavi güçleri yardıma çağırma, cansız nesnelere can verme gibi tarifler içerir. Ficino "Dünyanın Ruhu"na, yani canlı cansız her şeyi birbirine bağlayan ruhun varlığına inanıyordu. Bu inanışa göre, dünyanın ruhunun ve yıldızların gücünden yararlanarak "büyülü" değişimlere yol açılabilirdi.

Ficino Platonculuğunun ve doğal büyü hayranlığının yanı sıra bir rahipti. 1476'da yazdığı bir mektup bu durumun yol açabileceği çelişkilerin farkında olduğunu gösterir: "İnsanlar astrolojiyi önemseyen bir rahibe gülecektir belki. Ama ben Perslerin, Mısırlıların ve Kaldelilerin uzmanlığına duyduğum güvenle ... bir rahibin esas derdinin göksel meseleler olduğunu düşünüyorum." İleri gelenler de bu durumdan rahatsız oldu ve Ficino 1489'da Papa VIII. İnnocentus huzurunda büyücülük yapmakla suçlandı. Politik bağlantıları sayesinde suçlamalar geri çekildi.

KARŞI SAYFADA *Floransalı entelektüeller grubu, en soldaki figür Marsilio Ficino.*
YUKARIDA *Siena Katedrali'ndeki Rönesans'tan kalma tuhaf Hermes Trismegistus tasviri. Kitapta şöyle yazar: "Hermes Mercurius Trismegistus, Musa'nın çağdaşı."*

Aslında Rönesans'ta her yerde büyüyle dindarlık bir aradaydı ve bu ikisi arasındaki ilişki konusunda bir kafa karışıklığı hâkimdi. Siena Katedrali'ndeki 1488 tarihli ilginç bir Hermes Trismegistus tasviri onu Musa'nın çağdaşı olarak tanımlar – böylelikle pagan ve Hıristiyan dünyaları arasında beklenmedik ama değerli bir köprü kurulur.

Yine de Rönesans entelektüeller için çok ilginç bir dönemdi. Heinrich Cornelius Agrippa (1486-1535) ve Paracelsus (1493-1541) gibi bilim insanı prototipleri büyünün hayatın anlamını idrak etmenin kısa yolunu sunduğuna inanıyordu. Modern tıbbın kurucusu olan Paraselsus astrolojiyle amatörce ilgileniyordu ve hastalıkların mikrokozmosla (insan) makrokozmos (evren) arasındaki dengesizlikten kaynaklandığına inanıyordu. Simya çalışmaları modern laboratuvarların ve deneyci yöntemin ortaya çıkmasına neden olmuştu. Agrippa da kendi payına çalışmalarında, Tebli Honorius tarafından yaratıldığına inanılan mühürler alfabesi "Teb alfabesi"-ne öncelik vermiştir.

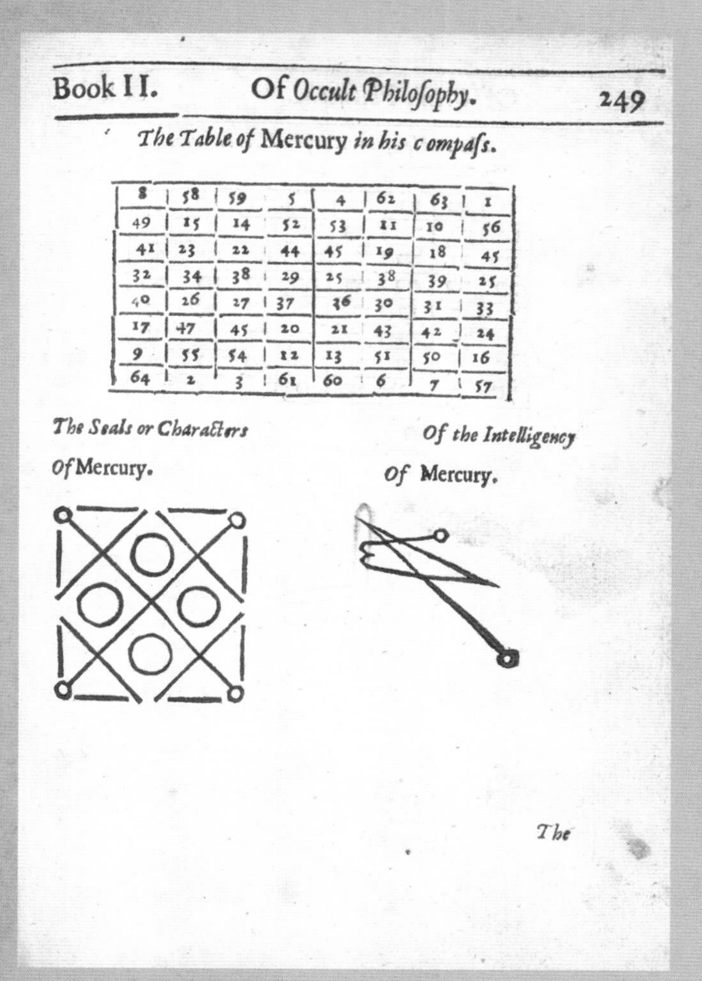

Book II. *Of Occult Philosophy.* 249

*The Table of* Mercury *in his compass.*

| 8 | 58 | 59 | 5 | 4 | 62 | 63 | 1 |
|---|---|---|---|---|---|---|---|
| 49 | 15 | 14 | 52 | 53 | 11 | 10 | 56 |
| 41 | 23 | 22 | 44 | 45 | 19 | 18 | 45 |
| 32 | 34 | 38 | 29 | 25 | 38 | 39 | 25 |
| 40 | 26 | 27 | 37 | 36 | 30 | 31 | 33 |
| 17 | 47 | 45 | 20 | 21 | 43 | 42 | 24 |
| 9 | 55 | 54 | 12 | 13 | 51 | 50 | 16 |
| 64 | 2 | 3 | 61 | 60 | 6 | 7 | 57 |

*The Seals or Characters Of* Mercury.

*Of the Intelligency Of* Mercury.

*The*

Bir yandan da kadim Yunanca metinlerin Latince ve İtalyancaya tercüme edilmesi ve Mısır harabelerinin –bütün gizemleriyle birlikte– keşfedilmesiyle birlikte yepyeni dünyalar açılıyordu. Kristof Kolomb'un 1492'de Yeni Dünya'yı keşfetmesi klasik olmayan başka geleneklere ilgi duyulmasına yol açtı. İspanyol istilacı Hernán Cortés'in Meksika'dan getirdiği bazı yapıntılar Avrupa'da adeta yeniden doğdu; örneğin, Elizabeth dönemi büyücüsü John Dee kehanet için Azteklerden kalma bir obsidyen ayna kullanmıştır.

Shakespeare'in eserlerinin de –özellikle 1610-1611'de yazdığı *Fırtına*'nın– Yeni Dünya'ya yönelik bu ilgiyi yansıttığı iddia edilmiştir. *Fırtına*'nın baş kahramanı olan büyücü Prospero, Ariel adlı cinin yetilerinden faydalanır. Prospero büyülü bir adada yaşar ama oyunda neyin gerçek büyü neyin aldatmaca olduğu açıklık kazanmaz. Oyunun sonunda Prospero gücünün kaynağı olan asasını kırıp gömeceğine ve büyü kitabını denize atacağına söz verir.

Okültle ilgilenen tek yazar Shakespeare değildi. Christopher Marlowe Faust hikâyesini sahneye uyarlarken –ilk olarak on altıncı yüzyılda sahnelenen *Doktor Faustus*– insan bilgisinin sınırlılığından bıkan Alman âlimin büyücülüğe merak salmasını ve nihayetinde Şeytan'ı çağırarak onunla bir anlaşma yapmasını anlatır. Benzer hikâyelerin izi Ortaçağ'a kadar sürülebilir ama Faust efsanesinin doğru-

KARŞI SAYFADA *Agrippa'nın 1533 tarihli üç ciltlik okült felsefe kitabından bir sayfa.*
YUKARIDA *William Hogarth'ın Shakespeare'in* Fırtına*'sından bir sahneyi boyadığı bu tabloda ortadaki figür Prospero, en sağdaki figür de canavarımsı Caliban.*

dan esinlendiği figürlerden biri de Alman simyacı Johann Georg Faust (yak. 1480-1541) olabilir.

Edmund Spenser'in *The Faerie Queene*'i –alegorik şiir– 1590 ve 1596 yılları arasında yayımlanmıştır. Spenser, okültle yakından ilgilenen İngiliz kâşif Sir Walter Raleigh'in arkadaşıydı. Raleigh *Dünya Tarihi* (1614) adlı kitabında büyü ve cadılık arasındaki ilişki üzerine düşüncelerini şöyle beyan etmiştir: "Büyüye gelirsek ... Çok sayıda insanın *magus* adı ve sözcüğünden bile tiksindiği doğrudur çünkü, aslında bir *magus* olmayan ama kötü ruhlarla alışverişi olan, yani onlara aşina olan Simon Magus bu unvana zorla el koymuştur. Büyü, gözbağı ve cadılık birbirinden çok farklı sanatlardır."

VERBA SECRE-
TORVM HERMETIS.
VERVM, SINE MENDA-
CIO CERTVM & VERISSI-
MVM, QVOD EST INFERI, EST SI-
CVT QVOD EST SVPERIVS; & QVOD EST SV-
PERIVS, EST SICVT QVOD EST INFERIVS: AD PERPE-
TRANDA MIRACVLA REI VNI. ET SICVT OMNES RES
FVERVNT AB VNO, MEDITATIONE VNIVS; SIC OMNES RES
NATÆ FVERVNT AB HAC VNA RE, ADAPTATIONE. PATER EI,
EST SOL, MATER EIVS LVNA; PORTAVIT ILLVD VENTVS IN VENTRE
SVO: NVTRIX EIVS TERRA EST. PATER OMNIS TELESMI TOTI MVNDI
EST HIC. VIS EI INTEGRA EST. SI VERSA FVERIT IN TERRAM, SEPARABIS
TERRAM AB IGNE, SVBTILE à SPISSO, SVAVITER CVM MAGNO INGENIO. ASCEN-
DIT à TERRA IN COELVM, ITERVMQVE DESCENDIT IN TERRAM, & RECIPIT VIM
SVPERIORVM & INFERIORVM. SIC HABEBIS GLORIAM TOTI MVNDI. IDÉO FVGI-
AT à TE OMNIS OBSCVRITAS. HIC EST TOTIVS FORTITVDINIS FORTITVDO FORTIS;
QVIA VINCET OMNEM REM SVBTILEM, OMNEMQVE SOLIDAM PENETRABIT. SIC MVNDVS
CREATVS EST. HINC ERVNT ADAPTATIONES MIRABILES, QVARVM MODVS HIC EST. ITAQVE
VOCATVS SVM HERMES TRISMEGISTVS, HABENS TRES PARTES PHILOSOPHIÆ TOTIVS MVNDI.
COMPLETVM EST QVOD DIXI DE OPERATIONE SOLIS.
Auff Deutsch:
WArhafftig, sonder Liegen gewiss und auff das aller warhafftigste, diss so UNTEN ist, ist gleich dem OBERN;
Und diss so OBEN ist, ist gleich dem UNTERN: damit man kan erlangen und verrichten Miracula oder wunder-
zeichen EINES EINIGEN DINGES. Und gleich wie ALLE DINGE von EINEM DINGE ALLEINE geschaffen,
durch den willen und Geboth EINES EINIGEN, der es bedacht; also entspriessen und kommen ALLE DINGE von
denselben EINEM DINGE, durch schickung und Vereinigung zusammenfuegung. Die SONNE ist sein VATER, und
der MOND ist seine MUTTER; der WINDT hat jn getragen in seinem Bauch: Seine ERNEHRERIN oder Amme
ist die ERDE. Dieser ist der VATER ALLER VOLLKOMMENHEIT dieser gantzen Weldt. SEINE MACHT
Ist VOLLKOMMEN. Wann ES verwandelt wird in ERDE, So soltu das Erdreich vom FEUVER scheiden, und
das Subtile vom dicken oder groben, gantz Lieblich mit grosser bescheidenheit und verstande. Es steiget von der
ERDEN in HIMMEL, und vom HIMMEL Wieder zur ERDEN, Und gewinnet also die krafft der Oberen und
Unteren. ALSO WIRSTU HABEN ALLE HERRLIGKEIT DER GANTZEN WELT. Derhalben weiche von dir
aller Unverstandt und Unvermögenheit. Diss ist von aller STERCKE die STERCKESTE STERCKE; Dann es kan
uber winden alle Subtiligkeit, und durchdringen alle Veste. ALSO IST DIE WELT GESCHAFFEN. Dahero ge-
schehen seltzame Vereinigungen, und Werden MANCHERLEY WUNDER gewircket; Welcher Weg, dieselben
zuwürcken, dieser ist. Und bin darumb genandt HERMES TRISMEGISTUS, habende drey theill der WEIS-
HEIT der gantzen Welt. Es ist erfullet alles was Ich gesagt habe von dem WERCKE der SONNEN.
MERCURIUS TRISMEGISTUS. in PIMANDRO.
Cúm de RERVM NATVRA cogitarē, ac MENTIS aciem ad SVPERNA erigerē, sopitis iam corporis sensibus, quemadmodum acci-
dere solet iis, qui ob saturitatem, vel defatigationem, somno gravati sunt: subito mihi visus sum cernere quendam immensa magni-
tudine corporis, qui me nomine vocans, in hunc modū clamaret: Quid est, ô Mercuri, quod & AVDIRE & INTVERI desideras? Quid
est, quod DISCERE, atq; INTELLIGERE cupis? Tum ego, Quisnam es, inquam? Sum, inquit Ille, PIMANDER, MENS DIVINÆ PO-
TENTIÆ, ac tu vide quid velis, IPSE veró TIBI VBIq; ADERO. Cupio, inquā, RERVM NATVRAM DISCERE, DEVMq; COGNO-
SCERE. Ad hæc Ille: TVA ME MENTE COMPLECTERE, ET EGO TE IN CVNCTIS, QVÆ OPTARIS, ERVDIAM. Cum
hæc dixisset, mutavit formam, et VNIVERSA SVBITO REVELAVIT.
Sic et cuivis DOCTRINÆ
filio fideli. AMEN.

Triumphaliū illarū, de Humido Radicali aut Primigenio Catholico MVNDI huj9, Seminéq; Terræ novæ (post Celorū incendio solutionē, & Elemētorū æstuantiū lique
c. 21. 1.) permanente futuræ, in sinu centrali abundáter fovētiū; passim in orbe Terrarū, tanquā Doctrinæ solidioris de MAGNESIA, LAPIDIS Phil. Vniversalis Subjecto de
omnib, Impatorie triūphāte, faces luculētiss. codicesq; veridici, Divinitus extructarū; ad Mundi quoq; præsentis, PIGNEM, Saxa pforantē & Omnia judicantē, Conflagrationē, Con
sime fixe, vere Saturnie, pdurantiū: Tū, NEPTVNO, IVNONI atq; VVLCANO, nec nō horū ministris à manib9 ut vigilātiss. ita & laboriosiss. ALCHYMIAE, Arti Artiū cū Antiqui
omine aut reperiat Sactū, aut reddat Sanctū!) Mirabilis & Mirificæ, tum ob hæc Omniū pstātiss. decreto Numinis & Luminis NATVRAE, Sapiēte, ppetuum cōsecratarū
Harū VSVM & FRVCTVM, ô Doctrinæ filij fideles, ex Hieroglyphici Illarū dogmatici pscripto haud fallaci, ME. fideliter admonēte, Philosophiā Theosophica, Mēte, So
ophiæ amator fidelis, & MED. utriusq; DOCT: Artē Spagiricā laudib9 dignis merito celebrāt, Admirationis, Amoris, Honoris & grati Animi ergò, lubēs ac o vās fecit, Anno à nat

KARŞI SAYFADA *Avrupa simyacılığının temel metni kabul edilen Zümrüt Levha. Kitap şu meşhur cümleyle başlar: "Buradaki her şey doğrudur ve her tür sahtelikten arınmıştır. Aşağıdaki her şey, yukarıdakine benzer."*
YUKARIDA *Vatikan'da bulunan bu Rönesans tablosunda Mısır tanrıçası İsis, yanında Musa ve Hermes Trismegistus'la tasvir edilmiş.*

# RÖNESANS'TA HERMETİZM

Marsilio Ficino'nun 1460'ların başında çevirdiği *Corpus Hermeticum* çeşitli büyü ve ritüel derlemeleriyle astroloji ve simya üzerine tezlerden oluşur. Floransa'ya gelen elyazmaları Yunancaydı ama orijinallerin firavunlar zamanında Mısırca yazıldığına inanılıyordu. On yedinci yüzyıl başında, bilgin Isaac Casaubon metnin Yunancasına bakarak İS ikinci ve dördüncü yüzyıl arasına tarihlendirdiğini kanıtlamış, Yunanca Büyü Papirüsleriyle aynı yaşta olduklarını göstermiştir.

Ficino ve pek çok kişiye göreyse *Corpus Hermeticum* hakiki kadim büyüye dair otantik, benzersiz bir anlayış sunar hatta Musa'nın okült bilgilerine de erişim sağlar. Örneğin, "Poimandres" başlıklı bölüm Tanrı'yla (Poimandres) Hermes arasındaki diyalogdan oluşur, burada Hermes evrenin işleyişinin içyüzüne vâkıf olur. Dinden çok felsefe kitabı sayılan bu elyazmaları simya, astroloji ve –en tehlikelisi olan– sihir çalışmalarını teşvik etmiştir.

Bu kadim düşünce biçimi nasıl olmuş da Rönesans'ın Hıristiyan düşüncesiyle uzlaşmıştır? *Hem* Ficino hem de Giovanni Pico della Mirandola, bütün ruhani geleneklerin tek bir teoloji altında bir araya getirildiği *prisca theologica* fikrinin destekçisiydi. Aslında Ficino en kadim dönemlere kadar uzanan (Platon, Pythagoras ve Hermes üzerinden Zerdüşt ve Musa'ya kadar) tek bir hat üzerinde ilerleyen gnostik bir ilim yaratmak istemiştir. Bu yaklaşım Kabala gibi geleneklere ve nihayetinde Gülhaççılara yol açmıştır.

YUKARIDA VE KARŞI SAYFADA *Giovanni Pico della Mirandola'yı hayatının farklı dönemlerinde resmeden iki tasvir.*

# Giovanni Pico della Mirandola

Filozof Giovanni Pico della Mirandola (1463-1494) Floransa Rönesansı'nın en önemli isimlerinden biridir. Marsilio Ficino'nun yakın arkadaşı, Medicili Lorenzo'nun gözdelerinden biri olan Pico Yunanca, Latince, İbranice ve Arapçayı çok iyi biliyordu. Ficino'yla birlikte Rönesans'a Hermetizmi tanıttı, büyü pratiklerini savundu ve Kabala'yı daha geniş bir Avrupalı kesime tanıttı.

Pico *İnsanın Değeri Üzerine Söylevler* kitabıyla kariyerinin zirvesine çıktı. 1486'da Roma'da kamusal bir müzakerede sunmak üzere hazırlanan bu söyleve Rönesans manifestosu da denir. Pico bu söylevinde insanın "büyük varlık zinciri"ndeki yerini tesis etmenin yanı sıra insanlığın meleklerden bir üst seviyeye çıkarak Tanrı'yla mistik bir şekilde birleşeceğine dair umutlarını dile getirir. Ancak Kilise duruma müdahale ederek halkın önüne çıkmasını engellemiş ve Pico'nun tezlerinin bazılarına sansür uygulamıştır.

Pico *İnsanın Değeri Üzerine Söylevler*'de şöyle yazar: "Büyünün iki çeşidi vardır. Biri sadece iblislerin yapıp ettikleriyle ilgilidir ve Tanrı şahidim olsun, bunun berbat ve korkunç bir şey olduğunu düşünüyorum. Diğerinin ise, ayrıntılı bir şekilde incelendiğinde doğa felsefesinin en yüce gerçekleştirimi olduğu görülecektir." Kiliseyle arasını iyi tutmanın ne kadar önemli olduğunu gören Pico, şunu da eklemiştir: "İkinci, iyi büyü [insanda] Tanrı'nın amellerine karşı (doğal bir biçimde hayırseverlik, iman ve umut yeşerten) bir hayranlık uyandırır.

IOĀN· PICVS · MIRANDVLA

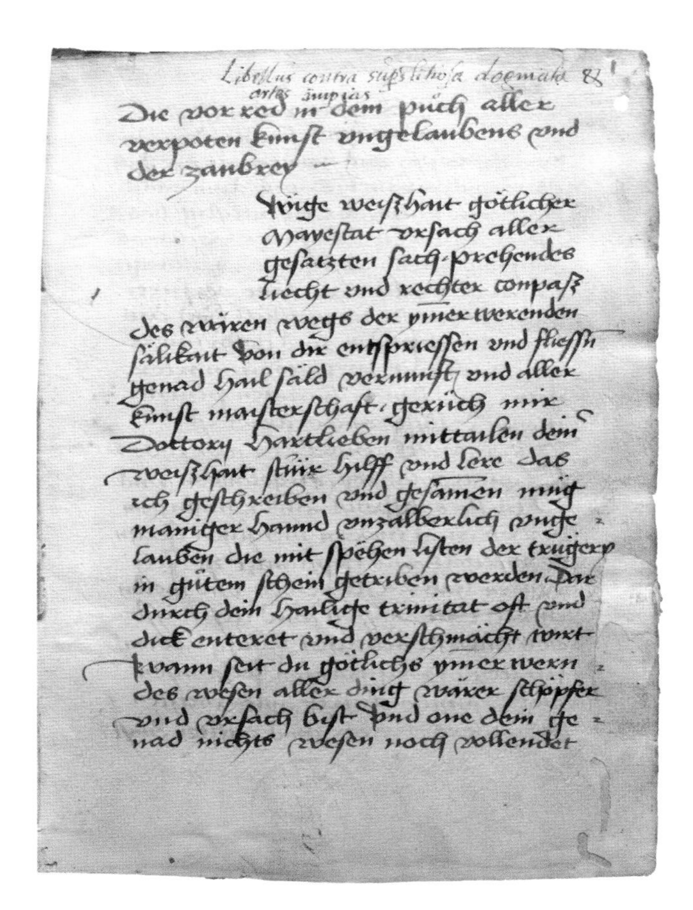

Die vorred in dem püch aller
verpoten kunst ungelaubens und
der zaubrey

KARŞI SAYFADA *16. yüzyıl tarihli şiromansi tasviri. El falı Hartlieb'in yedi büyü sanatından biridir.*
YUKARIDA, SOLDA *Elinde asasıyla, ölü diriltme büyüsü yapan bir büyücü.*
YUKARIDA, SAĞDA *Bavyeralı doktor Johannes Hartlieb'in* artes magicae*'nin yedi çeşidini izah ettiği* Yasak Sanatlar, Batıl İnanç ve Efsunculuk *kitabından bir sayfa.*

# *ARTES MAGICAE*

Kilise on beşinci yüzyılda büyüde neyin kabul edilir olup olmadığını tanımlamaya uğraşmıştır. Aynı dönemde Bavyeralı fizikçi Johannes Hartlieb de bu konuda bir girişimde bulunmuştur. Hartlieb *Yasak Sanatlar, Batıl İnanç ve Efsunculuk* (1456) adlı kitabında yedi tür *artes magicae* ya da "büyü sanatı"nı ayırt eder: Kara büyü, toprak falı, su falı, hava falı, ateş falı, el falı ve kürekkemiği falı.

Açıkça görüleceği üzere bu sanatların dördü klasik elementlerle ilişkilidir (toprak, su, hava, ateş) ve kadim dünya görüşünü ifade eder. Hartlieb'in *artes magicae*'sinde astroloji zikredilmez ama kitapta büyü ayinleri yasaklanır. Ayrıca cadıların uçmasını sağladığına inanılan halüsinojenik madde cadı merhemi ilk kez burada tarif edilir.

YUKARIDA *William Blake'in Sir Isaac Newton'u, bilimsel bir kesinlikle dünya planı çizen ilahi güçlere sahip bir bilim insanı olarak resmettiği tasvir. Blake bilimi fazlasıyla kısır bulurdu ama Newton okülte büyük ilgi duyuyordu.*

KARŞI SAYFADA *Dünyanın temelinde sayıların gücünün bulunduğunu iddia eden Yunan matematikçi Pythagoras numerolojinin kurucusu sayılır. Özellikle makrokozmosla mikrokozmos arasındaki ilişki bağlamında Hermetik düşünceye etki eden "kürelerin müziği" teorisini de geliştirmiştir.*

# BİLİM VE BÜYÜ

Büyü doğaüstü açıklamalara temel alırken bilim nesnel neden-sonuç açıklamalarına ulaşmayı hedefler. James George Frazer işte bu nedenle büyüyü "bilimin gayrimeşru kardeşi" olarak tanımlamıştır. Ancak simya, tıp ve astronomi alanları başta olmak üzere bilim ve büyünün ortak noktaları da vardır. Bu ortaklık kısmen Pythagoras'ın evrenin sayısal temelleri üzerine gözleminden kaynaklanır; gerçekten de sayılar büyü için merkezi önemdedir.

Geçmişte bilim ve büyü sıklıkla birbirine karıştırılırdı. Daha sonra Papa II. Sylvester adını alacak olan Aurillaclı Gerbert (946-1003), o dönemde Avrupa'nın ana öğrenim merkezi olan Müslüman nüfuslu Kordoba'da araştırma yapmıştır. Avrupa Aristoteles'i, usturlabı ve abaküsü onun çalışmalarıyla tanımıştır. Ancak Gerbert'in ileri düşünceye açıklığı onu şüpheli kişi konumuna sokmuş, Kordoba'da büyücülük öğrenmekle ve geleceği gören bir pirinç kafa yapmış olmakla suçlanmasına yol açmıştır.

124.
PYTHAGORAS.
ΠΥΘΑΓΟΡΗϹ
ϹΑΜΙΩΝ
Apud Fuluium Vrſinum
in nomiſmate æreo.
124.

YUKARIDA *Giordano Bruno'nun gençliği.*
KARŞI SAYFADA *İtalya, Pietrassanta'da, Bruno'ya adanmış heykel.*

# Giordano Bruno

Matematikçi, filozof ve okültçü Giordano Bruno (1548-1600) kadar adı skandallarla anılan –ya da skandal meraklısı olan– tek bir Rönesans figürü yoktur. Aslen Dominiken bir rahip olan Bruno, daha sonra Hıristiyanlık'ı açıkça reddetmiş, Mısırlı bir büyücü olduğunu iddia etmiştir. Mısır tanrısı Thot'a hayranlığını açıkça beyan etmiş, pagan geçmişi destekleyen adanmış bir Hermetikti.

Bruno çelişkilerle dolu bir kişilikti. Bir yandan gökkubbe görüşünü reddederken öte yandan iblislerin madden var olduğunu ve havadan daha hafif bir maddeden oluştuklarını savunmuştur. Dünyanın ruhunu anlamada büyü ve "dini tören"lerin kilit rol oynadığını düşünüyordu.

Bruno *Büyü Üzerine* (1588) adlı kitabında büyü türlerini "doğal büyü"den (nesnelerde çekim ve itim, örneğin manyetizma) "okült felsefe"ye (kelimeler, büyülü sözler, simgeler) ve "teurji"ye kadar (cinleri kontrol altına alma) farklı büyü türlerini açıklar. Bu sonuncusunu hem çok tehlikeli hem de aptalca olduğunu söyleyerek lanetler. Bruno'ya göre yaratılış bir "evrensel ruh" aracılığıyla birbirine bağlı olduğundan bir bölümde girişilen bir eylemin bir başkasında bir sonuca yol açması normaldi.

Bruno kâfirliği nedeniyle Kilise'nin şimşeklerini üzerine çekti ve 1593'te tutuklandı. Yargılamasında başka şeylerin yanı sıra "büyü ve kehanetle iştigal etmekle" suçlandı. Ölüm cezasına çarptırıldı ve 1600'de diri diri yakıldı.

"TREMATE PIU VOI O GIUDICI NEL PROFFERIR LA MIA SENTENZA"
CHE NON IO NE L'ASCOLTARLA"
DI GIORDANO BRUNO
CHE LE FOLGORI DEL GENIO DIVINATORE
ALL' EVO SANGUIGNO AVVENTANDO
PRECORSE I VERI ONDE ALBEGGIA
UN DOMANI DI SCIENZA E DI GIUSTIZIA
E DAL ROGO BENEDISSE
- RAPITE AL CIELO DAGLI UOMINI -
LE RESUREZIONI DELLA VITA
VOLLERO CON LE SEMBIANZE EVOCARE

*Tasso'nun* Kurtarılmış Kudüs*'ünden alınma bu sahnede uyuyan asker Rinaldo Suriyeli büyücü Armida'nın büyüsünün etkisi altındadır. Büyücü daha sonra askeri uçan arabasıyla uzaklara götürür.*

# RÖNESANS EDEBİYATINDA BÜYÜ

Rönesans edebiyatının büyük bölümünde karşımıza çıkan doğaüstü güçler dönemin en çok okunan kitaplarına katkıda bulunmuştur. Rönesans, Ludovico Ariosto'nun sihirbaz Atlante ve büyücü Alcina gibi karakterler barındıran muazzam eseri *Orlando Furioso* (1516) gibi epik eserlerden yana zengindir.

Torquato Tasso'nun Haçlı Seferleri'ni konu alan epik şiiri *Kurtarılmış Kudüs* (1581) de Armida adında bir büyücü karakter içerir. Yunan tanrıçası Kirke'den ilhamla oluşturulmuş Armida Hıristiyanları hayvana dönüştürür. Şiirin bir başka yerinde büyülü kalkanlar, su perileri ve sihirli bitkilerden bahsedilir. Tasso, eserindeki büyü unsurları nedeniyle eleştirilmiş, hayatının sonuna doğru şiiri tekrar yazmış ve bu unsurları çıkarmıştır (şiir istediği başarıyı yakalamamıştır). Edmund Spenser'in epik büyü şiiri *The Faerie Queen* (1590-96) *Kurtarılmış Kudüs*'ten ilhamla yazılmıştır.

*Büyücü Ascalon Rinaldo'nun atalarının kahramanlıklarını canlandırmak için büyülü bir kalkandan yardım alıyor.*

YUKARIDA, SOL VE SAĞDA *Şarlman'la Sarakenler arasındaki çekişmeyi anlatan Ariosto'nun* Orlando Furioso'*su bolca büyülü unsur barındırır. Solda kuş başlı bir ata binen Ruggiero, ejderhayı öldürerek Angelica'yı kurtarır; Angelica da her tür sihre karşı koruma sağlayan bir yüzük taşır.*
KARŞI SAYFADA *Ben Jonson'un* Simyacı *oyunundan bu sahnede simyacı Subtle bir astrolog gibi davranıyor.*

William Shakespeare'in oyunlarında Elizabeth döneminin büyü merakı açıkça görülür. Ozanın en bilinen büyücü karakteri *Fırtına*'nın başkarakteri Prospero bir adanın tamamını büyüler. Oyunun sonunda Prospero asasını kırıp yeryüzünün derinlerine gömmeye ve büyü kitabını denize atmaya ant içer. *Macbeth*'te İskoç generalin yükselişini ve düşüşünü öngören üç cadı da ünlüdür. "Semender gözü ve kurbağa bağı / yarasa tüyü ve köpek dili" ve daha birçok malzemeyle iğrenç bir iksir hazırlarlar. Bu cadıların yazgıyı şekillendirdikleri mi yoksa onu aktardıkları mı sorusunun yanıtı okurun yorumuna bırakılır.

Bilgi ve sihirli güçler elde etmek için ruhunu Şeytan'a satan Faustus efsanesi ilk olarak, gerçekten yaşamış Johann Georg Faust hakkında öykülerden oluşan *Historia von D. Johann Fausten* (1587) derlemesinde görülmüştür. Kitap hızla İngilizceye çevrilmiştir (1592) ama öykü esasen Christoph Marlowe'un uyarladığı oyunla ünlenmiştir (*Doctor Faustus*, 1604). Ben Jonson'ın *The Alchemist* adlı kitabı da (1610) simyayı konu edinir.

The ALCHYMIST.
Drug. This an't please your Worship,
I am a young beginner & am building
of a new Shop an't like your Worship just
at corner of a Street, here is the plot on't.
Act I. Scene 3.
Graham pinx.
Grignion sculp.
London. Printed for J. Bell British Library, Strand, April 14. 1791.

KARŞI SAYFADA *Elinde asasıyla büyülü bir çemberin ortasında duran büyücü Prospero –*Fırtına*'nın kahramanı– cin Ariel'i çağırıyor. Büyücü cini bir cadının büyüsünden kurtardıktan sonra cin onun hizmetine girer.*
YUKARIDA Macbeth*'in bu sahnesinde İskoçyalı general ve Banquo Üç Cadı'yla karşılaşıyor.*

YUKARIDA VE KARŞI SAYFADA *Nostradamus –buradaki tasvirler 18. ve 19. yüzyıldan kalmadır– efsanesi, astroloğun ölümünden sonra uzun yıllar canlı kaldı.*

# Nostradamus

1503'te Provence'ta doğan Nostradamus tıp eğitimi aldı. Hayatının ilk otuz yılında kayda değer bir gelişme olmadı ama 1534'te karısı ve çocuklarını veba salgınında kaybetti. Fransa'yı terk ederek, okült bilimiyle tanıştığı İtalya da dahil olmak üzere başka ülkelere seyahat etmeye başladı. Kehanetlerini içeren ilk almanağını 1550'de yayımladıktan sonra, her yıl yeni bir almanak yayımlamaya başladı. Adını Latinceleştirmesi de bu döneme rastlar.

Nostradamus'un başarıyı yakalamasını sağlayan olay 1555'te, Fransa Kralı II. Henry'nin batıl inancı çok güçlü karısı Catherine de' Medici'nin onun eserlerinden haberdar olmasıdır. Kadının Nostradamus'tan esas isteği kocasının ölümünü öngörmesiydi ama çocuklarının yıldız haritalarını çıkarmasını da istedi. Ama Nostradamus profesyonel bir astrolog değildi ve eksiksiz yıldız haritası çıkarmayı beceremediği için çağdaşları tarafından çok eleştirilirdi.

Nostradamus'un kehanetleri üzerine tartışmalar hâlâ sürüyor. Bunların sürekli salgınların, bitmeyen savaşların ve dini gerilimlerin damgasını vurduğu bir dönemde yaşamış olmasıyla yakından ilişkili olduğuna kimsenin şüphesi yok. Nostradamus'un gözünün önünde bazı görüntüler canlanana kadar bir kâse suya bakarak kehanette bulunduğunu savunanlar da var – John Dee de benzer bir teknik kullanmıştır (bkz. s. 236).

Bazıları da Nostradamus'un bibliyomansiye başvurduğunu, kitapların rastgele bir sayfasını açarak kehanette bulunduğunu savunur – bu teknik, ilahi güçlerin tavsiyesini almak için *Kutsal Kitap* kullanılarak da uygulanır. Rönesans keşişi Girolamo Savanarola ve dördüncü yüzyılda yaşamış Neo-Platoncu Iamblichus (özellikle *Mısırlıların, Keldanilerin ve Asurluların Gizemleri* adlı kitabından) gibi başka yazarların eserlerinden büyük ölçüde yararlandığını kesin olarak söyleyebiliriz.

*Portrait véritable et remarquable du fameux Michel Nostradamus astrologue célèbre.*

J'annonce vérité simplement et sans pompe.
Et mon présage vrai nullement ne me trompe.
Prédictions Véritables et Remarquables.
Centuries de Michel Nostradamus

*Michel Nostradamus naquit a S.t Remy petite Ville de provence le 14 du mois de décembre de l'an 1503 à l'heure de midi il était fils de Jacques Nostradamus notaire Royal de cette Ville et de Renée de S.t Remy-damoiselle. il était petit fils tant paternel que maternel de médecins et mathématiciens célèbres. il fut reçu docteur en l'université de Montpellier dont il exerça la charge de professeur, ce grand homme a vécu sous les règnes de Louis XII. François I.er Henry II. et Charles IX. dont il fut médecin. il retourna à Salon autre Ville de Provence et y mourut en bon chrétien après avoir été tourmenté par les goutes qui dégénérées en hydropisie, le suffoquèrent au bout de huit jours, ayant prédit l'heure et le jour de sa mort qui arriva entre trois et quatre heures du matin le 2 juillet 1566.*

*A Paris chez Jean Rue S.t Jean de Beauvais N.o 10.*

YUKARIDA *Rönesans'tan itibaren cadılar kadın olarak tasvir edilir. Buradaki cadının karanlık güçlerin aracısı olduğu açıktır – kazanının etrafı tuhaf yaratıklarla çevrilidir.*
KARŞI SAYFADA *Goya'nın bu tablosunda baykuşlar, uçan iblisler, çirkin yüzler, büyü bebekleri ve sepetteki çocuk uzuvlarıyla dehşet dolu bir görüntü oluşturulmuştur.*

# CADILIK VE CADI AVLARI

Batı'daki geleneksel cadı imajı on dördüncü veya on beşinci yüzyıldan, yani cadıların avlanmaya başladığı dönemden kalmadır. O zamana kadar bütün Avrupa'da –kadın ve erkek– cadılar şifacılık, ilaçlar, şifalı otlar, tılsımlar ve zararlı güçlere karşı korunma hakkında bilgileriyle kendi içine kapalı topluluklarda önemli bir rol üstlenmişlerdir. Bugün bu cadılara "halk hekimi", "alternatif hekim" ya da "ak cadı" denebilir.

Sadece Avrupa sınırları içinde bile birbirinden çok farklı cadılık gelenekleri bulunmaktadır. Bunların büyük bölümü "şamanik", yani özel yeteneklerin ait olunan topluluğun iyiliği için kullanıldığı cadılık olarak sınıflandırılabilir. İtalya'da *benandanti* (ya da "iyi yolcular") Macaristan'da *táltos* gelenekleri, "kötü" cadılarla savaşan, bir yandan da, kendini bir hayvana dönüştürmek gibi özellikleri olan cadılık geleneklerindendir.

1497
O·G·H
AD

KARŞI SAYFADA *Albrecht Dürer'in dört cadı çalışması. Soldaki açık kapının ardında bir iblisin burnu görülüyor, zemin kemiklerle kaplı.*
YUKARIDA *16. yüzyıla gelindiğinde büyücülük Şeytan'la, tuhaf ve dünyadışı unsurlarla ilişkilendirilmeye başladı. Bu karmakarışık sahnede bir cadı grotesk ve korkutucu cinleri dünyaya salarken tasvir edilir.*

Avrupa'da, Ortaçağ'a kadar cadılara inanmak hoş karşılanmıyordu; İS 785'te Saksonların Hıristiyanlaşmasını tartışmak için toplanan Paderborn Konsili cadılık inancını yasaklamış, on üçüncü yüzyılda ise cadılık inancı sapkınlık kabul edilmeye başlamıştır. On üçüncü yüzyılda başlayan Engizisyon dini sapkınlığı ortadan kaldırmaya odaklandığından halk arasında yaygın olan büyücülük pratiklerini dikkate almamıştır.

1486'da yayımlanan *Malleus Maleficarum*'la (Şeytan Çekici) birlikte 15. yüzyılda cadılığa karşı tutumda kayda değer bir değişiklik baş gösterir. Heinrich Kramer ve Jacob Sprenger adında iki Dominiken Engizisyon üyesi tarafından yazılan kitapta cadılar Şeytan'la özdeşleştirilir ve cadılık kesin bir biçimde kadınlara atfedilir. Kitap 1490'da Katolik Kilisesi tarafından resmen kınanmış olmasına rağmen sonraki iki yüzyıl boyunca Katolikler ve Protestanlar tarafından kullanılmaya devam etmiştir.

*Correctly Copied from an extreme Rare Print in the Collection of J. Bindley Esq.r*

*Published as the Act directs March 26 1792 by J. Caulfield London*

Witches Apprehended, Ex-
amined and Executed, for notable
villanies by them committed both by
Land and Water.
*With a ſtrange and moſt true triall how to know*
whether a woman be a Witch
or not.

Printed at London for *Edward Marchant*, and are to
be ſold at his ſhop ouer againſt the Croſſe in Pauls
Church-yard. 1613.

KARŞI SAYFADA *1644-1647 arasında Cadı Avı Generali olarak görev yapan Matthew Hopkins, iki cadıyla birlikte.*
YUKARIDA *Cadılıkla suçlananlar genelde su veya ateşle sınanırdı. Burada, cadı olduğundan şüphe edilen bir kadının suya batıp (suçlu) batmayacağı (masum) sınanıyor.*

Kuşkunun hüküm sürdüğü bu dönemde cadılar hakkında dehşetli hikâyeler ve inançlar ortaya çıkmıştır. Cadılık uygulamalarına meraklıların gece yarısı bir araya geldiği Cadılar Sabatında cadıların insan kurban ettiğine ve Şeytan'a bağlılıklarını bildirdiğine inanılmış, cadılar çocuk kaçırmakla suçlanmaya başlamıştır. Bazen de cadılar, tıpkı vudu büyülerindeki gibi balmumundan temsili kuklalara iğneler batırarak kurbanlarına zarar vermekle suçlanmıştır.

Cadılara "malum güçler"in, yani onların işini gören "ruh hayvanları"nın eşlik ettiği inancı da çok güçlüydü. Bu hayvanların cadının kanını içtiği, onlarla konuştuğu ve düşmanlarına saldırdığına inanılıyordu. Cadıların süpürgeleriyle uçtuğu inancı da yaygındı.

THE
Diſcovery of Witchcraft:
PROVING,
That the Compacts and Contracts of WITCHES
with Devils and all Infernal Spirits or Familiars, are but
Erroneous Novelties and Imaginary Conceptions.
Alſo diſcovering, How far their Power extendeth in Killing, Tormenting,
Conſuming, or Curing the bodies of Men, Women, Children, or Animals,
by Charms, Philtres, Periapts, Pentacles, Curſes, and Conjurations.
WHEREIN LIKEWISE
The Unchriſtian Practices and Inhumane Dealings of
Searchers and Witch-tryers upon Aged, Melancholly, and Superſtitious
people, in extorting Confeſſions by Terrors and Tortures,
and in deviſing falſe Marks and Symptoms, are notably Detected.
And the Knavery of Juglers, Conjurers, Charmers, Soothſayers, Figure-Caſters,
Dreamers, Alchymiſts and Philterers; with many other things
that have long lain hidden, fully Opened and Deciphered.
ALL WHICH
Are very neceſſary to be known for the undeceiving of Judges, Juſtices,
and Jurors, before they paſs Sentence upon Poor, Miſerable and Ignorant People;
who are frequenly Arraigned, Condemned, and Executed for Witches and Wizzards.

YUKARIDA *Burada daha sonraki bir baskısı gösterilen, Reginald Scot'un* Büyücülüğün Keşfi *kitabı büyücülüğün sırlarını ifşa ederken bir yandan da büyücülük ve cadılığa dair çok sayıda söylenceyi çürütür.*
KARŞI SAYFADA *Cadılar genelde uçan süpürge üzerinde tasvir edilir ama bu resimde bir bahçe çapası kullanılmış.*

1521'de Papa X. Leo cadıları ölüme mahkûm eden bir fetva çıkardı, 1542'de İngiltere kralı VIII. Henry ilk cadılık karşıtı yasayı çıkardı (yasa birkaç yıl sonra Henry'nin liberal görüşlü oğlu VI. Edward tarafından feshedildi). 1563 tarihli Cadılık Yasası "Ruh çağırma, efsunculuk ve cadılık" karşıtıydı. Ama bu yasayla asıl hedefe oturtulanlar fakir bekâr kadınlardı.

Giderek yaygınlaşan cadı avlarına karşı çıkan makul insanlar da oldu. Bunlardan biri 1584'te *The Discoverie of Witchcraft* (Cadılığın Keşfi) kitabını yayımlayan Reginald Scot'tır. Bu çok önemli kitabında Scot sihirbazlık numaralarını ayrıntılarıyla anlamaya, cadılık ve büyücülüğün aslen el çabukluğu olduğunu açıklamaya çalışmıştır.

Avrupa'nın güney bölgelerinde cadı avına çok daha az rastlanması ilginçtir. İspanya Engizisyonu 1538'de *Malleus Maleficarum*'a inanılmaması gerektiğini açıklamış, 1609-1611 arasındaki cadı mahkemelerinde görülen 7.000 dava sonucunda Engizisyon hükmünü şöyle açıklamıştır: "Bunlar akla mantığa sığmayan, hatta Şeytan'ın bile öngöremeyeceği iddialar."

YUKARIDA *Burada laboratuvarında resmedilen Catherine Deshayas, 17. yüzyılda Paris'te patlak veren ve çok sayıda aristokratın zehirleme ve büyücülükle suçlandığı Zehir Vakası'nın merkezi figürlerinden biriydi.*
KARŞI SAYFADA *Salem cadı mahkemelerinin dramatik olaylarından biri olan bu vakada –George Jacobs Sr. Jacobs yargılanması– altı kişi suçlu bulunarak asılmıştır.*

Cadı avı on yedinci yüzyılın başlarında tekrar alevlenmiştir. 1604'te İngiltere kralı I. James cadıların "işkence görmeden asla suçunu itiraf etmeyeceğini" savundu. Matthew Hopkins (yak. 1620-1647) kralın bu açıklamasını emir kabul ederek kendini "Cadı Avı Generali" ilan etti. Benzer biçimde, İskandinavya, Almanya, Baltık ülkeleri, İsviçre ve Macaristan'da da cadılar yargılandı ve infaz edildi.

Fransa'daki en ünlü cadı yargılaması "La Voisin" adıyla bilinen Catherine Deshaves'in mahkemesiydi. Mesleğe falcılıkla başlayan La Voisin daha sonra Katolik bir rahibin yönetiminde teatral Kara Ayinler düzenlemeye başladı; bu ayinlerde bazen çıplak bir kadın sunak olarak kullanılıyordu. XIV. Louis'nin metresi Madame de Montespan da dahil olmak üzere Fransız aristokrasisinden pek çok kişinin danıştığı La Voisin en sonunda tutuklanarak diri diri yakıldı.

Bir diğer bilinen cadı mahkemesi örneği de 1692-1693'te Massachusettes, Salem'de gerçekleşen cadı mahkemeleridir. Yargılamalara katılanlardan bir bölümünün çekincelerine rağmen, Salem cadı yargılamalarında iki kızın ifadesi delil kabul edilmiş ve on dokuz insan suçlu bulunarak yakılmıştır.

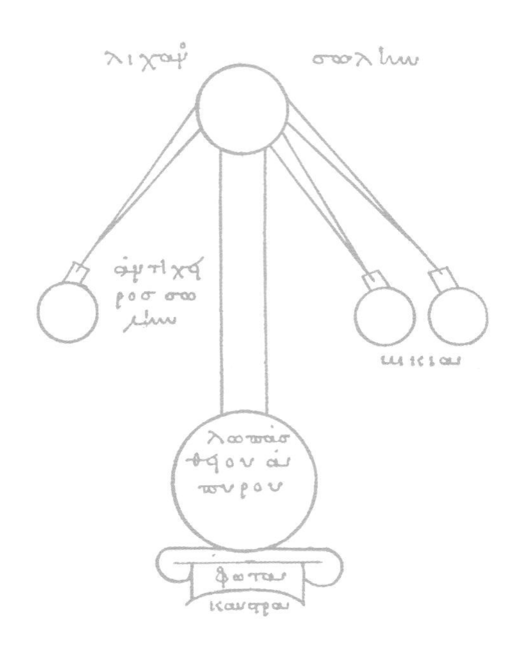

ÜSTTE *İS 5 yüzyıldan kalma, simya risaleleri üzerine Yunanca elyazmasındaki damıtma aleti çizimi.*
YUKARIDA *Aristoteles felsefe taşıyla resmedilmiş. Yunan filozof her bileşimin dört elementten (su, ateş, toprak, hava) oluştuğuna inanıyordu; bileşimlerin sabit olmadığı fikri, tözlerin dönüşümünün mümkün olduğu düşüncesine yol açmıştır.*

*İS 1.-2. yüzyılların tanınan simyacısı Yahudi Mary.*
*Günümüzde anısı, bizzat tarif ettiği "benmari" tekniğinde yaşamaktadır.*

# SİMYA

Simyanın temel savı, bakır, kalay veya çinko gibi değersiz metallerin değerli metallere dönüştürülebileceğidir – bu değerli metal genelde altındır ama felsefe taşını meydana getirmeye çalışanlar da yok değildir (felsefe taşını meydana getirme sürecine Magnum Opus adı verilir). Simyanın amacı maddi dünyadan yola çıkarak doğaüstü dönüşümlere yol açmaktır. Ancak daha genel anlamıyla simya sürecinin fiziki ya da metafizik, kimyasal ya da tinsel bakımdan mükemmelliği yakalamakla ilişkili olduğu söylenebilir. Fiziki ve metafizik dünyalar arasındaki ayrım –ikisi de yoğun bir sembolizmle ve bol sayıda metaforla örülüdür– başlangıçta simyayı kavramayı zorlaştırır.

İS 4. yüzyılda yaşamış Mısırlı simyacı Panopolisli Zosimos'un yazılarına göre ilk gerçek simyacı yaklaşık İS birinci ile üçüncü yüzyıl arası bir dönemde yaşadığı kabul edilen Yahudi Miriam'dır. Zosimos düşmüş meleklerin kadınlara metalürjinin sırlarını verdiğini iddia ediyordu. Bu noktada Zosimos aslında kadim bilgilerden –hem Mısırlıların hem de İbranilerin bilgilerinden– faydalanıyordu. Simyacılık için kullanılan kabın vaftiz kurnasına benzediğini beyan ederek simyaya manevi bir boyut katmıştır.

Fiziki simyanın esas aygıtı, kimyasalları saflaştırmaya yarayan imbiktir. Kullanılan imbikler amaçlanan sonuca göre değişiklik gösterir. Bununla birlikte, damıtma, simyada kullanılan çok sayıda teknikten sadece biridir ve Magnum Opus adı verilen işlem esasen dört aşamadan oluşur: *nigredo* (kararana kadar yakma), *albedo* (saflaştırma), *citrinitas* (gümüşü altına çevirme) ve *rubedo* (felsefe taşını oluşturma). İlk aşama, kuru (ateşle, yakarak) ya da yaş yöntemle (kokuşma) uygulanır. Daha etraflı bir Magnum Opus versiyonu on iki aşamadan oluşur, sonuncu aşamaya "oranlama" adı verilir – altın elde etmek için cıva gibi metallerle karıştırılan bir malzeme kullanılır.

Simyada başarı kesin değildir ve basit tarif gibi bir şey söz konusu değildir. Aksine, simyacılar obskürantizmden, sırlarını anlaması zor diyagramlarda saklamaktan hoşlanırlar. Bu elyazmalarının büyük bölümü hâlâ tam olarak anlaşılamamıştır.

*Çoğu simyacı, baz maddeleri değerli maddelere dönüştürecek bir süreç bulabilmek için gayet sağlıksız koşullarda didinip duruyordu.*

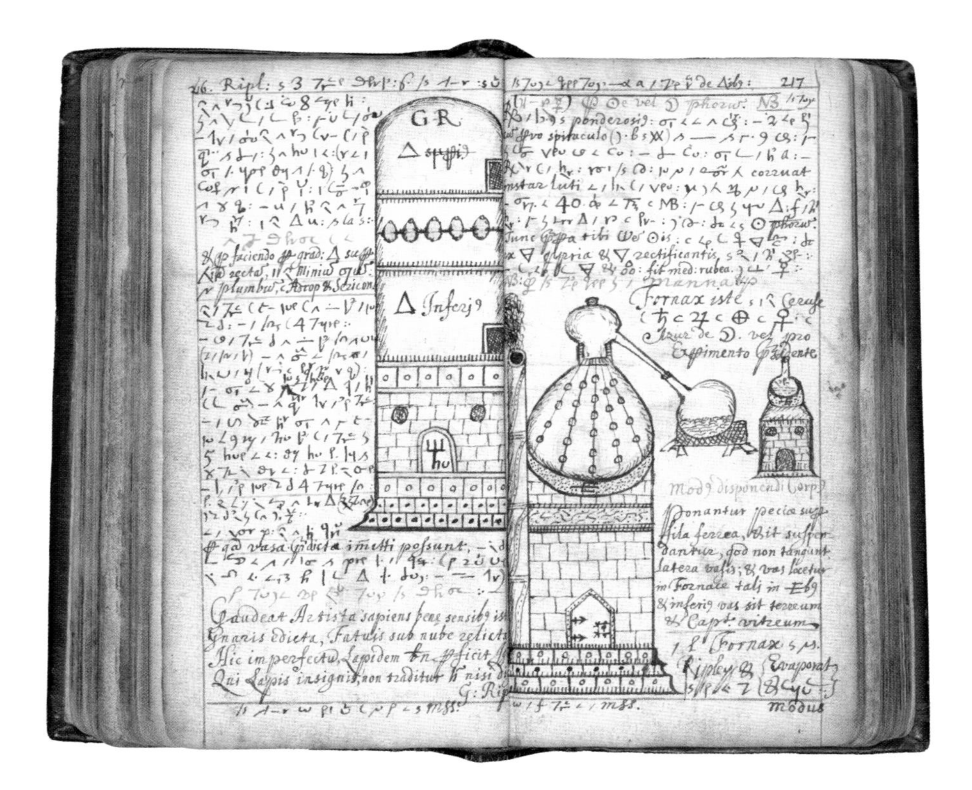

SAĞDA *Simyaya olan inanç bilim çağına kadar ayakta kaldı. Simya aletlerini tarif eden bu tasvir 16. yüzyılla 18. yüzyıl ortası arasında bir zamana tarihlenir.*

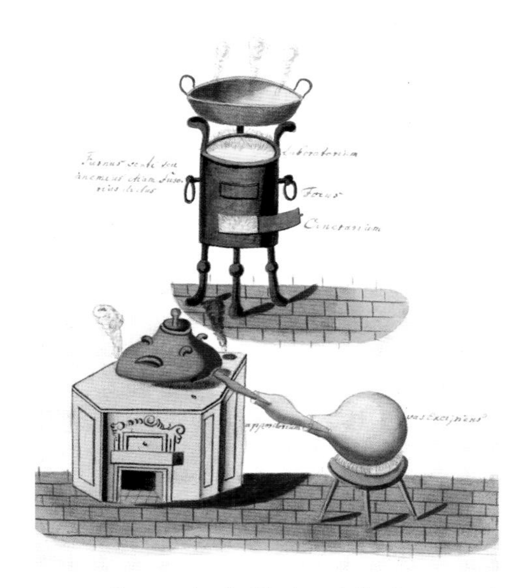

SOLDA *Raymunduz Lullius imzalı bir elyazmasından bir simya fırını tasviri.*
YUKARIDA *Damıtma süreçleri için gerekli olan ekipman, daha bilimsel alanlarda kullanım için değiştiriliyordu.*

92
perfectionis ostensio

KARŞI SAYFADA *16. yüzyıl tarihli, simyayı fiziki ve ruhani bir açıdan tartışan* Rosarium Philosophorum *adlı eserdeki ikinci dönüşüm devri tasviri. Yeşil aslan "yeşillendirme" sürecini temsil eder ve güneşe ait bir simgedir, pelikan ise "kızıla dönüştürme" sürecini temsil eder. Merkezde, üçlü yılanın üzerinde duran hermafrodit, sürecin tamamlanmasını temsil eder.*
YUKARIDA *Zenginliğin simgesi olan Luxuria tarafından baştan çıkarılan simyacı tablosu, simyanın manevi hedeflerinin maddi hedeflerden ağır bastığını göstermeyi amaçlar.*

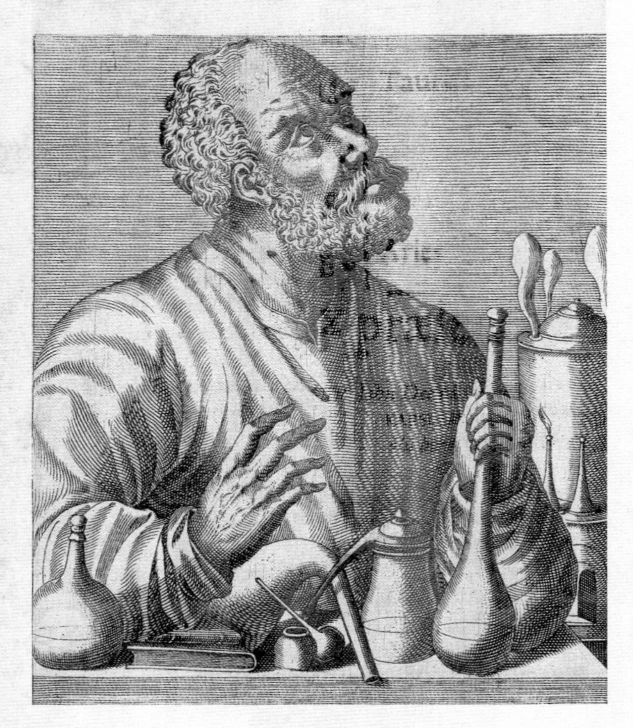

YUKARIDA, SOLDA *Batı'da Geber adıyla bilinen Arap simyacı Câbir bin Hayyan'ın portresi.*
YUKARIDA, SAĞDA *17. yüzyıl ortasından kalma iç simya üzerine Çince kitaptan bir tasvir.*
KARŞI SAYFADA *Pers simyacı Râzî (Muhammed ibn Zekeriya el-Râzî) Bağdat'taki laboratuvarında simya deneyleri yaparken.*

Hermes Trismegistus tarafından yazıldığı varsayılan ama sadece altıncı yüzyıl sonrası Arapça kitaplarda karşımıza çıkan Zümrüt Levha simya için çok önemlidir. Bu levhanın, günümüz Türkiyesi sınırları içerisindeki Tyana'da, bir Hermes heykelinin altına gizlenmiş bir mahzende, altın bir tahtta oturan bir cesedin elinde bulunduğu iddia edilir.

Yedinci yüzyılda İslam'ın Mısır'a yayılmasıyla Mısır'a özgü simyacılık fikirleri Arap Yarımadasına taşınmıştır. Fiziki simya Bağdat ve İran'da gelişmiştir. Batı'da Geber adıyla bilinen Câbir bin Hayyan (721-815) Aristoteles'in sıcaklık, soğukluk, kuruluk ve yaşlık olmak üzere dört özellik olduğu savından yola çıkarak bütün metallerin şu ya da bu oranda sülfür ve cıva barındırdığı teorisini geliştirmiştir. Onuncu yüzyılda Pers bilim adamı ve simyacı Muhammed bin Zekeriya el-Râzî (865-925) simyacının kullandığı aletleri ayrıntılı olarak ele aldığı *Kitabu'l-Esrar*'ı (Latincesi *Liber Secretorum*) yazmıştır.

Simya Çin'de de karşımıza çıkar. Ama orada, diğer simya geleneklerinde olduğu gibi maddenin dönüştürülmesi amaçlanmasına rağmen, I Ching, Taoculuk ve *Wu Xing*'in etkisi, Çin'de simyasında ruhaniliğin bariz şekilde ağır bastığını gösterir. Metallerin dişi ve erkek, Ay'a ait ve Güneş'e ait gibi özellikler barındırdığına inanılır. Çin simyasının en önemli ilk eseri İS dördüncü yüzyıldan kalma *Sarı İmparator*'dur.

# CHYMICALL CHARACTERS

## Notes of Metalls

| Name | Character |
|---|---|
| Saturne, Lead | ♄ |
| Iupiter, Tinne | ♃ |
| Mars, Iron | ♂ |
| Sol, the Sun, Gould | ☉ |
| Venus, Copper, Brasse | ♀ |
| Mercury, Quicksilver | ☿ |
| Luna, the Moon, Silver | ☾ |

## Notes of Minerall and other Chymicall things

| Name | Character |
|---|---|
| Antimony | |
| Arsenick | |
| Auripigment | |
| Allum | |
| Aurichalcum | |
| Inke | |
| Vinegar | ✝ |
| Distilld Vinegar | |
| Amalgama | |
| Aqua Vitæ | |
| Aqua fortis, or separatory water | |
| Aqua Regis or Stigian water | |
| Alembeck | |
| Borax | |
| Crocus Martis | |
| Cinnabar | |
| Wax | |
| Crocus of Copper or burnt Brass | |
| Ashes | |
| Ashes of Harts ease | |
| Calx | |
| Caput Mortuum | |
| Gumme | |
| Sifted Tiles or Flower of Tiles | □ |
| Lutum sapientiæ | |
| Marcasite | |
| Sublimate Mercury | |

## Notes of Minerall and other Chymicall things

| Name | Character |
|---|---|
| Mercury of Saturne | |
| Balneum Mariæ | MB |
| Magnet | |
| Oyle | |
| To purifye | |
| Realgar | |
| Salt Peter | |
| Common Salt | |
| Salt Gemme | |
| Salt Armoniack | |
| Salt of Kali | |
| Sulphur | |
| Sulphur of Philosophers | |
| Black Sulphur | |
| Soape | |
| Spirit | |
| Spirit of wine | |
| To sublime | |
| Stratum super stratum or Lay upon lay | |
| Tartar | |
| Tutia | |
| Talck | |
| A Covered pot | |
| Vitriol | |
| Glas | |
| Urine | |

## Notes of the foure Elements

| Name | Character |
|---|---|
| Fire | △ |
| Aire | 🜁 |
| Water | ▽ |
| Earth | 🜃 |
| Day | |
| Night | |

FINIS.

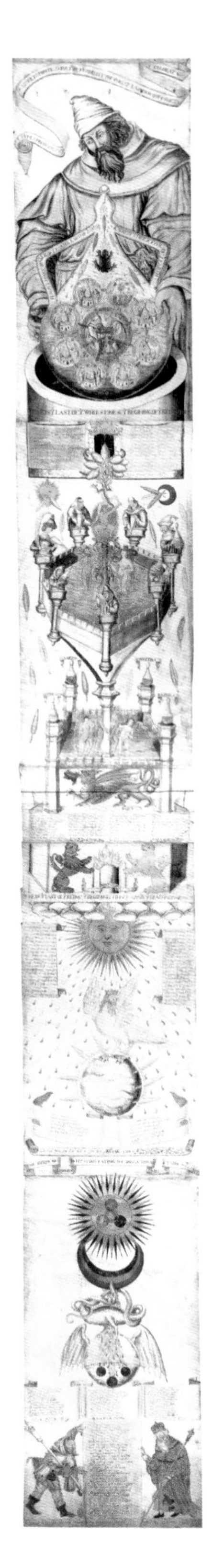

Simyayla ilgili sanat eserleri sembolizmden yana zengindir ve muhteşem görsellerle doludur. İlk versiyonu 1530'lardan kalma *Splendor Solis* [Güneşin İhtişamı] resimli simya kitaplarının en bilinenidir ve sürecin felsefesini açıklar. Zaman içinde ortaya çıkan çok sayıda resimli eserin büyük bölümü oldukça muğlaktır. Bunların bilinen örneklerinden biri Ripley Metinleri, İngiliz simyası George Ripley'e (yak. 1415-1490) atfedilir ve on iki aşamalık simya sürecinin çeşitli adımlarını tasvir eder. Bu metinlerden geriye on ikiden az parşömen tomarı kalmıştır.

Simyada yedi gezegen yedi metalle bağdaştırılır – Güneş altınla, Ay gümüşle, Merkür cıvayla, vs. Bu metallerin simgeleri astrolojiden ödünç alınmıştır. Benzer biçimde sürecin on iki aşaması da Zodyak'ın 12 burcuyla bağdaştırılır ve bir nevi gizli sembol işlevi görür.

KARŞI SAYFADA *17. yüzyılda kullanımda olan kimya-simya simgeleri kılavuzu. İlk bakışta anlaması oldukça zor olan simya şemaları, kullanılan simgeleri deşifre etmeyi bilen biri için oldukça basittir.*

SAĞDA *Ripley Tomarı'nın üç versiyonu. Ripley'in en ünlü eseri, felsefe taşını yapmanın en doğru ve en mükemmel yolunu tarif eden "The Compound of Alchymy" (1471) adlı şiirdir. Bu tomar, bu sihirli maddeyi yapmak için gerekli aşamaları açıklayan bu şiirin resimli anlatımıdır.*

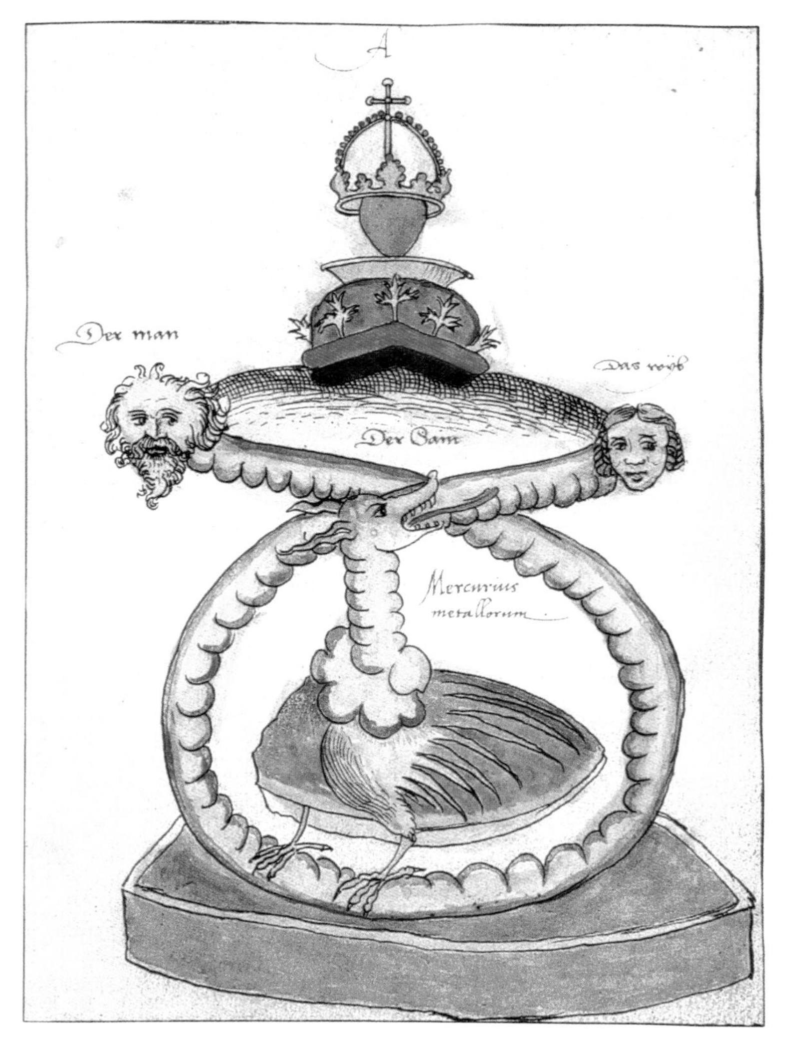


KARŞI SAYFADA *Buradaki çıplak kral kireçleştirme aşamasını simgeler. Sağında yarı kadın, yarı kuş üç yaratık bulunur.*
YUKARIDA *Cıvanın erkek-kadın-yılan birleşimi olarak tasviri. Zıtların birleşimi genelde simya çalışmalarının nihai hedefidir.*

Simyanın farklı aşamalarında hayvanlar kullanılır. Örneğin beyaz bir kuğu "beyazlatma" işlemini, yeşil aslan "yeşillendirme" işlemini, pelikan da "kızıla dönüştürme" işlemini ifade eder. *Ouruboros* –kendi kuyruğunu yutan ejderha veya yılan– sonsuz simya döngüsünü simgeler. *Cadeceus* –bir asaya sarılmış iki yılan– cıvanın bir diğer simgesidir, "cinnabar" sözcüğü ise (cıva sülfür içeren parlak kırmızı renkli bir mineral) Persçe "ejderha kanı" sözcüğünden türemiştir.

Kullanılan başka şekiller de oldukça tuhaftır ve zıtların birleşimini ifade ederler: Hermafroditler, dişi ve erkek, krallar ve kraliçeler. On altıncı yüzyılda yaşamış Michael Maier'e göre simyanın asıl hedefi zıtları birleştirmektir.

*Bir simya imbiği içindeki bu üç başlı canavar*
*felsefe taşının bileşimini temsil eder: Tuz, kükürt ve cıva.*

*Simya imgelerinde genelde dini temalar kaynak alınır. Burada büyücüler Beytüllahim yolunda bir mağaraya sığınıyor. Bu resim, kükürde dönüştürülen cıvayı temsil eder.*

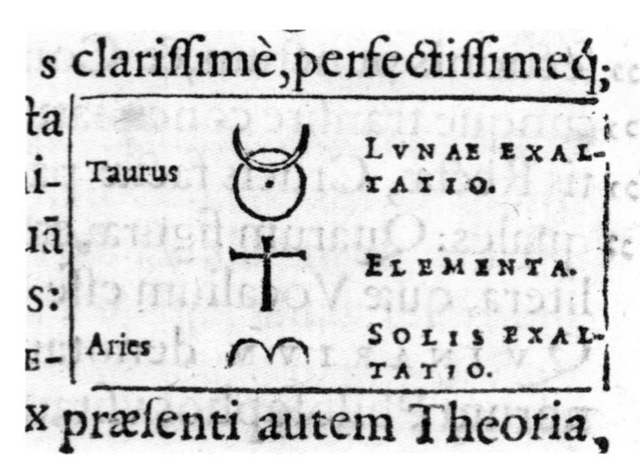


YUKARIDA *John Dee'nin kendisi için oluşturduğu gizemli Monas Hieroglyphica sembolü.*
KARŞI SAYFADA *Bu ürkütücü resimde Dee ve Edward Kelley ölü bir kadının ruhuyla iletişime geçerken tasvir edilmiştir.*

# John Dee

John Dee (1527-1608/9) I. Elizabeth'in sarayındaki en tartışmalı ve ilgi çekici figürlerden biridir. Matematikçi, okültçü, astrolog ve simyacı olan Dee, kraliçeye arada bir ders veriyor ve özel yıldız falını hazırlıyordu. Elizabeth'in tahta çıkmasından önce Kraliçe Mary'nin ölümüyle tahtın devredileceği kehanetinde bulunmuş ve kısa bir süreliğine hapse atılmıştı. Kraliçe Mary'nin ölümüyle kraliyet astroloğu oldu.

Dee 1564'te, bizzat yarattığı bir glifi açıklayan *Monas Hieroglyphica* adlı risaleyi yayımladı. Dee'yi esas teşvik eden şey evrenin iç işleyişini anlama arzusuydu. Dinine bağlı bir Hıristiyan olan Dee, Tanrı'nın planının sayılardan kestirilebileceğini düşünüyordu. Ama hayatının son otuz yılında cevapları giderek daha çok okült ve doğaüstü yollardan aramaya başladı ve komünyonu ihmal ederek melekler ve ölülerle iletişime geçmeyi tercih etti. Dee en çok kristal küre aracılığıyla kehanette bulunmayı tercih ediyordu. Elde ettiği sonuçlardan memnun değildi ama 1582'de, doğaüstü güçlerle iletişime geçme gibi özel bir yeteneği olduğunu iddia eden Edward Kelley'le tanıştı.

Günümüz Londrası'nın güneybatısındaki çevre semtlerinden biri olan Mortlake'teki evinden Kelley'le melekler aracılığıyla sohbet etmeye başladı, bu iletişim bir dizi vahiyle sonuçlandı. Melekler bu iki adamla, Tanrı'nın Âdem'le konuşmak için kullandığı iddia edilen özel Enok diliyle konuşuyordu. Melekler, Dee evrenin sırlarına vâkıf olabilsin diye ona bu dilin sırlarını ifşa etmeyi vaat ettiler. Metinler ona Enok dilinde okunuyordu ama bunlar daha sonra İngilizce çevirisiyle yayımlandı. Bu dil İbraniceyi biraz andırmakla birlikte anlaşılması neredeyse imkânsızdır. Kelley ve Dee sonraki altı yıl boyunca Orta Avrupa'yı gezerek melek konferanslarına ve simyacılık uygulamalarına katıldılar.

Dee Mortlake'e döndüğünde evinin yağmalandığını, kütüphanesinin –o dönemde İngiltere'nin en önemli kitap koleksiyonlarından birine sahipti– büyük bölümünün çalındığını gördü. Son günlerini sefalet içinde ve maalesef evrenin sırlarını anlamaya bir o kadar uzak halde geçirdi.

# 6.
# Büyücülük Dünyası

*Benin, Abomey'de putlarla dolu bir vudu sunağı.*

Mısır, Yunanistan ve Roma'daki batılı büyü geleneği bütün dünyaya yayılıp her yerde etkili oldu fakat bazıları daha da yaygın başka büyü gelenekleri de var. Kore Şamanizmi, Siberya ritüelleri, vudu veya hudu gibi farklı biçimlerde karşımıza çıkıyorlar.

Şamanizm, akademik çevrelerde tartışma yaratan bir terim. Bazıları bu sözcüğün yalnızca Siberya'nın "gerçek" şamanları için kullanılması gerektiğine inanırken, başkaları –özellikle de popüler kitabı *Şamanizm*'de (1951) Mircea Eliade– farklı kültürlerin büyü ve büyücülük geleneklerinde benzerlikler görmüş ve şamanizm sözcüğünü kapsayıcı şekilde kullanmışlardır. Eliade bu kültürlerin ritüellerinin temelinde "ilkel" düşünme biçimlerinin bulunduğuna, korku ve sembolle gerçek arasındaki farkı anlayamamanın yattığına inanıyordu.

Kuzey Amerika, Sibirya, Afrika, Avustralya ve Kuzeydoğu Asya'nın büyü ve Şamanizm geleneklerinde çarpıcı benzerlikler olsa da, bugün bu halkların ritüelleri "ilkel" diye tarif edilmiyor. Şaman figürü her kültürde toplumun doğaüstüyle bağlantı noktasıdır. Genelde Şamanlık yeteneğiyle doğan Şamanlar bazen de ölümcül bir kaza atlattıktan sonra bu yeteneği kazanırlar. Kayıp ruhları çağırmak, hastalıkları iyileştirmek veya yüce varlıkların gözüne girmek için içinde yaşadıkları topluluk adına doğaüstü güçlerle temasa geçmeleri beklenir.

Büyünün ve büyücülüğün kültürlerarası yolculuğu da oldukça ilgi çekici. Örneğin Batı geleneği Yunan ve Mezopotamya kültürlerinden doğdu, Mısır'a ve Arap dünyasına, sonra Batı Avrupa'ya miras kaldı. Aynı gelenek Latin Amerika ve Karayipler'e de ulaştı. Burada, Avrupalılar tarafından Afrika'dan getirilen kölelerin –en önemlisi Batı Afrika kaynaklı *vodun* (bkz. s. 252) olan– büyü gelenekleri Hıristiyan inançlarıyla harmanlandı. Vudu doğdu. Din uzaktaki Tanrı'yla doğrudan temasa geçilemeyeceği inancına dayandığından, vudu büyülerinde bütün yakarışlar *loa* denen ruhlara yöneltilir. *Bokor* denen vudu büyücüleri hem ak, hem kara büyü yaparlar ve zombi yaratma gücüne sahiptirler. Vudunun günümüzde en güçlü olduğu yer Haiti fakat bir Louisiana kolu da var.

İspanya'nın Güney Amerika kolonilerinde de benzer bağdaştırıcı din ve büyü gelenekleri ortaya çıktı, burada da cadılıktan çok korkuluyordu. On yedinci yüzyıl başında Kolombiya'da başlayan cadı avı çok sayıda kadının hayatına mal oldu.

*19. yüzyıl tarihli bu gravürde, Güney Amerika'daki nehir kabilesi Payagualar'ın Şamanı büyüyle bir kasırgayı uzaklaştırmaya çalışıyor.*

YUKARIDA *Rus halk kahramanı Ivan Tsarevich'in kullandığı sihirli uçan halı. Yanında kafeste Ateş Kuşu'nu taşıyor.*
AŞAĞIDA *Kuzey Amerika Yerlisi astroloğa danışan müşteriler.*

Afrika inançları ve büyüsüne duyulan korku başka zulümlere ve ölümlere de yol açtı. Özellikle köle sahipleri kölelerini kara büyü yapmakla suçlamaya hazırdılar. Mağripli, Yahudi ve Batı Afrika kültürlerini birleştiren Brezilya, on dokuzuncu yüzyıldan itibaren *candomblé* ve *umbanda* gibi ilginç büyü geleneklerine ev sahipliği yaptı.

Arap ülkelerinde en ünlü büyülü öykülerden biri, *Binbir Gece Masalları*'dır. Ortaçağ'ın başına tarihlenen derlemede sihirli ağaçlar, uçan halılar, bir ordunun sığabileceği kadar büyüyen bir çadır ve elbette içinde cin olan sihirli bir lamba vardır. Uçan halı demişken, Kral Süleyman'ın da böyle bir sihirli hazinesi olduğu söylenir. Doksan kilometre uzunluğundaki halı yeşil ipektendi ve Süleyman'ın denetimindeki rüzgârlar üzerinde taşınıyordu. Kral Süleyman kuşkusuz pek çok büyü geleneğinin kökenindeydi.

*Binbir Gece Masalları*'nda, Şehzade Hüseyin sihirli halısını Hindistan'dan almıştı. Hindistan, büyüklüğü ve anlaşılmazlığı yüzünden hep sihirli bir ülke olarak görülmüştür. Hinduizm uzun astroloji ve bilicilik tarihinin yanında simya ve cadılıkla da ilişkilidir. *Rasayana* denen Hindistan simya geleneği ömrü uzatmayı ve kusursuzluğu keşfetmeyi, cıva yardımıyla bedeni ölümsüzleştirmeyi hedefler. Hindistan'ın yirminci yüzyıl başında kısa süreliğine teosofi hareketine ev sahipliği yapmış olması da ilgi çekici. Aynı dönemde başka okültistler gibi Aleister Crowley de yogayı araştırmış ve hakkında yazılar yazmıştı.

Son olarak, Doğu Avrupa ve Rusya'nın Slav kültürlerinde de zengin bir büyü ve cadılık geleneği vardır. Büyü tanrısı Veles, Yunan mitolojisinden Hermes'i andıran hilebaz bir tanrıdır. Hıristiyanlık öncesinde Rusya'da, *volkhv* denen büyücülerin geleceği görebileceğine inanılırdı. Büyü açısından zengin olan Slav folklorunda önemli figürlerden biri, cadıyı andıran Baba Yaga'dır. Tekinsiz Baba Yaga deforme vücuduyla bir havan tokmağına binerek havada uçar, köprüye dönüşebilen sihirli bir havlu, yolu gösteren sihirli top gibi nesneler yaratır.

*Rus cadısı Baba Yaga havanıyla uçuyor.*

KARŞI SAYFADA *Davulundan çıkan hipnotize edici sesler Şaman'ın farklı bir bilinç seviyesine çıkmasını sağlayarak doğaüstü ruhlarla iletişime geçmesine yardımcı olur. Buradaki Şaman Moğol'dur.*
YUKARIDA *Avustralya'dan bir Şaman ya da büyücü doktor. Aborijin kültüründe Şamanlar hastalıkları tedavi eder, sihirli bir ip yardımıyla cinlerin yaşadığı Üst Dünya'ya ulaşır.*

# ŞAMANİZM

Şamanizm, koruyucu ruhlar ve başkalaşım inançlarını da içeren karmaşık bir ritüeller geleneğidir. Ancak trans durumuna geçmek gibi esrik yöntemlerle temas edilebilen başka bir dünya inancını da içerir. Sonuçta Şamanizm hem dinin, hem büyünün eski bir atası olarak kabul edilebilir fakat olaylara etki etmeye çalışma konusunda dinden daha müdahalecidir.

Şamanlar davul çalmak, büyülü tekerlemeler söylemek, dönmek, psikoaktif maddeler ve meditasyon gibi çeşitli yöntemlerle esrime halini ve görüş güçlerini tetiklemeye çalışırlar. Trans haline geçtiklerinde, fiziksel dünyada etkili olabilmek için –iyi ya da kötü– ruhlarla iletişim kurdukları doğaüstü bir boyuta girerler.

A Jakutian Priest invoking his deities to cure a sick man.


YUKARIDA VE KARŞI SAYFADA *Şamanlar bir hastayı iyileştirmek ya da kötülüklerden korumak amacıyla ruhlardan yardım istemek için davul çalar ya da dans ederler.*

Şaman terimi başlangıçta Siberya'nın Tungus halklarının büyücüleri için kullanılıyordu. Popüler bir teori, ilk Şamanların av bereketini artırmayı amaçladığını öne sürüyor. Antropologlar Şamanist ritüellerin izini Kore'den Kuzey Amerika'ya kadar sürdüler; tarih öncesi çağlardan kalma mağara resimlerinin bile Şamanist geleneğin izlerini taşıdığı düşünülüyor.

Büyücü doktor da Sibirya Şamanlarıyla akrabadır. Doğaüstü güçleri ve şifalı otlarla hastalıkları tedavi eden büyücü doktorların hemen her kültürde yeri vardır. Örneğin Kuzey Amerikalı Yupik kabilesinin üyeleri kötü ruhları kovmak için karmaşık törenler yaparlar.

Copyright 1904
By E.S. Curtis

KARŞI SAYFADA *Maske ve vücut boyalarından oluşan merasim giysileri içinde üç Navajolu Yeibichai şifa merasimini icra ediyor.*
YUKARIDA *Kuzeybatı Pasifik'teki Haida kabilesi Şamanı'nın kuzgun ve katil balina şeklinde oyulmuş çıngırağı.*

# KUZEY AMERİKA BÜYÜLERİ

Kuzey Amerika yerlilerinin kültüründe varlığın kumaşı süreklilikti r ve insan doğayla yakından bağlantılı, ona bağımlıdır. Doğayla –özellikle de kılavuz ruhlar ve sihirli hayvanlarla– iletişim kurabilmek hayatta kalmak açısından önemli kabul ediliyordu, dünyadaki ruhlar hem kötü, hem iyi olabiliyordu. Şamanlar onlarla iletişim kurmak için davullar ve pipolar yardımıyla transa girerlerdi.

Cadılar –zararlı büyü yapan cadılar– Amerika yerlilerinin kültüründe de yer etti. Bazı kabileler cadıların sanatlarını hilebaz Kuzey Amerika tanrısı Kuzgun'dan öğrendiğine inanıyorlardı. Navajo kültüründe (her zaman erkek olan) cadılar güçlerini bir tabuyu yıkarak elde ediyorlardı – örneğin bir akrabalarını öldürerek. Başkalarını lanetlemek için kurutulmuş ceset tozu kullanıyorlardı. Navajo geleneğinde deri değiştirenler (*yee naaldlooshii*) de vardır, büyüyle istedikleri hayvana dönüşebilirler. Bir laneti yalnızca bir büyücü doktor kaldırabilir.

*Siksiká (Karaayak) kabilesinin büyücü doktoru ölmekte olan bir adam için ayin yapıyor.*

Bütün Kuzey Amerika yerlilerinin gizli formülleri, şarkıları ve ritüelleri, ayrıca şifalı bitkileri kullanmayı bilen büyücü doktorları vardır. Kötü ruhları korkutmak için maskeler takarlar, kimi zaman günler süren törenler yaparlar. Yalnızca fiziksel hastalığı değil, genel olarak düzensizliği hedef alırlar.

Kuzeybatı Pasifik'in Tlingit halklarının Şamanları da ünlüdür. Şamanlık gücü genellikle davullar ve çıngıraklar gibi Şamanizm gereçleriyle birlikte miras alınır. Belli ruhlarla iletişime geçmek için belli maskeler kullanılır. Grönland'da Inuit Şamanlarının (*angakkuq*) *tupilaq* denen canavarları yaratabilme gücü olduğuna inanılır. Kimi zaman insan uzuvlarına da sahip olan bu korkunç yaratıklar geceleri gizlice yapılır, büyülerle canlandırılır ve düşmanlardan intikam almaya gönderilirdi.

SOLDA *Yöreye özgü kıyafetler içinde bir Inuit Şaman bebeği. Bu bebekler bir ruhu temsil eder.*
ÜSTTE *Inuit "ruh maskesi" insanlarda yardımcı olan bir ruhun biçimsiz yüzünü temsil ediyor.*
YUKARIDA *Bir Haida Şamanı'nın taktığı bu maskede insani yüz hatları kuş gagasıyla bir arada.*

# VUDU VE HUDU

Günümüzde çoğunlukla New Orleans ya da Karayipler'le ilişkilendirilen vudu büyüsünün kökenleri Batı Afrika'nın *vodun* ritüellerine uzanır. Aslında Louisiana vudusu ve Haiti vudusu arasında bazı farklar var. Louisiana geleneğinde gris-gris önemli bir yer tutuyor. Kuran'dan ayetlerin kullanıldığı bir Batı Afrika muskası olan gris-gris, zamanla başkalarını lanetlemek için kullanılan her türlü muska için kullanılan bir sözcük oldu. "Vudu bebekleri" de genellikle dinin Louisiana koluyla ilişkilendirilir.

Haiti vudusu (bazen "vodou" diye yazılır) on sekizinci yüzyıl sonunda, Haiti büyüsünün Haitilileri Fransızlar karşısında yenilmez yaptığına inanıldığı dönemde popülerleşti. Ancak vudu on dokuzuncu yüzyılın büyük bölümünde Haiti'de yasaktı.

AŞAĞIDA *Togoville'de bir vudu mabedi. Togo dünyanın en büyük put pazarına da ev sahipliği yapar.*
KARŞI SAYFADA *Bu pano Benin, Adjarra'da bir vudu büyücüsünün barakasından alınmıştır. Büyücünün büyüyle ve hayvan kurban ederek iyileştirdiği hastalıkları listeler.*

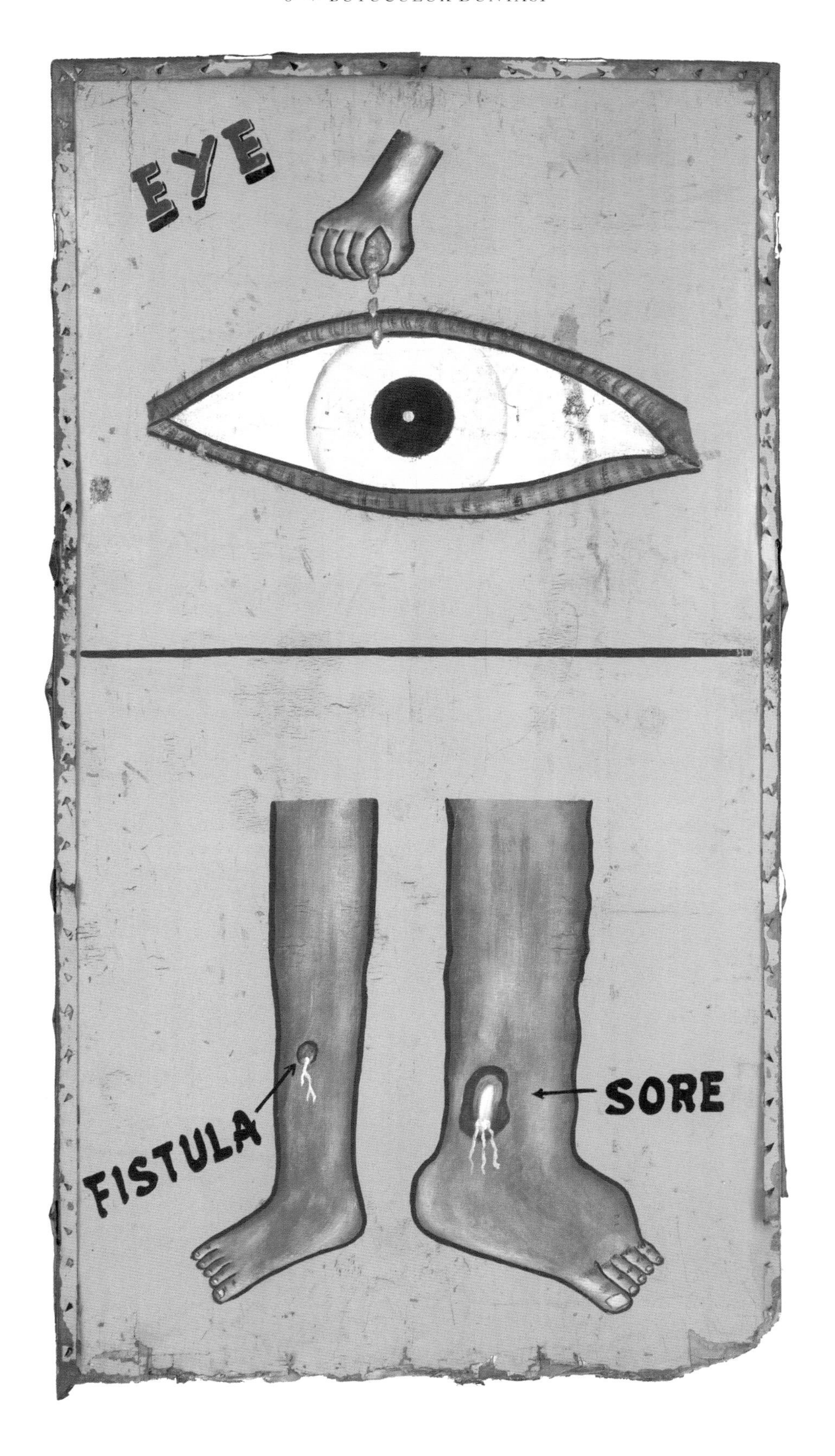
EYE
FISTULA
SORE

KARŞI SAYFADA *Togo, Lomé'deki Akodessewa Pazarı'ndan bir put; burası dünyanın en büyük vudu putları pazarıdır.*
YUKARIDA *Çeşitli sembolik nesneleri ve dini imgelerin bir araya geldiği bir Haiti vudu mabedi. Haiti'deki vudu mabetlerinin hepsinde bir haç bulunur ve sadece ilahi güçleri değil, bir dönüm noktasını da simgeler.*

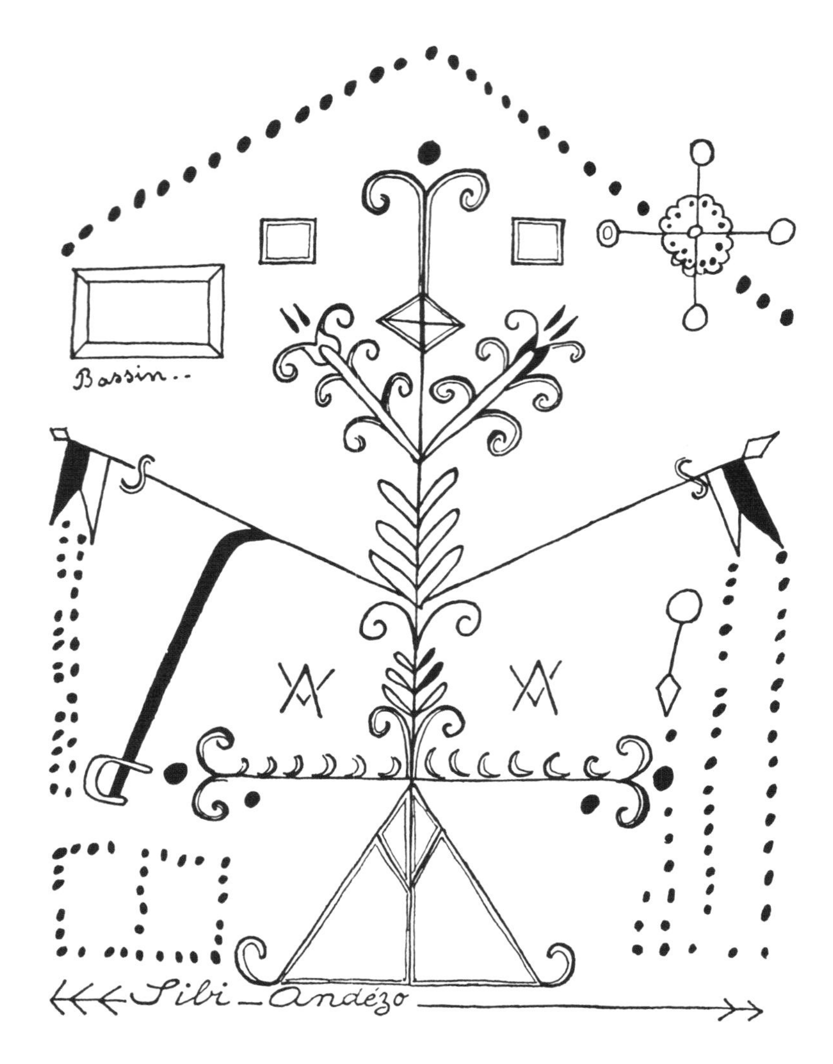


*Vudu büyüsünde* vévé loa*'yı ya da cinleri çağırmak için kullanılan işaret fişeği görevi görür. Buradaki* vévé *Simbi-yandezi adıyla bilinen cin içindir.*

Mississippi Deltası çıkışlı hudu, Afrika ve Kuzey Amerika inançlarını yeni ve tek bir büyülü sistem haline getirir. Kölelerin korkunç durumdaki hayatlarını biraz olsun kontrol ettiklerini hissetme ihtiyacından doğmuş olmalıdır. Tanrı, dünyayı altı günde büyülerle yaratan bir büyücü olarak görülür, *Kutsal Kitap* da bir büyü kitabı, içinde adı geçen kişiler hudu "doktorlarıdır."

Özellikle Musa önemli bir gözbağcı olarak kabul edilir. İbrani peygamberi tarafından yazıldığı iddia edilen ancak aslında on sekizinci ya da on dokuzuncu yüzyılda yazılmış oldukları düşünülen pratik büyü kitapları *Musa'nın Altıncı ve Yedinci Kitabı* hudu külliyatının parçasıdır. John George Hohman'ın *Pow-Wows*'ı (1820, bkz. s. 299) gibi kitaplar da bu geleneğe eklenmiştir. Hududa tılsımlar ve muskalar çok önemlidir. Koruma sağlayan en önemli tılsım da *Kutsal Kitap*'tır.

*Kübalı bir Palo dini mensubu Santiago de Cuba'daki tapınağın zeminine büyülü bir sembol çiziyor. Bu sembol tapınağın sunaklarıyla ilişkili ruhani güçleri ortaya çıkarma girişiminde merkezi önem taşır. Palo, vudu ve* candomblé *gibi, Kongolu köleler arasında gelişen bir dizi bağdaştırıcı dinden biridir.*

# LATİN AMERİKA BÜYÜLERİ

Latin Amerika ve özellikle Brezilya'da on dokuzuncu yüzyıl başlarına tarihlenen, Hıristiyan, mistik, Afrika ve animist geleneklerinden öğeler taşıyan ilginç ve bağdaştırıcı uygulamalarla karşılaşırız. En önemlisi, yirminci yüzyılda *quimbanda* ve *umbanda* geleneklerine dönüşen *macumba*'dır. *Quimbanda* geleneğinin büyü ritüelleri özellikle ilginçtir – gece yarısında bir dörtyol ağzında yapılan *trabalho* ritüelinde genellikle alkol, kırmızı ve siyah giysiler, purolar kullanılır ve şarkılar söylenir.

*Candomblé* dini de Brezilya kökenlidir. Batı Afrikalı Yoruba ve Fon halklarının inançlarının karışımı olan *candomblé* on altıncı yüzyılda doğdu. *Candomblé* "tanrıların huzurunda dans etmek" anlamına gelir ve bu dans sırasında tapınanların içine ruhların (*orixá*) girdiğine inanılır, adaklar sunulur (hayvan, sebze ve mineraller), fal bakılır.

KARŞI SAYFADA *Mozaik kaplı kurukafa, Azteklerin (başka şeylerin yanı sıra) büyücülük tanrısı* Tezcatlipoca *ya da "Yanan Ayna"yı temsil eder.* Tezcatlipoca *Azteklerin –ve daha sonra John Dee'nin– geleceği tahmin etmek için kullandığı obsidyen aynalarla ilişkilendirilir.*
YUKARIDA *Brezilya'da bir* candomblé *dansı ritüeli.*

YUKARIDA *Brezilya, Bahia'da bir sunak üzerinde bir baykuş heykelciği ve çeşitli putlar. Sunaktaki tavuk tüyleri yakınlarda bir kurban etme ritüeli yapıldığını gösterir.*
KARŞI SAYFADA *11. ya da 12. yüzyıla tarihlenen, astronomi ve astroloji bilgilerinin yanı sıra ritüel çizelgeleri de içeren Maya kitabı Dresden Kodeksi'nden bir sayfa.*

Orta ve Güney Amerika'nın yerli halkları –Olmekler, Aztekler, Mayalar ve başkaları– batıl inançlarına çok düşkündüler. Aztekler belli günlerde doğanların büyülü güçleri olduğuna (başka yaratıklara dönüşme gücü gibi), doğum yaparken ölen bir kadının kolunun güçlü bir büyü taşıdığına inanırlardı. Mısır ve fasulye taneleriyle veya bir yılanın davranışlarını inceleyerek fal bakarlardı.

Mayalar da biliciliğe ve astrolojiye düşkündüler. Kristal küreler aracılığıyla geleceği görmeye çalışır, kuşların uçuşundan ve tohumlardan fal bakarlardı. Olmekler büyücülerin jaguara dönüşebildiğine inanırlardı. Quiché Mayalarının kitabı *Popul Vuh*'da (Halk Kitabı), yaşlı erkekler ve kadınların sihirli sözcüklerle bitkileri, hayvanları ve insanları yarattığı anlatılır.

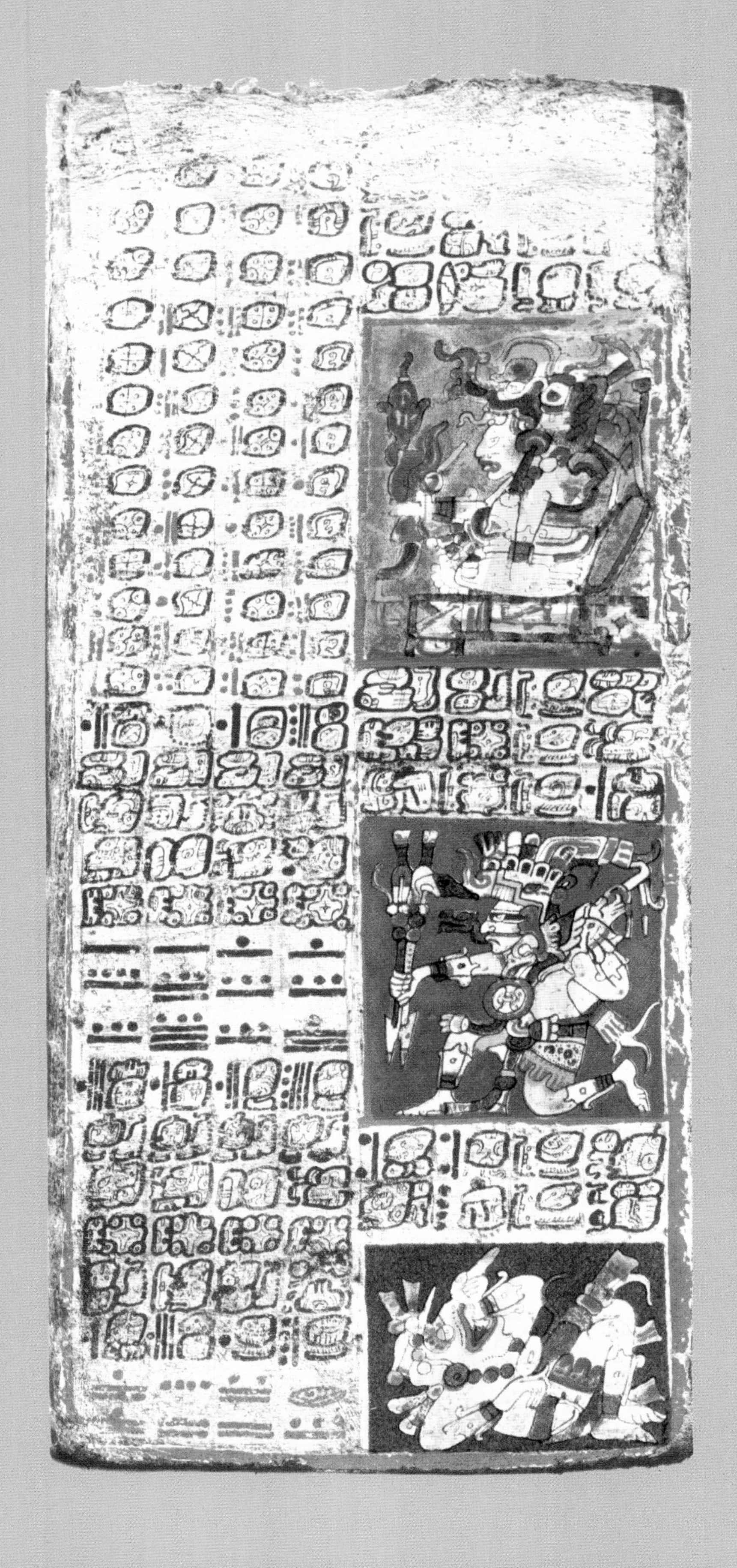

# AFRİKA BÜYÜLERİ

Afrika'da büyü gelenekleri güçlü kaldı. Nijerya'da geleceği ve tinsel alemi gösterdiğine inanılan bilicilik ritüeli Ifá hâlâ çok yaygın. Kutsal palmiye cevizleri ve bir kehanet zincirinin kullanıldığı ritüelde, zincirin toz dolu bir kapta bıraktığı izler yorumlanır, kehanetler söylenir.

Kara büyü pazarları Afrika'da her yerde bulunabilir ama en büyüğü Togo, Lomé'daki Marché des Féticheurs adlı pazar yeridir. Komşu ülke Benin'deki benzer pazarlarda olduğu üzere burada da hayvan uzuvları, tılsımlar ve fetişler satılır. Yerel inanç sistemi *vodun*'un Haiti ve Karayipler'deki vudu geleneğiyle akraba olduğundan söz etmiştik. Ancak *vodun* daha ziyade atalarla iletişim kurmaya odaklanır. Büyü yapmak ve tılsım yaratmak, genellikle "kara büyü" olarak yorumlanan Batı Afrika *juju* geleneğinin alanındadır.

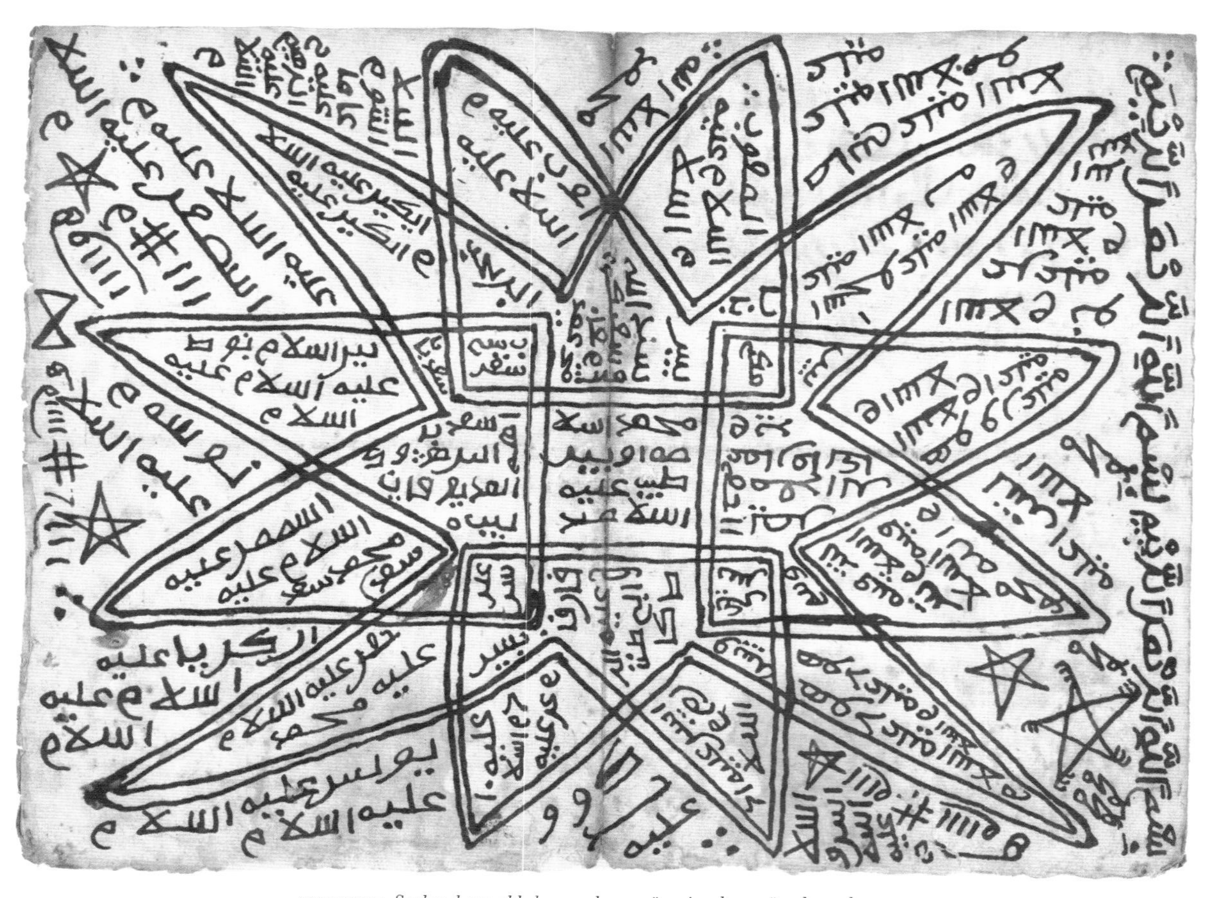

YUKARIDA *Sudan kaynaklı bu muskanın üzerine kem göze karşı koruma büyüleri çizilmiş. Çizimdeki beş köşeli yıldız bolluğu dikkat çekicidir.*
KARŞI SAYFADA *İnsan kurban etme ritüeline işaret eden imgeler içeren bu resim, Bafra Körfezi'ndeki bir "juju evi"ni tasvir eder.*

*Benin, Oudiah'da Yoruba cini kıyafetleriyle bir vudu merasimi gerçekleştiren üç kişi. Her cin, Nijerya'daki "Nagu" klanının ölü bir üyesinin reenkarnasyonunu temsil etmektedir.*

YUKARIDA *Orta Afrika, Kongo'dan bir nkondi figürü. İçine çivi çakılmış bu figürlerin, seçilen kurbana zarar verebilecek cinler içerdiğine inanılırdı.*
SAĞDA *Fildişi Sahili'nden bir Senufo putu.*

KARŞI SAYFADA *Swazili bir büyücü doktor ya da Şaman "cadı kokusu alma" ritüeli icra ediyor.*
YUKARIDA *Nkose kabilesinin Şamanı ya da büyücü doktoru bir kâseden geleceği okuyor.*

1957 tarihli Büyücülüğü Önleme Yasası'na dek, cadı koklayıcılar Güney Afrika'da, özellikle Zulular arasında çok yaygındı. Genellikle kadın olan bu uzmanlar cadı avcısıydı. Cadı olduğunu tespit ettikleri kişiler sürülür veya öldürülürdü.

Kenya'daki Kikuyu halkı cadı-doktorların başkalarının ruhunu etkileyip yönlendirebileceğine inanırlar. Kenya'da büyücülüğe yaygın olarak inanılır ve kimi zaman infazla sonlanan cadı avları arada sırada da olsa görülür. Ruhlarla iletişim kurabildiğine inanılan kişilere *nganga* denir, aynı zamanda büyücü doktor veya şifacı kabul edilirler.

Orta Afrika'nın Zande halkına göre büyü ve büyücülük hayatın her yanına sinmiştir, ne kadar önemsiz olursa olsun bütün rastlantılar veya talihsizliklerin açıklaması büyüdür. Büyücülük gücü atalardan miras alınır ve bazen bu güce sahip olduklarını bile bilmeyenler tarafından kullanılır.

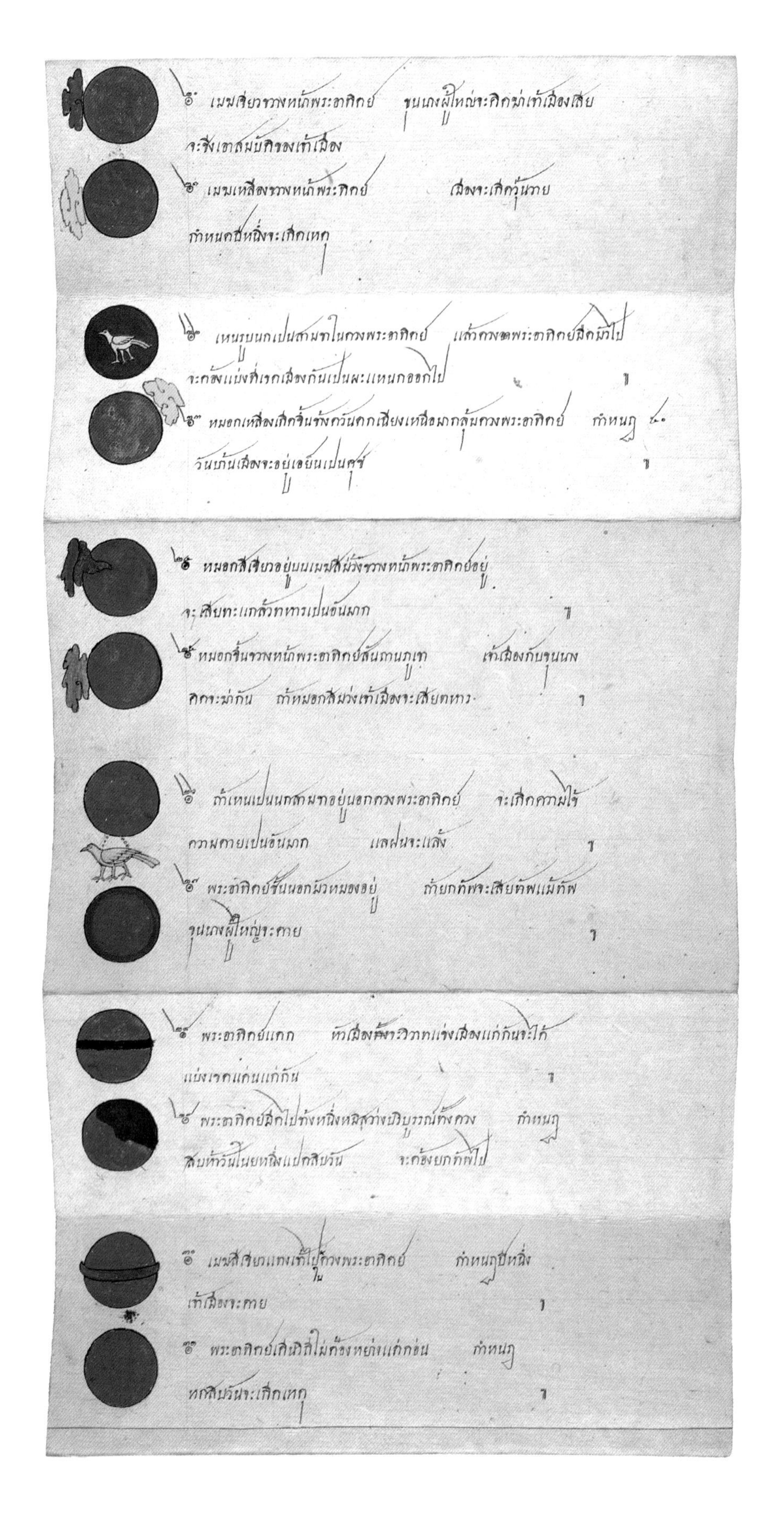

เมฆเขียวขวางหน้าพระอาทิตย์ ขุนนางผู้ใหญ่จะคิดฆ่าเจ้าเมืองเสีย
จะชิงเอาสมบัติของเจ้าเมือง
เมฆเหลืองขวางหน้าพระอาทิตย์ เมืองจะเกิดวุ่นวาย
กำหนดปีหนึ่งจะเกิดเหตุ
เห็นรูปนกเป็นสามตัวในดวงพระอาทิตย์ แล้วดวงพระอาทิตย์ฉีกหายไป
จะกลับแบ่งที่เขตเมืองกันเป็นผะแหนกออกไป ฯ
หมอกเหลืองเกิดขึ้นดังควันดกเฉียงเหนือมาคลุมดวงพระอาทิตย์ กำหนด ๔๐
วันบ้านเมืองจะอยู่เย็นเป็นสุข ฯ
หมอกสีเขียวอยู่บนเมฆสีม่วงขวางหน้าพระอาทิตย์อยู่
จะเสียทแกล้วทหารเป็นอันมาก ฯ
หมอกขึ้นขวางหน้าพระอาทิตย์สันฐานภูเขา เจ้าเมืองกับขุนนาง
คิดจะฆ่ากัน ถ้าหมอกสีม่วงเจ้าเมืองจะเสียทหาร ฯ
ถ้าเห็นเป็นนกสามตัวอยู่นอกดวงพระอาทิตย์ จะเกิดความไข้
ความตายเป็นอันมาก แลฝนจะแล้ง ฯ
พระอาทิตย์ขึ้นนอกมัวหมองอยู่ ถ้ายกทัพจะเสียทัพแม่ทัพ
ขุนนางผู้ใหญ่จะตาย ฯ
พระอาทิตย์แตก หัวเมืองทั้งจะวิวาทแย่งเมืองแก่กันจะได้
แบ่งเขตแดนแก่กัน ฯ
พระอาทิตย์ฉีกไปข้างหนึ่งหนึ่งสว่างบริบูรณ์ทั้งดวง กำหนด
สิบห้าวันในยหนึ่งแปดสิบวัน จะต้องยกทัพไป
เมฆสีเขียวแดงเข้าไปในดวงพระอาทิตย์ กำหนดปีหนึ่ง
เจ้าเมืองจะตาย ฯ
พระอาทิตย์เดินวิถีไม่ต้องหย่างแต่ก่อน กำหนด
หกสิบวันจะเกิดเหตุ ฯ

KARŞI SAYFADA *Tayland'dan astronomik falcılık üzerine bu elyazması Güneş'in çeşitli özellikleri ve bunların yorumları üzerine bilgi içerir. Sondan bir önceki yeşil kuşakla çevrili güneş, bir kralın yakında öleceğine delalet eder.*

SAĞDA *Bali'den gümüş* kris *ya da merasim bıçağı ve tahta kılıfı. Bu tür bıçakların içinde cinler olduğuna ve iyi ya da kötü şans getireceğine inanılırdı. Bıçağın sapında rüzgâr, zenginlik ve refah tanrısı Batara Bayu tasviri vardır.*

# GÜNEYDOĞU ASYA BÜYÜLERİ

Çoğunluğun Budist inancına sahip olduğu Tayland'da, paralel bir büyü geleneği de vardır. Tayland kara büyüsünün belki de en iyi bilinen örneği, oldukça ürkütücü *Kuman Thong* veya "Küçük Altın Çocuk" büyüsüdür. Başlangıçta *Kuman Thong*'lar annesiyle birlikte ölen doğmamış fetüslerden yapılıyordu. Cadı doktorlar fetüsü kızartırken büyülü tekerlemeler söylüyor, sonra onu altın varakla kaplıyorlardı. Böylece çocuğun canlandırılmış ruhunun cadı doktorun her istediğini yapacağına inanılıyordu.

Filipinler, özellikle de Siquijor adası senkretik büyü gelenekleriyle bilinir. Bir tür şifacı ya da büyücü doktor olan *mananambal*'lar kara büyü ritüellerinin de ehlidir – kişiye zarar vermek için eşyalarını haşlamak gibi uygulamaları vardır. *Barang* diye bilinen bir ritüelde zencefil köküyle beslenen bir böcek, belli bir kurbanı bulmaya gönderilir, kurbanın vücuduna girip ona zarar verir.

*Hedeflenen kişiyi ölümcül hastalıkla lanetlemeye yarayan bir Malaya kara büyü efsunu. Lanet cinlerin dilinde yazılmıştır.*

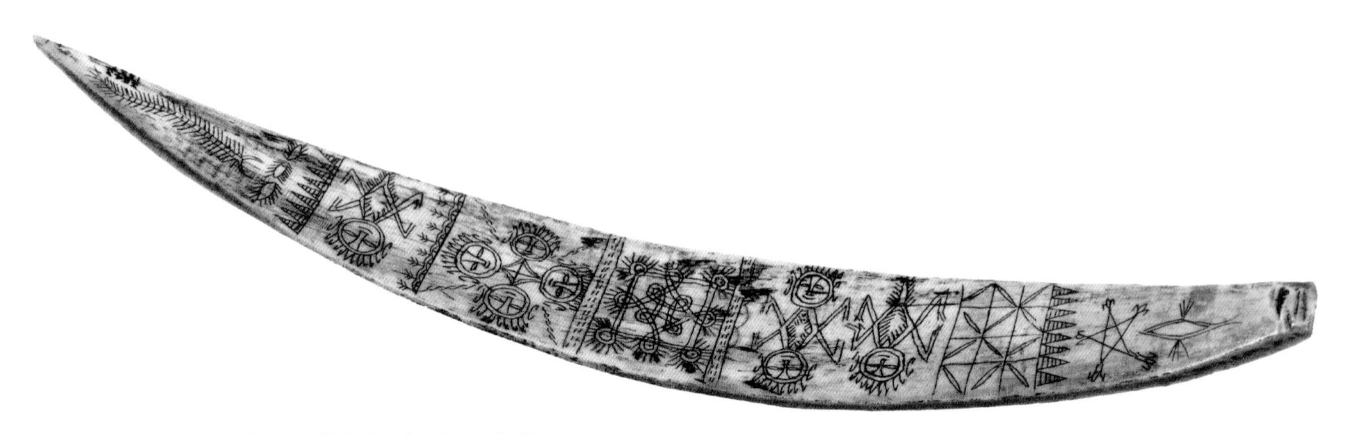

*Sumatra'daki Batak halkının bufalo kaburgası üzerine sihirli semboller oyarak yaptığı kurşun yarasından koruyacak muska.*

*Malayalı iki şeytan çıkarıcı özel kıyafetleriyle.*

KARŞI SAYFADA *Nicobar Adaları'ndan bu kareau figürü, cinler dünyasıyla iletişimde olan şifacı* menluana*'nın eseridir. Hastalığa yol açan cinleri kovması için bir hasta evinin dışına konmuştur.*
YUKARIDA *Batak halkının yazdığı büyü kitabı Büyük Pustaha. 19. yüzyıldan kalma bu kitabı sadece inisiyasyondan geçmiş olanlar okuyabilir.*

Endonezya ve Malezya'daki *dukun*'lar da Şaman ya da büyücü benzeri figürlerdir. En sık Cava ve Bali'de rastlanan *dukun*'lar, şifalı otlar ve hastalık iyileştirme konularında uzmandırlar. Ayrıca medyumluk yaparlar, bazen de büyücü rolünü üstlenip şeytan çıkarma törenlerine katılırlar.

Kuzey Sumatra'nın Batak halkı, büyüleri, bilicilik yöntemlerini, formülleri ve reçeteleri *pustaha* denen, ağaç kabuğu lifi kumaşından, akordeon şeklinde kitaplara kaydederlerdi. *Datu* denen Batak Şamanları bu kitaplara tılsımlarını kaydederdi, kitabın kendisi de muska işlevi görürdü.

Papua Yeni Gine'nin Trobriand Adaları'nda büyüler kabilenin yaşlı üyelerinin elindedir ve talep edene küçük hediyeler karşılığında –satır satır– verilir. Aşk büyüleri özellikle popülerdir.

SOLDA VE YUKARIDA *Çin mitolojisinin sekiz ölümsüzünden biri ve bir* fangshi *olan Zhang Guolao görünmez olma yetisine sahiptir. Bunun yanı sıra, atına ihtiyacı olmadığında küçük bir kutuya ya da çantaya sığdırır, ata tekrar ihtiyacı olduğunda kutuya su ekleyerek eski haline getirir.*

SAĞDA *Japonya'dan* sennin *–ölümsüz adam ya da magus– Çin düşüncesinin etkisinin bir göstergesidir.*

KARŞI SAYFADA *Ming Hanedanı'ndan kalma, bir generalin hükümeti devirmesine yardım eden üç büyücünün öyküsünü anlatan* Büyücü Ayaklanması*'ndan bir sahne. Sağdaki oturan figür, annesi büyülü bir tabloyu yaktıktan sonra rahme düşen büyücü Hu Yong'er.*

# UZAKDOĞU BÜYÜLERİ

Büyünün tarih öncesi dönemden bu yana Çin kültüründe önemli bir yeri vardır. Büyücü veya sihirbaz anlamına gelen *fangshi* sözcüğü, "sihirli reçetelere sahip beyefendi" diye de çevrilebilir. İS üçüncü ve beşinci yüzyıllar arasında popüler olan *fangshi*'ler Tao büyüsü uzmanıydılar, *xian* (ölümsüzlük) teknikleri ve simya bilirlerdi. Felsefe ve büyüyü benzersiz bir biçimde birleştiren Taoist yaşam biçiminin büyük ölçüde *fangshi*'lerle birlikte ortaya çıktığı öne sürülür.

*Fangshi*'ler Çin toplumunun her kesiminden destek görmüyorlardı. İÖ birinci yüzyılda devlet bakanı olan Gu Yong, şöyle yazıyordu: "Bütün bu okültizm meraklıları... hayaletler ve ruhlar hakkında tuhaf ve olağanüstü iddialarda bulunan, metali altına dönüştürmenin yöntemini bulduklarını iddia eden, vücuttaki beş rengin dengesini bulduklarını öne süren bu okültçüler insanları kandırıyor, toplumu aldatıyorlar."

*Abe no Seimei (solda) Heian döneminin (794-1185) önde gelen onmyōdō uygulayıcılarından biriydi. Simgesi, Kyoto'daki Seimei Tapınağı'ndaki kuyunun üzerinde de bulunan beşgendir. Bu kuyudaki suyun büyülü özellikleri olduğuna inanılır.*

*Japon mitolojisi figürlerinden Prenses Iwanaga* ushi no toki mairi *(öküz vakti tapınak ziyareti) diye bilinen ritüel sırasında. Ritüelin bu adla anılmasının nedeni Öküz Vakti'nde yapılmasıdır. Üzerine mum dikili demir bir taç takan ritüelcinin –genelde küçük düşürülmüş bir kadındır– yedi gece boyunca saat sabah ikide Şinto tapınağını ziyaret etmesi, ağaca çivi çakması ve kendini aldatan sevgilisinin ölmesi için dua etmesi gerekir.*

Japonya'nın ezoterik kozmolojisi *onmyōdō* da Çin'in *Wu Xing* ("Beş Unsur" ya da "Beş Aşama") ilkesini andırır, unsurların birbiriyle olan ilişkisini, yin ve yang kavramını anlatır. İS altıncı ya da yedinci yüzyılda Çinlerin Japonya'ya tanıttığı bu kehanet sistemi, devlet çıkarı için hükümet tarafından kontrol altına alınmıştı.

*Onmyōdō*'nun *onmyōji* denen uygulayıcıları bilicilik yapar, kötü ruhlara karşı mücadele ederlerdi. Ünlü *onmyōji*'lerden ikisi Abe no Seimei (İS 921-1005) ve Kamo no Yasunori'ydi (İS 917-977). İkincisi yeteneğini genç yaşta gösterdi ve resmi eğitim almadan iblisleri görmeyi başardı. Seimei'nin amblemi (Japonya'da Seimei yıldızı adıyla bilinen) pentegramdı ve Wu Xing'i temsil ediyordu. Bazıları annesinin bir *kitsune* olduğunu söylüyordu, yani sihirli, dokuz kuyruklu bir tilki.

YUKARIDA, SOLDA *Kötü bir büyücünün kızı olan efsanevi figür Prenses Takiyasha düşmanı kahraman Mitsukuni'yi yenebilmek için karakurbağası büyüsü yapıyor. Babasının ölümünden sonra bir karakurbağasının ruhu olan Nikushisen'le buluşuyor ve onun büyülü güçlerinden yardım alarak bir ayaklanma başlatıyor. Ancak nihayetinde Mitsukuni'ye yeniliyor.*
YUKARIDA, SAĞDA *Japon öykülerinde biçim değiştirme temasına sıklıkla rastlanır. Burada yaşlı bir cadı, genç kadınları bir tapınağı ziyaret etmekten alıkoymak için dev bir kediye dönüşmüş.*
KARŞI SAYFADA *17. yüzyıl büyücü ve serüvencisi Tenjiku Tokubei devasa bir karakurbağası üzerinde.*

Japon mitolojisinin, dininin ve büyü geleneğinin merkezinde *kami* kavramı vardır – her şeyin içinde tanrılar ve ruhlar olduğu düşüncesi. Bu ruhlarla bağlantı kurabilmek için insanlar *miko*'lara başvurur. Eski Yunanistan'daki Pythia'yı andıran bu kadın Şamanlar esrik translara girerek talep edenler için bu ruhlarla bağlantı kurarlar. İS sekizinci ve dokuzuncu yüzyıllarda hükümet trans ve büyü ritüellerini kontrol altında tutmak ve suiistimal edilmesini engellemek için tapınaklara hapsetmişti.

On dokuzuncu yüzyıla gelindiğinde, Japonya'daki Şamanist ritüellerin hemen hepsi yasaklanmıştı. Ancak ülkenin mitolojisi sihirli yaratıklar ve canavarlarla doluydu. *Yokai* (doğaüstü yaratıklar; bkz. s. 284) farklı biçimlerde karşımıza çıkarlar – zararsız görünümlü *kappa*'lar, *oni*'ler (iblis ya da devler) ve tehlikeli *tengu*'lar (goblinler). Bir de *Tsukumogami* vardır – yüzüncü doğum günlerinde canlanan ev eşyaları.

天竺徳兵衛
一勇斎國芳画

YUKARIDA *Efsaneye göre Minamoto no Yorimitsu –10. yüzyılda yaşamış, Raiko adıyla bilinen cengâver– Japonya'yı haydutlardan temizlemekle görevlendirilmişti. Bu üçlü tabloda haydutlardan biri olan büyücü Hakamadare Yasuke (sağda, eliyle büyü yapan) devasa bir yılan hayaliyle kendini korumaya çalışır ama Raiko'nun köpeği yılana saldırarak Raiko'ya ve adamlarına yaratığın gerçek olmadığını gösterir.*

YUKARIDA *En güçlü büyücüler müsabakada.*

KARŞI SAYFADA *Hakamadare Yasuke ve büyücü-haydut arkadaşı KidOmaru büyücülüklerini yarıştırıyor. Kidomaru zehirli bir yılanı yoktan var ederken Hakamadare Yasuke bir kartalı çağırıyor.*

袴垂保輔鬼童丸術競圖
不許復製

YUKARIDA *Japon sanatçı Hokusai'nin eseri olan bu baskıda üzerine üç mum dikili demir bir taç takan bir kadın, lanetleme ritüelinde doğaüstü bir yaratığı yardıma çağırıyor (ayrıca bkz. s. 277).*
KARŞI SAYFADA *Kore Şamanizmi'ni tasvir eden bir seriden iki pano.*

Kore de Çin'den gelen Budizm ve Konfüçyanizm'in etkisine girdi fakat ülkenin bugün de yaşayan kendine özgü benzersiz bir Şamanizm geleneği vardı. Muizm denen bu kadim Şamanizm biçimi Çin'in Wu geleneğini andırır ama modern inançlarla birlikte varlığını sürdürür. Genellikle kadın, bazen erkek olan Kore Şamanları tanrıları insanların işlerine müdahale etmeye yönlendiren ritüelleri gerçekleştirir. Ritüelleri erkek bir Şaman yönetiyorsa, kadın kıyafeti giyer.

Kore mitolojisinde de çok sayıda sihirli yaratık vardır. *Dokkaebi* iblise dönüşebilen cansız nesnelere denir. Onları görünmez yapan sihirli şapkaları olduğuna inanılır, sihirli asa işlevi gören sopalar taşırlar. *Haechi*'ler insanları kaostan koruyan yaratıklardır ve remil uygulayıcıları tarafından yang enerjisini uzaklaştırmak için kullanılırlar.

# SİHİRLİ YARATIKLAR

Canavarlar ve sihirli yaratıklar dünyanın her yanında, her kültürde karşımıza çıkar. Genellikle derinlerdeki korkuların tecessümü olan bu yaratıklar korkunç hikâyelere konu olsalar da arada bir büyünün eseri de olabilirler. Genellikle (her zaman olmasa da) gerçek olması olanaksız melez yaratıklardır – gerçek hayvanların karıştırılmış, gerçeküstü ve dehşet verici yeni biçimleridirler.

En ünlü sihirli yaratıklardan biri tekboynuzlu attır. Bu mitolojik hayvandan, onun Hindistan'ın uzak köşelerinde yaşadığına inanan eski Yunanların yazılarında söz edilir. Ortaçağ'da tekboynuzlu atın yalnızca bir bakire tarafından ehlileştirilebileceğine ve boynuzundan yapılmış bir kupanın panzehir olduğuna inanılıyordu. Tek boynuzlu atın boynuzu değerli bir eşyaydı ama gerçekte satılan denizgergedanı boynuzlarıydı.

Kelt ve Hıristiyan geleneğinde beyaz erkek geyikler mucizeler ve görülerle ilişkilendirilirdi, bu hayvanların doğaüstü âlemlerden haber getirdiğine inanılırdı. Eski Yunan ve Roma mitolojisinde caladrius'un –Yunan mitolojisinde Dhalion diye bilinen bembeyaz bir kuş– iyileşeceği kesin olmayan hastalara bakmayı reddettiğine inanılırdı.

YUKARIDA *Bir tekboynuzlu atı uysallaştıran bakire. Efsaneye göre tekboynuzlu atlar bakire kadınlara karşı koyamazdı; daha sonra Hıristiyan yazarlar bu öyküyü Hz. İsa'nın müjdelenmesi ve vücut bulmasının alegorisi olarak yorumlamıştır. Tekboynuzlu at simyacılıkta da "Beyaz Taş"ın simgesi kabul edilir.*
KARŞI SAYFADA *İblisler genelde tiksindirici ve olanaksız şekillerde belirir. Bu tür büyülü, melez yaratıklar her kültürde bulunmakla birlikte, bu örnek hemen her büyü ve demonoloji kitabında karşımıza çıkar.*

So pflegt das Astharoth zu erscheinen.

Oriens. Baimon. Ariton. Gogaldon. Zugula.

Asa

Vezol

Chez

多嘉木虎之助
一勇斎國芳画
日向國の住人諸國
武者修行折
田村川にて川虎生捕

KARŞI SAYFADA *Burada bir insanla savaşırken tasvir edilen* kappa *suda yaşayan bir iblistir.*
YUKARIDA *5. yüzyılda yaşamış Sasani İmparatoru V. Behram'dan ilham alındığı varsayılan Pers kahraman Behram Gur yenilmez bir ejderhayı öldürüyor.*

Ejderha da en ünlü sihirli yaratıklardan biridir. Bu efsanevi canavara dair öyküler büyük olasılıkla Mezopotamya kökenlidir ama ejderhanın popülerliği hem doğuya, hem batıya, Avrupa'ya ve Uzakdoğu'ya kadar yayılmıştır. Çin ve Japonya'da ejderhaların suları ve hava koşullarını yöneten sihirli yaratıklar olduğuna inanılırdı. Kuzey Avrupa mitolojisinde, ejderha kanı kahraman Siegfried'ın kuşların dilini anlamasını sağlar. Yunan mitolojisinde bu gücü kulaklarını yalamak suretiyle insanlara ejderhalar veya yılanlar kazandırır. Ejderhalar simyayla ilgili eserlerde de sık sık karşımıza çıkar.

Japonya'da başka ülkelerdekinden çok daha fazla sayıda doğaüstü yaratık vardır. *Yokai* denen bu yaratıkların çoğunun özel güçleri bulunur. Örneğin satori, zihin okuma gücü olan bir maymundur. Çok tanınmış bir başka *yokai* olan *kappa*, kurbağayı andıran, göl sularında yaşayan, son derece kibar ve nazik bir yaratıktır ama beklenmedik bir anda saldırabilir de.

# 7. Aydınlanma'da Büyü

*Bir kilisede düzenlenen okült cenaze merasimi.*

Der baum, des Lebens,
Lumen Natum
Lumen Gratie,
Est Deus,
Hermes
Transgressio Adæ Fuit truncatio Malcuth de cæ„
„teris plantis;

Rönesans klasik antik döneme duyulan ilgiden kaynaklanan, dünyaya yönelik yeni bir merakın doğuşuna sahne oldu. Bu merak bir yandan bilimsel düşüncenin tohumlarını ekerken bir yandan da bilginin kısa yoldan elde edilebileceğine dair inancı muhafaza etti. On yedinci yüzyıldan itibaren, bilimsel ilerleme dinin ve batıl inancın etkisini aşamalı olarak azalttı – ya da bize aktarıldığı kadarıyla durum buydu.

On yedinci yüzyılın başında okültizmde bir patlama gözlemlenir; bu patlama, 1614 ve 1616 yılları arasında yayımlanan ve gizli Gülhaççılık Cemiyeti'nin başkanı olan Christian Rosenkreuz'un hikâyesini anlattığı iddia edilen üç kitapçıkla başlar. Bu kitapçıklar ya da manifestolar, Rosenkreuz'un Ortadoğu seyahatinde okült bilgileri nasıl edindiğini ve bu bilginin ehillere aktarılabileceğini anlatır.

Gülhaççılık'ın destekçilerinden biri olan Robert Fludd (1547-1637) tanınan bir Kabalacı ve astrologdu. Fludd, 1600'lerin başında Johannes Kepler'le bilimsel ve Hermetik bilginin karşılaştırmalı faydaları ve erdemleri üzerine mahut (ve şiddetli) bir fikir alışverişi yaşamıştır. 1615'te Gülhaççıların varlığını savunan bir risale yayımladı. Fludd yüce hakikatlerin en iyi sembolizm aracılığıyla açıklanabileceğine inanıyordu ve Kepler'le karşılıklı olarak şeylerin hakiki doğasını tartıştıkları risaleler yazmaya başladılar – bu fikir alışverişinde Kepler düşüncelerini matematik üzerinden, Fludd ise metafiziğe başvurarak savunuyordu. Kepler, haklı olarak Fludd'u "okült ve müphem bir tarzda" yazmakla, "anlaşılması güç gizemli şeyler"den bahsetmekle ve "sembolizm"den gereksiz bir haz almakla suçluyordu.

Rosenkreuz'un ortaya çıkmasından sadece birkaç sene önce, 1612'de Nicholas Flamel efsanesi Paris'te, *Le Livre des figures hiéroglyphiques*'de yayımlanmıştı. Flamel önceden sadece bir kitap satıcısı olarak tanınıyordu. Bu efsanenin kaynağı tespit edilmemiştir ama genel olarak on sekizinci yüzyıla, Etienne-François Villain'ın eleştirel *Histoire critique de Nicolas Flamel* (1761) kitabını yayımlamasına kadar kabul görmüştür.

KARŞI SAYFADA *yak. 1735 tarihli bu Almanca elyazması transandantal simya, Kabala üzerine düşünceler ve dini tartışmalar içerir. Sonunda* Kutsal Kitap*'ta öngörülenler üzerine düşünceler aktarılır.*
YUKARIDA *Saygın İngiliz doktor, matematikçi, astrolog ve Kabalacı Robert Fludd.*

On yedinci yüzyıl hem siyasal hem de din açısından fırtınalı bir yüzyıldı. 1632'de Engizisyon Galileo'yu güneş merkezli evren hakkındaki gözlemlerini geri almaya zorladı, İngiltere'de ise kendini "Cadı Avı Komutanı" ilan eden Matthew Hopkins (yak. 1620-1647), İç Savaş (1642-1649) tüm hızıyla devam ederken etrafa korku salmaya başladı. Fransa'da 1643-1645 yıllarında daha önce görülmemiş kapsamda bir cadı avı yaşandı. Öte yandan, Hollanda 1648'de cadılık için öngörülen bütün cezaları kaldırdı. Amerika'da ise cadı avı bir süre daha devam etti. Avrupa'da en son cadı infazı 1793 gibi yakın bir tarihte, Polonya'da gerçekleşti.

Elias Ashmole (1617-1692) İngiliz İç Savaşı'nda Hopkins'in karşı cephesinde mücadele veriyordu. Daha sonra Kraliyet Cemiyeti'ni (İngiltere'nin önde gelen bilim enstitüsü) kuracak olan Ashmole, bir yandan bilimsel düşünceye değer verirken öte yandan simyaya da ilgi duyuyordu ve bu haliyle dönemin entelektüel açmazının simgesiydi. Bununla birlikte, bir magus'u "ilahi konuları tefekkür eden, *Kutsal Kitap*'ta asla bir cadı ya da gözbağcı olarak değil, aksine bilge insan ve rahip olarak inayetle anılan (Marcellus Ficinus) bir ad" olarak tanımlayacak kadar dikkatliydi.

Ashmole'un bir Hürmason olduğu varsayılıyor – bu varsayım doğruysa, ilk Hürmasonlardan biri olduğunu söyleyebiliriz. Hürmasonluk'ta ritüeller başta olmak üzere büyücülüğün çeşitli akımları temel alınır. Ancak on sekizinci yüzyılın sonlarına doğru, daha önce görülmemiş bir şekilde yapılanmaya gitmiş ve resmileşmiştir. Yarı büyüsel inisiasyon törenlerine dayanan yeni yapısıyla hem aristokrasi hem de (ruhban sınıfı mensupları da dahil olmak üzere) orta sınıflar tarafından benimsenmiştir. Bütün dinlere açık olmasıyla Aydınlanma ideallerinin temsilcisi olmuştur.

On sekizinci yüzyıldan kalma okült elyazmalarının bolluğu da ilgi çekicidir. Bunlardan biri olan *La Très Sainte Trinosophie*'nin Alessandro Cagliostro (1743-1795) tarafından yazıldığına inanılmaktadır. Cagliostro bu elyazmasında on sekizinci yüzyıl büyücülerini sınıflandırır – bir yandan Hürmasonlar Locası gibi cemiyetlerin şevkle kucakladığı büyücüler, öte tarafta skandallarla anılan ve dolandırıcılıkla itham edilenler. *La Très Sainte Trinosophie* St. Germain Kontu'na da (1712-1784) atfedilir.

Muhtemelen Transilvanya'dan gelen kont yüzlerce yıldır yaşadığını ve kurşunu altına çevirebildiğini iddia etmiştir. Fransa'dan Birleşik Krallık'a ve Almanya'ya kadar çok sayıda Avrupa hanedanı tarafından kucak açılan kont Almanya'da bir simya laboratuvarı kurmuştur.

Antoine Court de Gébelin (1725-1784) Fransız bir okült araştırmacısıydı. Alana en önemli katkısı, çok ciltli kitabı *Le Monde primitif, analysé et comparé avec le monde moderne*'de, Tarotu kadim Mısır'ın (muhtemelen mitolojik olan) Thot Kitabı'yla ilişkilendirmesidir. Bu kitaptaki Comte de Mellet imzalı bir başka makalede Tarot destesinin yirmi iki ana kartının İbrani alfabesinin yirmi iki harfiyle ilişkilendirilir. Bu bağlantıyı kuran kişi, kehanet amacıyla Tarot kullanımını yaygınlaştıran ama dört elementi (toprak, su, hava, ateş) ve astrolojik unsurları da Tarot'a dahil eden, Court de Gébelin'in çağdaşı Etteila'dır (Jean-Baptiste Alliette, 1738-1791). Tarot kartlarının yorumuna dört elementi ve astrolojiyi dahil eden de Etteila'dır.

KARŞI SAYFADA *Athanasius Kircher 17. yüzyılın önde gelen entelektüellerinden biriydi. Bu gravürde Hermetik ve Hıristiyan geleneklerini bağdaştırma çabaları tasvir edilmektedir.*
YUKARIDA *Doktor Faustus öyküsü 19. yüzyıla kadar etkisini sürdürmüş olmakla birlikte, zamanla sadece bir masal olduğu görüşü ağırlık kazanmaya başladı.*

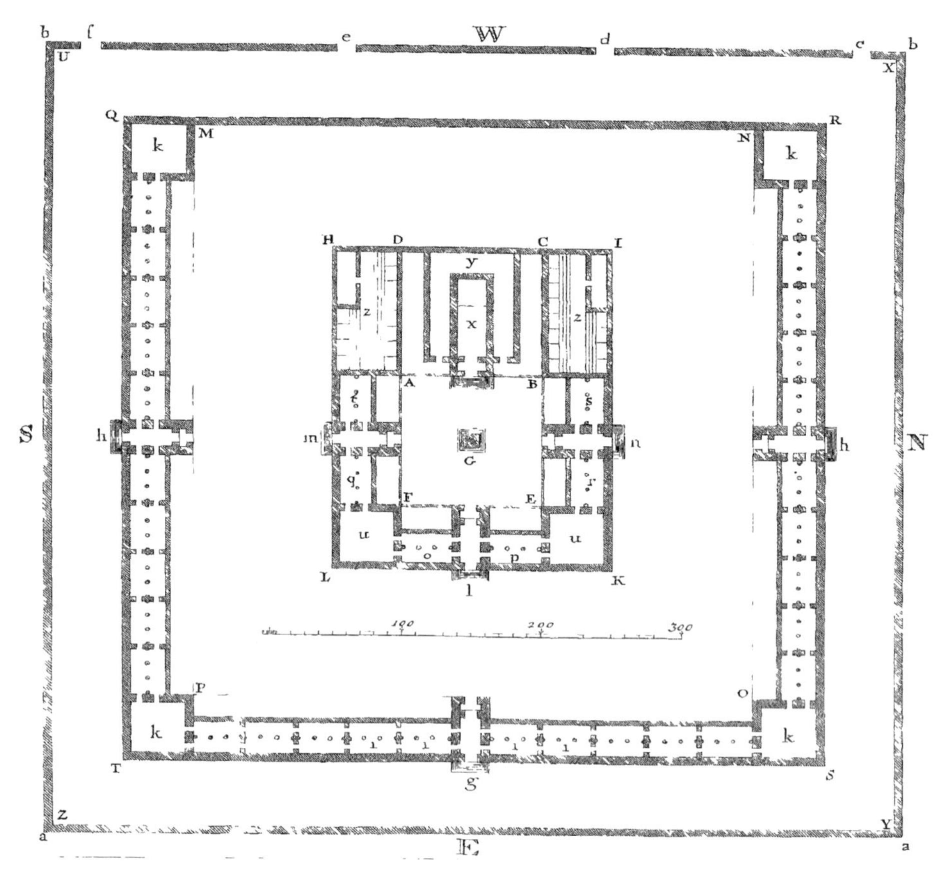


*Sir Isaac Newton'un Süleyman Tapınağı için çizdiği plan. Mistik ya da sembolik mimarinin bir örneği olan bu mabet, 17. yüzyılda Hürmasonlar da dahil olmak üzere pek çok kişiyi etkilemiştir.*

# BÜYÜ VE RASYONALİZM

Rasyonel ve bilimsel düşünceyi merkeze yerleştiren Aydınlanma Çağı büyü ve okültü bir çırpıda yerinden etmemiştir. Matematikçi ve fizikçi Isaac Newton yerçekimi yasalarını ilk dile getiren kişiydi ama bir yandan da simyaya ilgi duyuyordu – simya üzerine 169 kitabı vardı– ve felsefe taşını bulmayı umut ediyordu. Ölümünden sonra geride, her sayfası kişisel notlarla dolu orijinal Gülhaççılık manifestolarının çevirilerini bırakmıştır (bkz. s. 308).

On sekizinci yüzyılda eğitim daha geniş kitlelere yayılınca okuryazarlık oranı arttı. Bu da büyü üzerine daha renkli kitapların ortaya çıkmasına yol açtı; bu yüzyılda büyücülük kitaplarında önemli bir artış kaydedilmesinin bir başka olası nedeni de Kilise'nin gazabına uğrama korkusunun ortadan kalkmış olmasıdır.

On yedinci yüzyılın sonunda, sansasyon ağırlıklı ve genelde illüstrasyonlarla bezeli seküler basın ortaya çıktı. Mucize ve büyü haberleri yapılmaya başladı, on sekizinci yüzyılın sonunda ortaya çıkan profesyonel falcılar da çalışmalarını yayımlatarak para kazanıyordu.

CARTAS
*ERUDITAS, Y CURIOSAS,*
En que, por la mayor parte, se continúa el designio
*DEL THEATRO CRITICO*
UNIVERSAL,
Impugnando, ó reduciendo á dudosas, varias opiniones comunes:

ESCRITAS
*POR EL MUY ILUSTRE SEÑOR*
D. FR. BENITO GERONYMO FEYJOÓ Y MONTENEGRO,
*Maestro General del Orden de San Benito, del Consejo de S. M. &c.*

TOMO PRIMERO.
*NUEVA IMPRESION.*

MADRID. M.DCC.LXIX.

Por D. JOACHIN IBARRA, Impresor de Camara de S. M.

*Con las Licencias necesarias.*

A costa de la Real Compañia de Impresores, y Libreros.

*İspanyol keşişi Benito Jerónimo Feijóo y Montenegro'nun (1676-1764)* Cartas eruditas y curiosas *kitabının ilk sayfası. Feijóo'nun sıradan insanların batıl inançlarını dehşetle karşılayan bir bilim ve eğitim destekçisi olması ironiktir.*

Eerste Boek fol 87
van Luyken inven et fecit.
Postúur van een Laplander zoo als hy met de Tover-trommel ter aarde legt

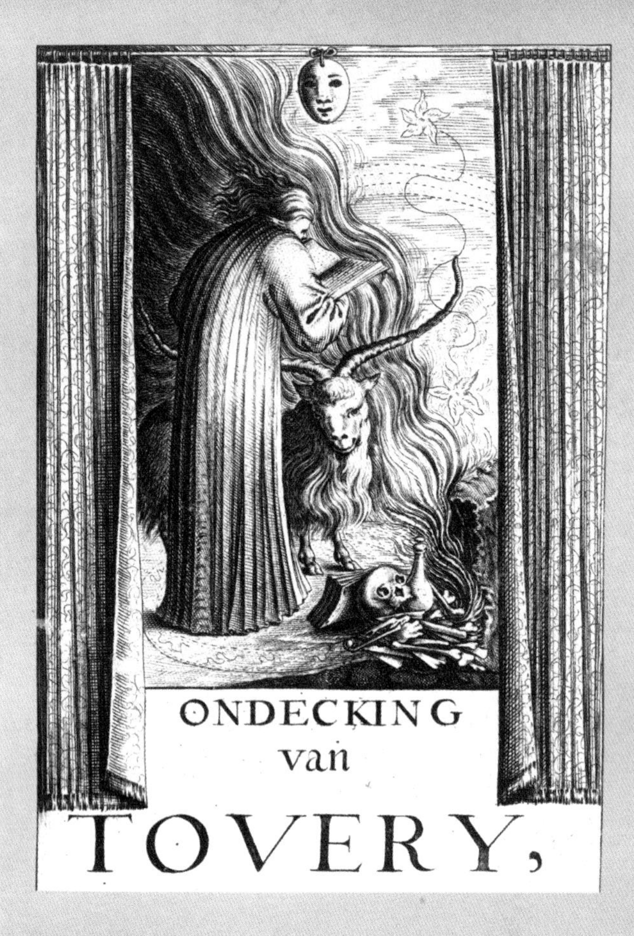


KARŞI SAYFADA *Modern tıbbi bakıma erişimi olmayan, kırsal bölge insanları –burada, Lapland bölgesinde yaşayanlar– 19. yüzyıla kadar halk büyülerinden ve şifacılıktan medet ummuştur.*
YUKARIDA *Batıl inançlar Aydınlanma döneminde de etkisini sürdürmüş, okuryazarlıktaki artış* Flamanca Ondecking van tovery *(Büyücülüğün Keşfi) kitabı gibi sansasyonel yayınların ortaya çıkmasına yol açmıştır.*

# AVRUPA'DA HALK BÜYÜSÜ

Bilimin yol verdiği entelektüel akımlar günlük hayata akademiden çok daha uzun bir süre sonra girdi. On dokuzuncu yüzyılın ortalarına doğru, özellikle büyük kentlerin dışında yaşayan insanlar hâlâ hastalıklarına çare bulmak, şansını artırmak, çalınmış bir eşyayı bulmak ya da kem gözlerden korunmak için "halk büyücülerine" başvuruyordu. Hıristiyan Avrupa'nın tamamında geçerli olan bu durum, özellikle İskandinav ülkelerinde, Britanya'da ve Doğu Avrupa'da yaygındı.

İskandinav cadılar büyüde, muhtemelen on sekizinci yüzyıla tarihlenen, Kara Kitap adıyla bilinen bir "grimoir" *Cyprianus*'a başvuruyordu. Norveç'te Mor Sæther (1793-1851) şifacılığıyla bütün ülkede nam salmıştı ama sürekli hapse atılıyordu. Benzer biçimde, İngiltere'de, 1734 tarihli Cadılık Yasası'nda, cadılık uygulayanlar kara sanat uygulamacısı değil, dolandırıcı kabul ediliyor ve bu kişiler için belirli cezalar öngörülüyordu.

*Yak. 1840 tarihli bu astrolojik çizelgede gelecekteki olası siyasal ve toplumsal olaylar kaydedilmiştir. Çizelgede Kral Arthur ve Merlin gibi karakterler de tasvir edilmiştir. Bu tür kitapçıklar 19. yüzyılda çok popülerdi.*

*Pennsylvania'daki bu tarihi ambarın cephesindeki rüzgâr gülü benzeri simgeler Avrupa kaynaklıdır.*

On sekizinci ve on dokuzuncu yüzyıllarda yıldız falına olan ilgi yaygınlaştı. Halka geleceğe dair kehanetlere erişim sunan almanaklar yayımlanmaya başladı. Bunlar daha sonra gazetelerde yayımlanmaya başlayacaktı.

Geleneksel Avrupa büyüsü Amerika'ya da sızdı. Pennsylvania'da yaşayan Hollandalı şifacı John George Hohman'ın *Pow-Wows; or, Long Lost Friend* (1820) kitabı Amerika'da çok popülerdi. Büyülü sözler ve (genelde doğaüstü unsurlar barındıran) kocakarı ilaçları derlemesi olan kitap yirminci yüzyıla kadar popülerliğini korudu. Pow-wow büyüsünde kötülüğü kovmak için nazarlıklar kullanılırken, bağdaştırıcı büyülerde genelde İsa ve Meryem Ana'ya çağrıda bulunulur.

YUKARIDA *Elias Ashmole'un klasikler konusundaki ehliyetinin vurgulandığı büstü.*
KARŞI SAYFADA *Ashmole'un* Theatrum Chemicum Britannicum *kitabının baş sayfası.*

# Elias Ashmole

Bizzat büyücülük yapan biri olmamakla birlikte, Ashmole büyülü düşüncenin derlenmesi ve yayılmasında önemli bir rol oynamıştır. Bu işlevi, on yedinci yüzyıl bağlamında İngiltere'nin en önemli bilimsel kurumlarından biri olan Kraliyet Cemiyeti'nin kurucu üyelerinden biri olmasıyla ters düşmez; aksine, bütün bu rolleri antika merakının bir parçasıdır.

Ashmole'un okült merakının farklı veçheleri vardı. Günlüklerinde Hürmason olduğunu gösteren birkaç ibare vardır – bunlar, örgüte yapılan ilk atıflardır. Aynı zamanda Gülhaççı olduğuna da inanılıyordu. Ashmole İngiliz İç Savaşı (1642-1649) sırasında Kral taraftarları için astrolojik okumalar yaparken, on yedinci yüzyılda İngiltere'nin en önde gelen astroloğu sayılan William Lily ise Parlamentocular için yıldız haritaları çıkarmıştır. Savaştan sonra ikisi dost olmuştur.

Ashmole savaştan sonra ünlü Gülhaççı filozof William Backhouse'un simya "oğlu" oldu. 1650'de, John Dee'nin oğlu Arthur Dee'nin Latince simya çalışmalarını derleyerek İngilizceye tercüme ettiği *Fasciculus Chemicus*'u yayımladı. Ashmole Dee'nin oğluyla sık sık görüşüyor, babasının biyografisini yazmayı düşünüyordu. Ashmole'un simya üzerine en önemli eseri George Ripley, John Dee, Edward Kelley gibi yazarların Hermetik gelenek etkisindeki şiirlerini içeren *Theatrum Chemicum Britannicum*'dur (1652).

*Fransız sihirbaz Robert-Houdin'e ait bu otomatta kadın figürü bir kuşa şarkı söylemeyi "öğretiyor".*

# OTOMATLAR VE FANTAZMAGORYA

Aziz Augustinus *Tanrı'nın Şehri*'nde (İS beşinci yüzyıl) Hermes Trismegistus'un heykelleri canlandırmak için büyüye başvurmasını ele alır. Bunun ilk zikredildiği yer, Hermetik *To Asclepius* kitabıdır, burada Hermes insan elinden çıkma şekillerin dönüştürülerek, melekler ve iblisler aracılığıyla canlandırılabileceğini iddia eder.

Heykelleri "büyülü" bir şekilde canlandırma hayali, otomatların –kendi iradeleriyle hareket eden araçlar– geliştirilmesiyle bir bakıma gerçek olmuştur. İlk olarak Ortaçağ'da kayda geçen bu araçlar on yedinci yüzyıl Avrupası'nda yaygınlaşmıştır. Benzer araçlar on yedinci ve on dokuzuncu yüzyıl arasında Japonya'da, karakuri kuklaları adıyla karşımıza çıkar. On dokuzuncu yüzyıl Avrupası'nda otomatlar Fransız sihirbaz Robert Houdin'nin büyülerinde karşımıza çıkar (bkz. s. 338).

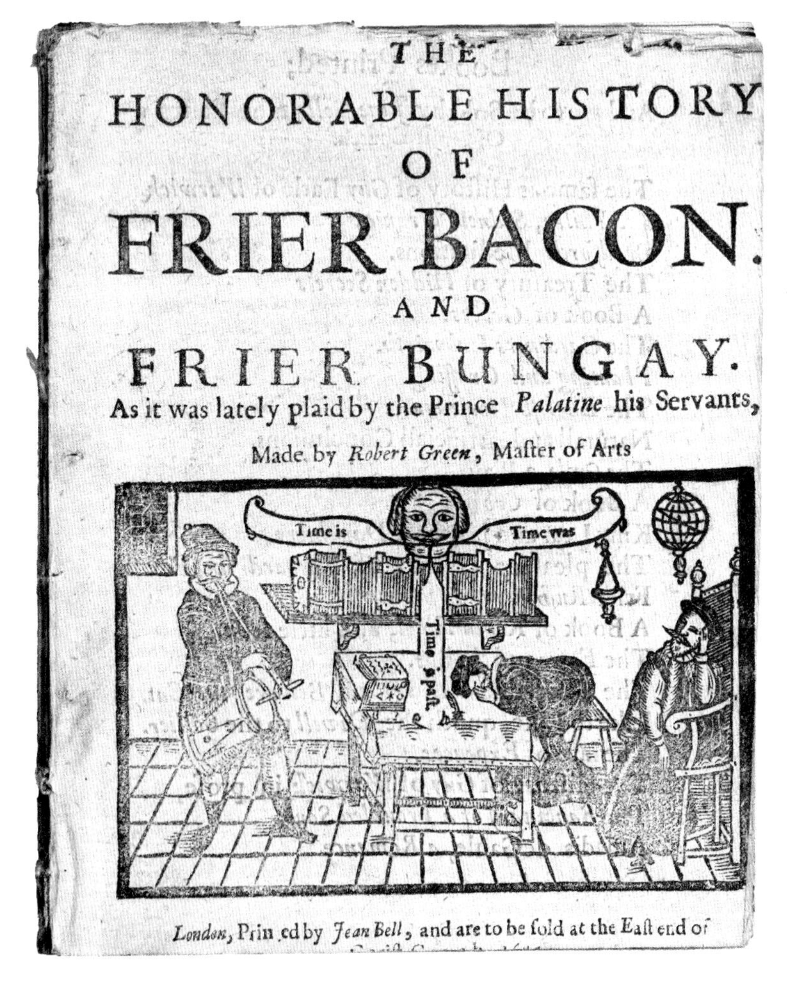
THE
HONORABLE HISTORY
OF
FRIER BACON.
AND
FRIER BUNGAY.
As it was lately plaid by the Prince *Palatine* his Servants,
Made by *Robert Green*, Master of Arts



*London*, Prin ed by *Jean Bell*, and are to be sold at the East end of

*Roger Bacon hakkında bir tiyatro oyununun kapağı.*
*Bu illüstrasyonda Bacon'ın geleceği gören "pirinç kafa"sı da tasvir edilmiştir.*

YUKARIDA *1799 tarihli bu resim havada uçuşan hayaletler ve iblisler karşısında dehşete düşen Parislileri tasvir ediyor. Bu fantazmagoryalar, patenti Robertson adıyla bilinen Belçikalı fizikçi ve sahne sihirbazı Étienne-Gaspard Roberts'e ait büyülü fener "fantoskop"la üretilirdi.*
KARŞI SAYFADA *Robertson'un fantoskopunun bir başka tasviri.*

Fantazmagorya, gerçekmiş izlenimi bırakan ürkütücü ya da tekinsiz ışıklandırmalara verilen addır. Büyülü fenerlerle yapılan projeksiyonlar ilk olarak on yedinci yüzyılda, Alman bilge Athanasius Kircher'in çalışmalarında görülür (bununla birlikte, büyülü fenerin mucidi olduğu iddia edilen başkaları da vardır) ama özellikle on sekizinci yüzyıl sonuna doğru yaygınlaşmışlardır.

Alman okültçü ve Hürmason Johann Georg Schröpfer (1730-1774), Leipzig'te işlettiği kafede eğlence amaçlı seanslar düzenliyordu. Şovunda büyülü fenerle duman bulutlarına hayalet imgeleri yansıtıyordu. Sonunda kendi projeksiyonları nedeniyle çıldırdı ve kendini dirilteceğini iddia ederek intihar etti (diriltemedi!). Şovları halkta büyük bir merakla karşılanıyordu, on sekizinci yüzyılda Alman Paul Philidor onun tekniğini tekrar uygulamaya başladı. Bu şovlar bütün Avrupa'da popülerleşti ve on dokuzuncu yüzyıl ispritizmacılık hareketine yol açtı.

*Pinetti'nin* Amusements physiques *(1784) kitabından L. S. Thiery'nin Pinetti tasviri.*

# Joseph Pinetti

1750'de Toskana'da doğan Giovanni Guiseppe Pinetti on sekizinci yüzyıl sonunun en ünlü sihirbazıydı ve "Doğal Sihrin Profesörü" olarak nam salmıştı. Aslında Roma'da öğretmenlik yapan bir matematikçiydi. Öğrencilerini eğlendirmek ve fizik öğretmek için özel numaralar yapmayı seven öğretmen yavaş yavaş halka açık gösteriler düzenlemeye başladı. Meşhur numaralarından birinde bir güvercinin gölgesinin kafasını uçurur, sonra gerçek güvercinin kafasını da kestiğini gösterirdi. Performanslarında otomatlardan da yararlanırdı.

Paris'e yerleşen Pinetti izleyiciler önünde "deneyler" (ağırlıklı olarak sihirbazlık numaraları) yapmaya başladı ve kısa bir süre sonra XIV. Louis'nin dikkatini çekti. Zamanla saray sihirbazı oldu, numaralarını sokaklardan saraya ve tiyatrolara taşıdı. Cadılığa duyulan –resmi– inancın giderek azaldığı bir ortamda böyle bir başarı yakalaması en büyük başarısıydı.

Ancak Pinetti'yi hakir görenler de yok değildi. 1784'te Fransız büyücü Henri Decremp, Pinetti'nin numaralarının sırrını açıkladığı *La Magie Blanche devoilée* (Beyaz Büyünün Açıklanması) kitabını yayımladı. Pinetti ona aynı yıl yayımladığı bir kitapla yanıt verdi: *Amusements physiques* (Fiziki Eğlenceler). Daha sonra Londra'ya taşındı ve numaralarıyla Kral III. George'un ilgisini çekti. Paris'e döndükten sonra önce Prusya'ya sonra da Rusya'ya taşındı ve 1803'te orada öldü.

Pinetti'nin sahne büyücülüğünde çok sayıda rakibi vardı. Alman Philip Breslaw ve Prusyalı Gustavus Katterfelto da, okült unsurlar da içeren büyücülüğü tiyatroya taşıma konusunda önemli katkılarda bulunmuştur.

Professeur et Démonstrateur de Physique amusante, qui
après avoir réduit en cendres une Carte choisie au
hazard, jette le Jeu en l'air pour la faire reparaître
en la clouant au mur d'un coup de Pistolet .
Queverdo
Hemery


*Pinetti'nin iyi bilinen numaralarından birini sergilerken tasvir edildiği bu resim Decremps'un* La Magie blanche dévoilée *kitabındadır.*

# GÜLHAÇÇILIK

1378'de Almanya'da doğduğu varsayılan Christian Rosenkreuz efsanesi, on yedinci yüzyıl başlarında, 1614-1616 yılları arasında yayımlanan üç manifestoyla başlar. Bu manifestoların ilki olan *Fama Fraternatatis*'e göre Rosenkreuz Kutsal Topraklara hacı olmaya gitmiş, orada evrenin okült sırlarını öğrenmiştir. Almanya'ya döndükten sonra Güçhaçlılar örgütünü kurmuştur. 106 yaşında ölen Rosenkreuz'un yedi köşeli mezarı zamanla tamamen unutulmuş ama 120 yıl sonra, 1604'te örgütün müritleri tarafından tekrar keşfedilmiştir. Mezardaki cesedin bozulmadığı görülmüş, lahit içinde gizemli *T Kitabı* bulunmuştur.

Üçüncü manifesto olan *Christian Rosenkreuz'un Kimyasal Düğünü*'nde başkahraman bir düğün töreninin düzenlendiği gizemli bir kaleye gelir. Düğün davetiyesinde John Dee'nin *Monas Hieroglyphica*'sı zikredilir.

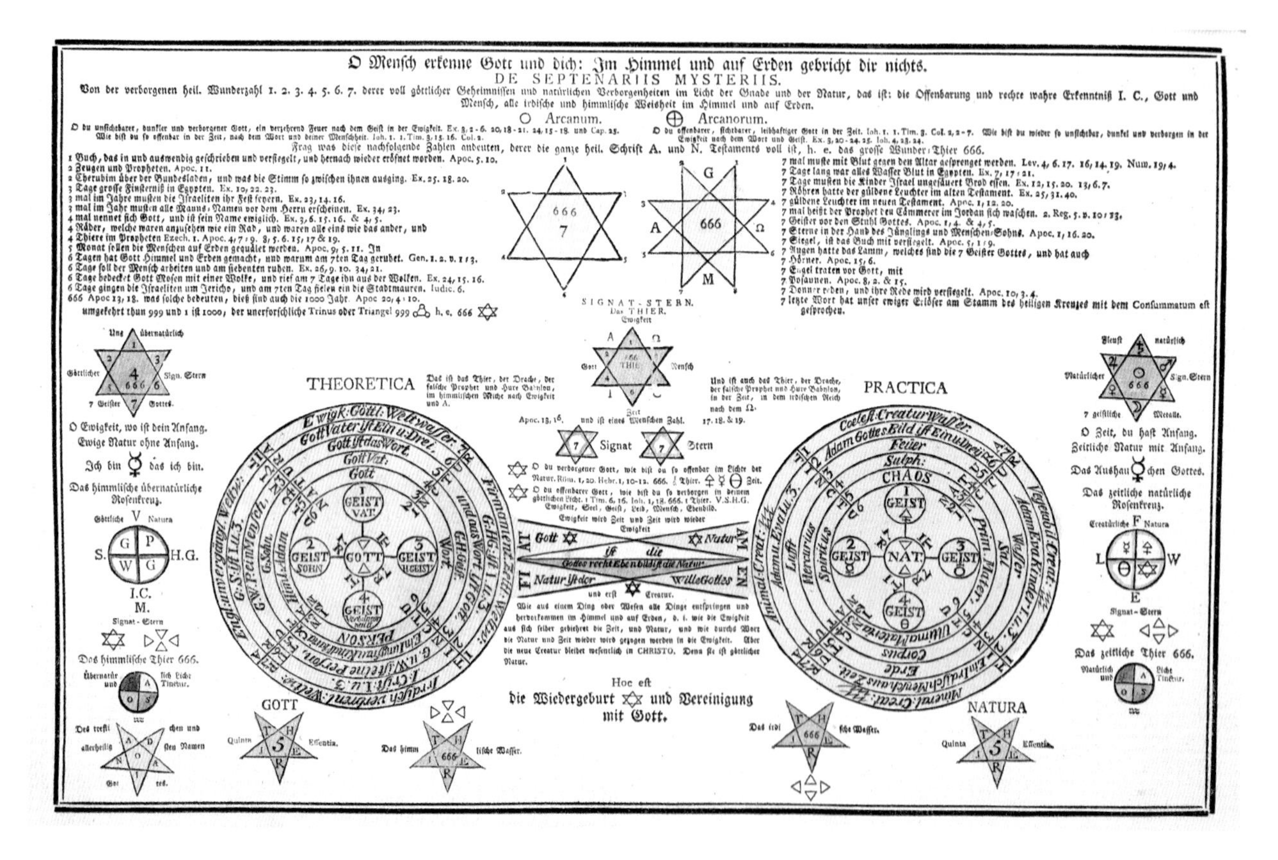


YUKARIDA *Sembollerden yana çok zengin bu Gülhaççı gravürde numeroloji ve fiziki ve metafizik dünya arasındaki ilişki incelenir.*
KARŞI SAYFADA Speculum Sophicum Rhodo-Stauroticum *(Gülhaççıların Bilgeliğinin Aynası; 1618) kitabında Gülhaççılık'ın temel öğretilerinin resimlendiği illüstrasyon. Bu kitabı simyacı ve Gülhaççı Daniel Mögling'in Theophilus Schweighardt takmaadıyla yazdığı düşünülür.*

COLLEGIVM FRATERNITATIS
16
18
FA MA
VIDEAMINI 1604
ad fratres
ad I.D.
Fratri
Nostro T.S.
IVVA PATER
CAVETE!
IESVS NOBIS OMNIA
C.R.F.
Iul: de Campi
VENITE DIGNI
NOTA
SI DISPLACET
IGNORANTIAM MEAM AGNOSCO
MOVE AMVR
OPINIONVM

YUKARIDA *Hıristiyan, pagan ve Yahudi ikonografisinin bir birleşimi olan Gülhaççı sembollerle bezeli bir gravür. Alttaki metinde buradaki sembolizm* Kutsal Kitap*'tan açıklayıcı alıntılarla ilişkilendirilir.*
KARŞI SAYFA VE S. 312-313 *Gülhaççılık hareketinin yol açtığı yeni büyülü-mistik gelenekler 18. ve 19. yüzyıla kadar etkili olmuştur. Buradaki çizelgeler yaradılış, bilgi, manevi simya, kozmolojinin unsurlarını inceler ve Kabala geleneklerini temel alır.*

Bu üç manifesto Gülhaççılığın felsefesini ve tarihini açıklar ve filozof-mistiklerden oluşan bir örgütten bahseder. Anonim yazar toplumda ahlaki ve manevi bir devrim yapılması ve insanın yaratılıştaki rolünün daha iyi anlaşılması çağrısı yapar. Manifestoya göre Christian Rosenkreuz (Peder C.R.C. olarak anılır) Ortadoğu'dayken Hermetik büyüleri öğrenmiş, Fas'ta okült çalışmalara, İspanya'da gnostik *Alumbrados*'a (Hıristiyanlık'ın mistik bir versiyonu) tanık olmuştur. Bazı araştırmacılar C.R.C.'nin bu yolculuğunun aslında simyadaki dönüşüm süreci için kullanılan üstü kapalı bir gönderme olduğunu iddia etmiştir.

Ağırlıklı olarak Hıristiyan unsurlar barındıran Gülhaççılık felsefesi Protestanlık'tan ve Hermetik büyü düşüncesinden de ödün vermez. 1589'da karşılaştığı John Dee'den derinden etkilenen Dresden'li Hermetik filozof Heinrich Khunrath'ın da (yak. 1560-1605) bu felsefe üzerinde etkili olduğuna dair sağlam kanıtlar vardır.

Gülhaççılık manifestolarının sahte olduğu da iddia edilmiştir. Bu manifestolarda aktarılan hikâyeleri kayıtsız şartsız kabul etmek ne kadar zor olsa da, Avrupa'da mistik düşünce üzerindeki muazzam etkileri, on dokuzuncu yüzyıl sonunda Hürmasonluk'un ve bir dizi Gülhaççı cemiyetin ortaya çıkmasına neden olduğu açıktır.

# SCALA PHILOSOPHOPHORUM CABBALISTICA MAGICA, ATQUE ARBOR AUREA DE MYSTERYS NUMERY: QUATERNARY, QUINARY ATQUE SEPTENARY.

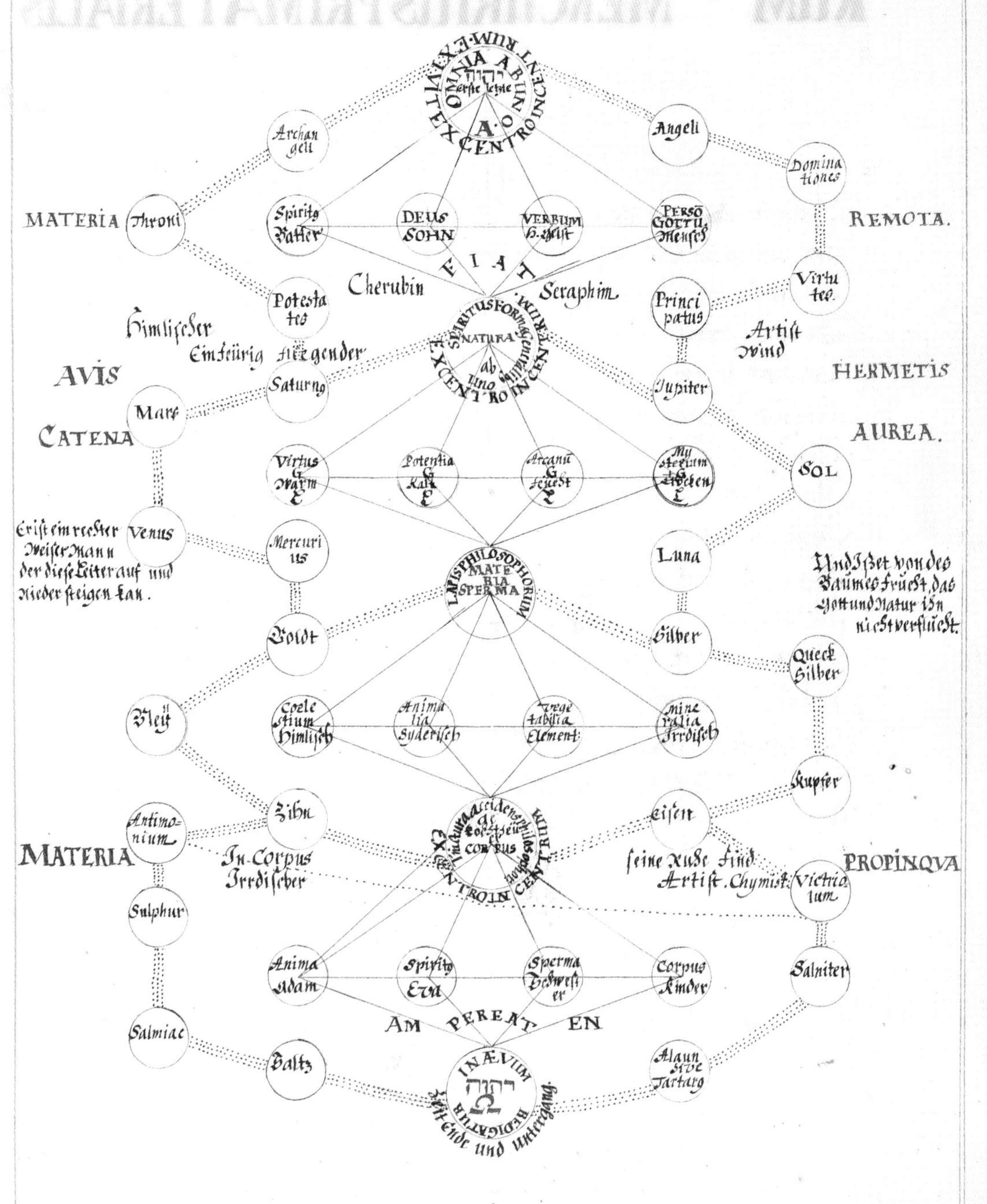


SAPIENTIBUS 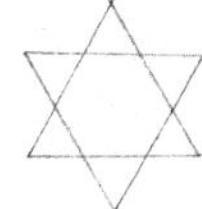 SATIS EST DICTUM.

Wer Jesum Christum recht erkennt,
Der hat seine Zeit wohl angewendt.

# Die geheime Wunder-Zahl: 1. 2. 3. 4. Das rechte Rosen ⊕ Creutz, und die Offenbahrung und die wahre Erkäntnus JESU CHRISTI, Gott und Menschen, das ist: Alle himmlische und irrdische Weisheit im Himmel und auf Erden N.B.

wie der ewige einige Gott an und vor sich selber gezeuget und geboren, Drey unterschiedene Personen, und bleibt dem Wesen nach doch nur ein einiger ewiger Gott, geistlich, himmlisch, unsichtbar, in der Ewigkeit, nach dem 3. himmlischen Personen, Geist oder Gott, Wort, Vater, ein Gott, und in der Zeit, irrdisch, sichtbar, leiblich, ein Mensch und Gott; Nach dem 3. zeitlichen Personen Geist, Person, Wort, ein Mensch: Denn das Wort ward leiblich d.i. Ewigkeit ward Zeit, Gott ein Mensch d.i. Eine Zeit, zwo Zeiten, und eine halbe Zeit, Nach dem Alten und Neuen Testament, Gesetze und Evangelium der himmlischen und irrdischen Dreyfaltigkeit, ganz im Himmel, und ganz auf Erden,

Sintemahlen in Ihme I. C. wohnet die ganze Fülle der Gottheit leibhaftig Coloss: 2 Johann 9. 12. et 17.

Es spricht die himmlische Weisheit selber Ich und der Vater sind Eins und wer mich siehet der siehet den Vater: glaubet daß der Vater in mir und ich in Ihme, und wer mich siehet der siehet den Vater der mich gesandt hat, Und wer mich liebet N.B. den will ich offenbahren: Und der Vater und ich wir wollen zu ihm kommen, und Wohnung bey ihm machen 1. Cor. 6. Eph. 3. 4.

# DE SEPTENARY MYSTERYS

Dieses ist aller Neu= und wiedergebohrnen Kinder Gottes ihr Paradeiss Seel= Himel und Ewiges Leben, und Ruhe, hier in der Zeit, und dort in alle Ewigkeit. Joh: 17.

| ROSÆ | CRUCIS. |
|---|---|
| Nach | Der |
| THEOSOPHIA und | THEOLOGIA. |
| Das geheime verborgene Rosen= kennet, und doch viel dar= | Creutz, welches die Weld nicht von zu sagen weiß. |
| 1. 2. 3. 4 5. 6. 7. | 1. 2. 3. 4. 5. 6. 7 |
| E. W. I. K. E. I. T. | Z. E. I. T. E. I. T |
| TINCTUR. | TINCTUR. |
| A. Ω. | A. Ω. |
| Nüss= Fluss. | Gegen= Würff. |
| 1. 2. 3. 4. 5. 6. 7. | 1. 2. 3. 4. 5. 6. 7. |

VATER · WORT · SOHN · PERSON · H:GEIST · WORT · GOTT · H:GEIST · SOHN · GOTT · VATER · WORT · PERSON · GEIST · A · Ω · I. C. GOTT und MENSCH

Die Ewig= 4 keit. Wird ICN Zeit.

In dieser Figur ist begriffen: Ewigkeit und Zeit, Gott und Mensch, Engel und Teufel, Himel und Hölle Das Alte und Neüe Jerusalem, samt allen Geschöpfen und Creaturen, Zeiten und Stunden.

12. Patriarchen
12. Propheten
12. Aposteln
12. Articul Ihres glaubens
12. Stadt Thore im Neüen Jerusalem. Apoc: 21.

H H
G IC M
A. Ω.

12. Sterne in der Krone. Apoc: 12.
12. Himlische Zeichen
12. Monate im Jahre
12. Stünden des Tages
12. Stunden der Nacht.

# Die Himlische und Irrdische Eva Die Mutter Aller Creaturen, Im himmel und auf Erden.

Gott ist ein Ewiger-Unerschaffener Un-Endlicher-Über-Natürlicher-Selbständiger-Himlisch-und Wesentlicher Geist; und ist in der Natur und Zeit Ein Sichtbarer und Leibhaffter-Sterblicher Mensch worden.

Oculus Divinus, perquem Deus vivit et Creavi Omnia.

Ein Jeden dings sein Außgang, verkündiget sein Anfang.

Lumen Gratiæ Ergon Sunt Duo

Himlische Eva Die Neüe Geburth.

O! Mensch O! Mensch betracht, wie GOtt das Ewige word ist Mensch worden.

Einfältig habt ihrs empfangen wer es nicht glaubt der ist verdamt.

Tinctura Coelestis. S.S. Sacramenta.

ROSÆ CRUCIS VENITE

Videte, Videte, Videte, Wer augen hat zu sehen, der kan und wird wohl recht sehen.

NB. Diese Freündschaft bey dem Archæo dem bertrauten Thürhütter.

Natur ist ein Erschaffen-Natürlich-zeitlich-Endlich-Geistlich-wesentlich-und Corporalischer Geist, Ein Gleichnüs bild u Schatten nachdem un-erschaffenen Un-Endlichen-Ewigen Geiste verborgen, und auch Sichtbar.

Oculus Naturæ seve Coeli, perque Natura visitat regit terrena Omnia

Lebendig, Tödlich, verderblich, und wieder neü gebährlich

Lumen Naturæ Par Ergon Fratres.

Irrdische Eva Die Alte Geburth.

O! Mensch O! Mensch bedencke wie dir Natur ist eine grosse Weld und ein Mensch worden.

Einfältig gebt ihrs wieder, verachte daß nicht dir selbst zur Schand. Tinctura Physica: Jungfermilch und Sonnen Schwitz, 6. Kinder Mütter, u doch eine reine Jungfraw.

PHILOSOPHICA VENITE.

Arrige, Arrige, Arrige, AURES.

Wer Ohren hat zu hören dem darff man nicht überlaut rüffen.

NB. Er ist der Natur verEydigter verschwiegener Laborant und geheimer Cammerdiener.

Sub umbra Alarum Tuarum P. F.

Consumatum est. Schuster Schwärtz.

Der Stern aus Morgen Lande der Weisen

Die Sonne der Gerechtigkeit. Malachias 4.

Jungfrau Sophia.

Aaronis Ignis Sanct. — Divinus Trinitas

Pondus der gecreuzigte — Natura Himmel

Außer Ewigkeit Vet. Testament Natura — N. Testament Zeit Ewigkeit

Verbum Ewigkeit und Zeit — Incarnatum

Microcosmus — Von einem Centro

omnia ab uno — nosce te et quoque — ipsum cognosces ad unum — Figuram istam

Wasser — Blut — INSTRUMENTUM DIVINUM — Weiß — Roth

Ignis — Aer — NATURA — Aqua — Terra

VIDEAMINI COLLEGIUM AD SPIRITUM SANCTUM.

Sperma — Masculos — Forma — Mundi Pater — Materia — Mater — Fœmina

Ist Schwanger mit ☉. u. ☽. Kinder

Prima Materia — Centrum — atq Circumferentia

Feuer wäschst aus dem Wasser — Sulphur Philosophorum — Sapientia — Ignis — 7. Löwen

Christum regnen vom Himmel. Mercurius Philosophorum — Aqua S.S. — Coelesti — Raben

Aureus Paradysi Fluvius

FONS 1. Vier Saurn aus seiner ent — 2. Philosoph. Wasser wurtzel sprossen — Machina Mundi

Staub und asche — Calx — Stein Solutio Ein Weiser Safft

Aquilæ gluten — Viva Alba Mesi Prima

Archæus — CHAOS — Caput corvi — Oleum incombustibile aurum potabile — Caput Mortuum

Vitriolum Sive Cinis Philosophor: atq Quinta Essentia Crocus Philosophorum

Ecclypsis ☉ et ☽ Solutio 2. Des Wassers

Salsitre Azoth Philosophorum — Acetum viridis — Tartari

CORROSIL — REBIS

Der Weisen Venus und Glücks Kugel

Der Rusende Löwe Wachstauf.

THEORIA

Ich weiß es daraüf Ich — Crütze

Lapis Tinctura — SYLEX — Sive Philosophorum et — ELIXIER

Multi sunt vocati. — Pauci vero electi.

O! ho Ich und ent- nicht zu sehr träüm kompt setze mich... Dieses macht u nicht mehr.

O! Harpocrates Dominus Providebit.

Exitus Acta probabit.

# HÜRMASONLUK

Hürmasonluk'un kesin kökeni bilinmez. Efsaneye göre örgütün kökenleri Süleyman Tapınağı'nın inşasına kadar uzanır: Bu gizemli yapının Hiram Abiff gözetiminde tamamlanan inşasını Hürmasonların tamamladığı iddia edilir. Aslında Hürmasonluk, bildiğimiz "spekülatif" (felsefi) biçimini on yedinci yüzyılda almış, Gülhaççılık'ın ortaya çıkmasına neden olan okült merakının bir başka tezahürüdür.

Hürrmasonluk büyüyle doğrudan ilgilenmemekle birlikte, ona çok yakındır. Süleyman sıklıkla büyüyle birlikte anılan bir figürdür ve –karşılıklı anlayışa, dini hoşgörüye ve kendini geliştirmeye dayalı bir örgüt olan– Hürmasonluk'un felsefesi ağırlıklı olarak Hermetizm'den ve ruhsal simya kavramından etkilenmiştir. En bilinen Masonik inisiyasyon ritüellerinde, simyada da karşımıza çıkan doğum ve ölüm döngüsü tekrar canlandırılır.

YUKARIDA *Hürmasonluk'un çeşitli simge ve sembollerinin tasvirlerini içeren iki Mason taslağı. Bu taslaklar Hürmasonluk'un üç aşamasını geçmeyi hedefleyen yeni üyelerin eğitiminde kullanılır. Resimdeki taslaklarda birinci ve üçüncü aşamaların esas temaları ele alınmaktadır.*
KARŞI SAYFADA *Hürmasonların tarihini ve kurucu ilkelerini ele alan gravür. Arka planda Süleyman Mabedi ve Her Şeyi Gören Göz tasvirleri.*

LE CIEL
LA TERRE

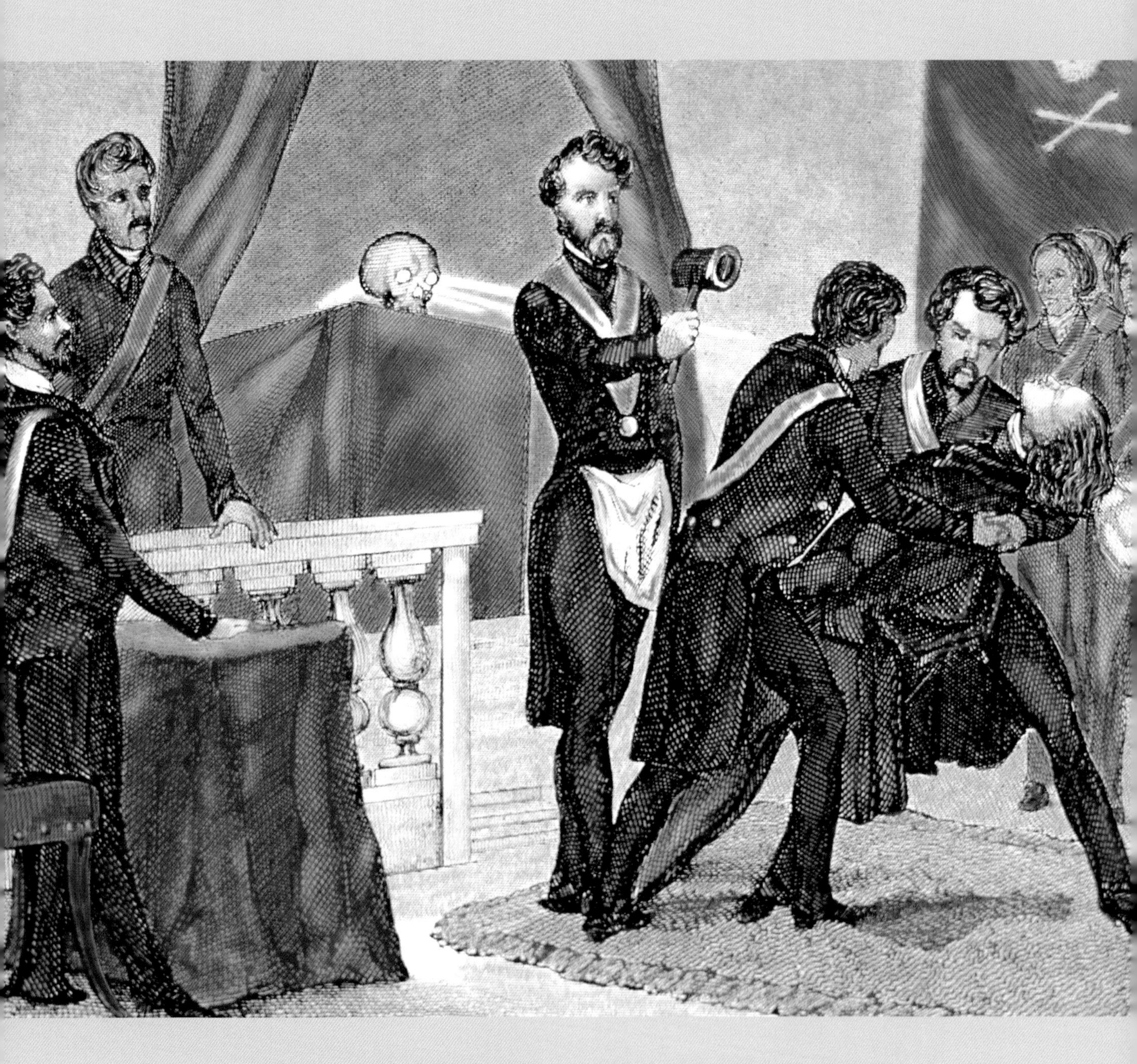

*19. yüzyıldan kalma bu Masonluk'a kabul ritüelinde, üyeliğe kabul edilecek kişiye tokmakla vuruluyor. Ülkeden ülkeye değişiklik gösteren bu ritüellerde büyülü unsurlar da karşımıza çıkar.*

*Bu loca toplantısında Üstat figürü solda. Masonlar felsefi ve manevi meseleleri tartışmak için toplanırdı; öğrenme süreci iç simyanın bir biçimi olarak da tarif edilirdi.*

Hürmasonluk, Gülhaççılık, simya ve ritüel büyü gibi sembollerden yana zengin, görselliğe büyük önem atfedilen bir gelenektir. Tıpkı simya gibi, sırların simgeler aracılığıyla aşamalı olarak ortaya çıkacağına inanılır. Simgelerin büyük bölümü Süleyman Tapınağı'ndan alınmadır ama Tapınak Şövalyeleri, simya, Hermetik gelenek, Hıristiyanlık ve klasik dönemden de pek çok unsur ödünç alınmıştır.

Hürmasonluk farklı ülkelerde farklı şekillerde gelişim göstermiştir. Birleşik Krallık ve Amerika'da toplumsal sorunlara ve hayırseverliğe odaklanılırken Fransa ve Latin Amerika'da okült ve ezoterik veçheler vurgulanır. Fransa ve Amerika Birleşik Devletleri gibi ülkelerde kullanılan karmaşık "aşama" sistemlerinin kendine özgü rit ve ritüelleri vardır – bunların çoğu, Tapınak Şövalyeleri gibi hikâyeleri temel alan büyü işlemleridir.

YUKARIDA *Alessandro Cagliostro tarafından yazıldığı kabul edilen* La Très Sainte Trinosophie *kitabındaki bu illüstrasyonda çırak ya da yeni üye, sırları ifşa eden büyülü aynaya bakıyor.*
KARŞI SAYFADA *Gizemli ve esrarengiz kişilik Cagliostro'nun bir portresi.*

# Alessandro Cagliostro

Saflık ve bönlüğün hüküm sürdüğü on sekizinci yüzyılda gerçek olgularla kurmaca arasındaki sınır iyice belirsizleşmişti. Alessandro Cagliostro'nun hayatının büyük bölümü gizlilik içinde geçmiştir. Asil bir aileden geldiğini iddia etmiştir ama muhtemelen Palermolu fakir bir ailenin çocuğuydu ve gerçek adı Guiseppo Balsamo'ydu. Gönderildiği ruhban okulunda okülte ilgi duymaya başladı; gençliğinde çevresindekilere sihirbazlık numaraları yapmaya çok meraklıydı. İlerleyen yıllarda Malta'da terk edilmiş bir yetimken Kabala, simya ve büyü öğrendiğini açıkladı.

Cagliostro Hürmasonluk'un Mısır kolunun kurucusu ve *La Très Sainte Trinosophie* (En Kutsal Trinozofi) kitabının yazarı olarak bilinir. Mısırlıların Mason ritlerini Londra'da satın aldığı bir kitapta keşfettiğini iddia etse de, muhtemelen bunları bizzat kendisi uydurmuştur. Yine de büyü üzerine bir tartışmaya egzotik bir tını katması ve Mısır'ı on dokuzuncu yüzyıl okültizminin merkezine yerleştirmesi kayda değer girişimlerdir. Bu ritüeller simya ve okült anıştırmalarından yana çok zengindir.

*La Très Sainte Trinosophie* ise az miktarda yazıya muhteşem illüstrasyonların eşlik ettiği bir elyazmasıdır. Keldani İbranicesi, İyonya Yunancası, Arapça ve Fransızca gibi sayısız dilin kullanıldığı elyazmasında Avrupa ve diğer ülkelerin okült düşünceleri bir araya getirilmiştir. Kitabı oluşturan on iki kısmın her biri bir Zodyak burcuna denk gelir.

Cagliostro fırtınalı bir hayat sürdürmüş, 1789'da Roma'da Hürmason olduğu için ölüme mahkûm edilmiştir. Ceza daha sonra ömür boyu hapse çevrilmiştir ama Cagliostro bundan birkaç yıl sonra ölmüştür. Ölümünden yüz yıl sonra İngiliz okültçü Aleister Crowley Cagliostro'nun reenkarnasyonu olduğunu iddia etmiştir.

KARŞI SAYFADA *Kadın hasta yansıtmalı manyetizmayla "uyutuluyor".*
YUKARIDA *Anton Mesmer elindeki asayla bir keşişi hipnotize ediyor.*

# MESMERİZM

Alman fizikçi Anton Mesmer (1734-1815) on sekizinci yüzyılın sonunda radikal bir teori öne sürmüştür: hayvanlar etraflarına "canlısal manyetizma" adı verilen görünmez bir güç yayarlar (burada "canlısal" ibaresi "mineral"le zıtlık içinde kullanılır ve insanları da içerir). Şifa için kullanılabilen bu "manyetizma" uzamın tamamını dolduran "hayat sıvısı" kavramını temel alır. Aslında Mesmer bu teorisiyle büyünün en eski meselelerinden birine yanıt vermektedir – fiziki bir müdahalede bulunmadan uzaktan etkide bulunmak.

Rönesans fizikçisi Paraselsus da ondan iki yüzyıl önce mıknatısları tıbbi amaçlarla kullanmaya kalkışmış, Pers filozof ve bilim adamı İbn-i Sina on birinci yüzyılda hipnotizmadan bahsetmiştir. Ama Mesmer'in nüfuzu ve çok sayıda takipçisi on dokuzuncu yüzyıla gelindiğinde hem hipnozun yayılmasını sağlamış hem de spiritüalizm ve sahne büyücülüğüyle ilişkilenmesine yol açmıştır. Mesmerizm takipçilerinden Antoine Court de Gébelin'in bir elektrik terapisinden sonra banyosunda ölü bulunduğu rivayet edilir.

YUKARIDA *Sihirli çember içinde çömelen Nostradamus bir ayna yardımıyla, Catherine de Medici'ye Fransa'nın müstakbel kralları olan çocuklarını gösteriyor.*
KARŞI SAYFADA *Napoleon'un hayat arkadaşı İmparatoriçe Josephine astrologlara danışırdı. Burada, Napoleon döneminin profesyonel falcısı Anne Adelaide Lenormand'ın kehanetlerini dinliyor.*

# KRALİYET SARAYLARINDA BÜYÜ

Okült çalışmaları on beşinci yüzyıldan itibaren Avrupa'nın kraliyet saraylarına sızmaya başlamış, Marsilio Ficini ve Medici ailesinden sonra Fransa'da Nostradamus, İngiltere'de ve Prusya'da John Dee kraliyet sarayı için çalışmıştır. On yedinci ve özellikle on sekizinci yüzyılda monarklar entelektüel çalışmalara destek vermekten hiç çekinmiyor ama bir yandan da oyalanacak başka şeyler arıyorlardı. Bunun sonucunda, 1800'e gelindiğinde çok sayıda kraliyet sarayı geleceği gören vizyonerlere, sihirbazlara ve büyücülere destek sağlıyordu.

Alman falcı Höffern, (arada bir) isabetli olan öngörüleri sayesinde on sekizinci yüzyılın ilk yarısında İsveç aristokrasinin gözdesi oldu; bundan birkaç yıl sonra İsveçli falcı Mamsell Arfvidsson (1734-1801) III. Gustav'a danışmanlık yaptı. İsveçli mistik ve nekromansçı Henrik Gustaf Ulfvenklou (1756-1819), okült meraklısı ve Hürmason XIII. Charles'ın sarayında nüfuz sahibiydi. Tarot'un yayılmasını sağlayan en önemli isimlerden biri olan Antoine Court de Gébelin Fransa kralı XVI. Louis'nin en sadık danışanlarından biri olduğunu iddia ederken, İngiltere'de II. Charles'ın sarayın kapılarını ünlü simyacılara açtığı söyleniyordu.

# 8.
# Büyünün Dirilişi

*19. yüzyılda romantik ve Gotik büyü yaklaşımları yaygınlaştı.*

# The Magus
or
# Celestial Intelligencer

Being a compleat System of

# Occult Philosophy.

In Three Books.

Containing the ancient and modern practise of the Cabalistic art, Natural & Celestial Magic &c. Shewing the wonderful effects that may be perform'd by a knowledge of the Celestial influences, the occult properties of ~~[illegible]~~ (Metals, Herbs, & Stones;— & the application of active to passive principles.

## Book 1st Part 1st

comprehends the Science of

## Natural Magic, Alchemy, or Hermetic Philosophy.

shewing the Nature Creation & fall of Man, ~~Nature of Metals Herbs Stones &c~~ his natural & supernatural gifts the magical power inherent in the Soul &c. with a great variety of rare experiments in Nat. Magic.

## Part ~~Book~~ 2d

Contains the Constellatory Practise, or Talismanic Magic

The nature of the Elements, Stars, Planets, Signs &c. The construction & composition of all sorts of Magic Seals, Images, Rings, Glasses &c; The virtue & efficacy of numbers, Characters & figures of good & evil Spirits.

## Book 2

## Magnetism, & ~~Caba~~ Cabalistical or Ceremonial Magic.

In which the secret mysteries of the Cabala are explained; Operations of ~~by~~ good & evil Spirits, all kinds of Cabalistic figures, tables, Seals, & names, with their use &c. likewise shewing the times, bonds, offices & conjurations of Spirits.

## ~~[illegible]~~ Book III ~~compleat~~

## Biographia Antiqua

The lives of the or most eminent Philosophers, Magi &c.

The whole Illustrated with a great variety of curious Magical & Cabalistical engravings, figures &c.

By Francis Barrett F.R.C. & Professor of Chemistry, Natural & Occult Philosophy, the Cabala &c.

London 1801

On sekizinci yüzyılın sonlarında Aydınlanma'nın getirdiği akılcılık ve sanayileşme dönemi, batıl inançları, büyüyü ve belki de dini bir kenara itmeliydi fakat insanlık tarihinde genelde olduğu üzere, olaylar beklenmedik bir şekilde gelişti.

1700'lerin sonlarında, en azından Avrupa'da karanlık sanatlara, Gotik ve doğaüstü geleneklere duyulan ilgi giderek arttı. Coşumculuk adını alan bu akım dünyanın farklı yerlerindeki ezoterik bilgilere, özellikle Doğu'ya duyulan ilgiyi de artırdı. Gizemcilik de giderek daha fazla merak edilen bir konu haline gelmişti. Bu merakın öncülerinden ikisi, on sekizinci yüzyılda yaşayan teolog Emanuel Swedenborg ve hekim Anton Mesmer'di (Mesmer, yukarıda gördüğümüz üzere bir tedavi yöntemi olarak trans haliyle ilgili çalışmalara öncülük etti). Bu iki adam dünyada açıklanması mümkün olmayan güçler olduğunu ileri sürerek entelektüel çevrelerin hayal gücünü tetiklediler.

On dokuzuncu yüzyıl ortasında okültizme duyulan ilgi farklı bir hal aldı. 1848'de, New York, Hydesville'de yaşayan iki yeniyetme kız kardeş ruhlar dünyasından geldiğini iddia ettikleri tuhaf sesler duyduklarını açıkladılar. Fox kardeşlerin seanslarına şahit olan yetişkinler onların tıklama sesleri aracılığıyla ölülerle iletişime geçebildiğini gördüler. Fox kardeşler ülkede büyük heyecan yarattı. Bu arada bir başka medyum Edward Wyllie (1848-1922) de "hayalet fotoğraflarıyla" ortaya çıktı. Daha önce hiç görülmemiş türde hayaletimsi imgeler vardı bu fotoğraflarda. Daha sonraları, Fox kız kardeşlerin iddiası gibi Wylie'nin fotoğraflarının da sahte olduğu anlaşılacaktı.

Ritüel büyü alanında on dokuzuncu yüzyılın en önemli eseri Francis Barrett'ın *Magus*'uydu (1801). Hermes Trimegistos, John Dee ve Alman okültist Heinrich Cornelius Agrippa'nın yazılarının derlemesi olan *Magus,* Eliphas Levi'yi ve daha sonra Aleister Crowley'i derinden etkileyecekti. On dokuzuncu yüzyıl ortasında okültizm ve büyü çalışmalarının önde gelen isimlerinden olan Levi, Rönesans'ın ve daha önceki

KARŞI SAYFADA *Francis Barrett'in 1801'de yayımladığı The Magus'un elyazmasının ilk sayfası.*
YUKARIDA *Salon Rose+Croix'da düzenlenen bir serginin oldukça sembolik afişi.*

dönemlerin düşünce biçimlerini sentezledi. Levi, başka şeylerin yanında bildiğimiz evrenin düzenin yalnız küçük bir parçası olduğunu öne sürüyor, insan iradesinin olağanüstü şeyleri başarabilecek somut bir güç olduğuna ve insanın bütün evreni yansıtan küçük bir evren olduğuna, ikisinin birbirine çok yakın olduğuna inanıyordu. Tarot kartlarını popülerleştiren de oydu.

On dokuzuncu yüzyılın ikinci yarısında ezoterik cemiyetlerin sayısı artmaya başlayınca kaçınılmaz olarak fraksiyonlar ve rekabet ortaya çıktı. Bu rekabetlerin en ünlülerinden biri iki Fransız arasındaydı: Alışılmışın dışındaki Katolik rahip Joseph-Antoine Boullan ve Rozikrusyen Marquis Stanislas de Guaita. Birbirilerini kara büyü yapmakla suçlamışlardı. Boullan'un yanında saf tutan Fransız yazar J. K. Huysmans, bu ihtilafı romanı *Là-Bas*'da (1891) anlattı. Aynı kitap Satanizm'in on dokuzuncu yüzyıl sonunda Fransa'da yükselişini de anlatır ve bir

*19. yüzyılda ulusal mitolojilere yönelik ilgi tekrar canlandı. Kuzey Avrupa'da Finlandiyalı sanatçı Akseli Gallen-Kallele, Finlandiya'nın ulusal epik şiiri "Kalevala"yla yakından ilgilenmeye başladı. Burada, Sampo'nun dev bir kuşa dönüşmüş kötü cadı Louhi'ye karşı savaşmasını tasvir eder.*

kara ayin tarifiyle biter. Fransa bu dönemde gerçekten de okültizm ve büyücülük yuvasıydı.

On dokuzuncu yüzyıl sonunda ortaya çıkan ezoterik cemiyetlerden biri olan Gül ve Haç Kardeşliği'nin diğer faaliyetlerinin yanı sıra, Arnold Böcklin ve Fernand Khnopff gibi sembolist ressamların ilgili eserlerinin sergilendiği bir sergi salonu da vardı. Almanca konuşulan ülkelerde 1890-1910'larda gerçekleşen sözde Alman Okültizminin Canlanışı dönemi, ulusal gururun yükselişi, okültizmle ilgili merak ve eski, pagan geçmişe duyulan ilginin canlanışıyla ilgiliydi. Bu akımın önde gelen savunucularından Guido von List, Teosofi Cemiyeti'nden etkilenmişti ve Rünik alfabenin kayıp sihirli dilini "yeniden keşfetti."

1875'te New York'ta Madam Blavatsky ve başkaları tarafından kurulan Teosofi Cemiyeti'nin yayılışını hızlandırdığı teosofi hareketi yirminci yüzyıl başında kurulan büyülü ve gizemli cemiyetleri güçlü şekilde etkiledi ve Doğu okültizmiyle Batı geleneğini sentezledi.

Pratik büyü geleneğini daha fazla vurgulayan bir başka benzer örgüt de 1888'de kurulan Altın Şafak Hermetik Cemiyeti'ydi. On dokuzuncu yüzyıl sonunda sayıları gittikçe artan Hermetik ve Gülhaççı derneklerden biri de "Papus" (Gérard Encausee) tarafından kurulan Kabalacı Gül Haç Derneği'ydi. Bu dernekler, büyük sırları ele geçirmek için birbirleriyle mücadele ettiler. Altın Şafak Hermetik Cemiyeti'nin en ünlü üyesi Aleister Crowley'di (1875-1947). Crowley, yirminci yüzyıl başında tek başına birçok önemli büyü ve büyücülük örgütü kurdu.

Crowley'in teatrallik düşkünlüğü sahnelere layık ölçüdeydi. Aslına bakarsak, bugün bildiğimiz anlamda ilk profesyonel sahne sihirbazları da on dokuzuncu yüzyılda ortaya çıktı. Bu profesyonel göstericiler arasında en ünlüsü Blois doğumlu Fransız Jean Eugène Robert-Houdin'di. O dönemde gözbağcılar, büyücüler ve medyumlar giderek karmaşıklaşan ekipmanlarıyla ruhlar dünyasının sınırlarını bulandırmaktan memnundular, dönemin reklamları ve ilanları bile bunu gösteriyor.

*Bu alışılmadık modern Druid portresinden de görüleceği üzere, Druidlik 19. yüzyılda tekrar popülerleşti.*

# GOTİK BÜYÜ

On sekizinci yüzyılda karanlık ve gizemli şeylere duyulan yeni ilgi, Gotik mimarinin ve Ortaçağ düşüncesinin yeniden canlanmasıyla el ele ilerledi. Şiir ve edebiyatta karanlık, fantastik ve tuhaf olana duyulan ilgiyle kendini belli eden bu temayülü John William Polidori'nin *Vampir*'inde (1819) ve E. T. A. Hoffmann'ın "Der Sandman"inde (1817), hatta Grimm Kardeşler'in derlediği halk masallarında (1812) bile takip edebiliriz.

John Wolfgang von Goethe'nin şiiri "Der Zauberlehrling" (Büyücünün Çırağı, 1797) tamamen hazır olmadan önce büyü yapmaya çalışan genç bir büyücü çırağının uğradığı felaketi anlatır. Mary Shelley'in *Frankenstein*'ı (1818) da benzer şekilde bilinmeyen güçlerle oyuna kalkışmanın tehlikeleri hakkındadır.

KARŞI SAYFADA *Frankenstein hikâyesinin esas konusu tanrılığa soyunan insan ve bu kibrin sonuçlarıdır.*
YUKARIDA *19. yüzyılda Gotik üslup, hayalet ve iblisleri ve kötü sonuçlanan büyüleri konu alan hikâyelerle dehşetli ve doğaüstü unsurları kültürün merkezine getirdi.*

KARŞI SAYFADA *Doğaüstü Gotik sanatın başyapıtlarından biri: Henry Fuseli'nin* Kâbus'*u. Kadının göğsünde oturan karabasana parıldayan gözlerle bakan kısrak. Tablonun popülerliği Fuseli'yi birkaç versiyon daha üretmeye sevk etmiştir. Buradaki versiyon 1790-91 tarihlidir.* YUKARIDA, SOLDA *Friedrich Schiller'in* Der Geisterseher*'inden (Hayaletleri Gören Adam) bir illüstrasyon. Schiller Gotik hikâyelerin etkisiyle yazdığı ama tamamlamadığı romanında nekromansiyi ve doğaüstü unsurları ele alır.* YUKARIDA, SAĞDA *Baudelaire'in* La fleurs du mal (Kötülük Çiçekleri, *1857*) *kitabı. Önsözde Şeytan Hermes Trismegistus'la eş tutulur.*

Belki de en ünlü dizeleri: "Karanlık ve fırtınalı bir geceydi" olan İngiliz yazar Edward Bulwer-Lytton, okültizmi konu alan bir dizi roman yazdı. Bunlardan biri olan *Zanoni*'nin (1842) baş kahramanı, ölümsüzlüğünü tehlikeye atmadan âşık olamayan bir Gülhaççı rahiptir. Bulwer-Lytton, Kabala ve gizemciliğe çok meraklıydı.

Friedrich Schiller'in yarım kalan romanı *Der Geisterseher* (Hayalet Gören, 1787-1789) da nekromansi ve gizemcilik konularını anlatır. Romanın esin kaynağının Alman illüzyonist Johann Georg Schröpfer (bkz. s. 304) olduğuna inanılır. Bir yüzyıl kadar sonra, İngiliz yazar Algernon Blackwood (1869-1951) en az edebi öncüllerinin eserleri kadar ürkütücü hayalet hikâyeleri yazıyordu. Altın Şafak Hermetik Cemiyeti'nin üyesi olan Blackwood, korku ve gizem öykülerinde Kabala temalarına yer veriyordu.

*Popüler "Spirit Rappings" (1853) şarkısının bu partisyonu 19. yüzyıldaki yaygın doğaüstü merakını yansıtır.*

*Fox kardeşler bir masayı havalandırırken*
*– bu illüstrasyonun abartılı bir tasvir olduğu açıktır.*

# İSPRİTİZMACILIK

Ölülerin yaşayanlarla iletişim kurabileceği düşüncesi tarih öncesi çağlardan bu yana varlığını korusa da, bu görüşün Avrupa ve Kuzey Amerika'ya yayılması on dokuzuncu yüzyıl ortalarına rastlar. Bu inanış Batı'da ruh çağırma seansları biçimini aldı ve insanlar özel bir medyum rehberliğinde bir araya toplanıp ruhlardan haber almaya, hatta ruhlar âlemiyle iletişime geçmeye çalıştılar.

İspritizmacılık, Emanuel Swedenborg'un görüşlerinin, Anton Mesmer'in teorilerinin ve "yeni" Mormon dininin inanışlarının karışımından doğdu. Ancak aslında Fox kardeşlerle birlikte popüler oldu. Fox kardeşler Kate ile Margaret, 1848'de tıkırtılar aracılığıyla ölülerle iletişim kurabildiklerini iddia ettiler. Ancak yıllar sonra, sesleri eklemlerini çıtlatarak kendilerinin çıkardığını itiraf ettiler. Gerçi o süre içinde ispritizmacılık Amerika Birleşik Devletleri ve Avrupa'da, ayrıca Brezilya'da yaygın hale gelmişti.

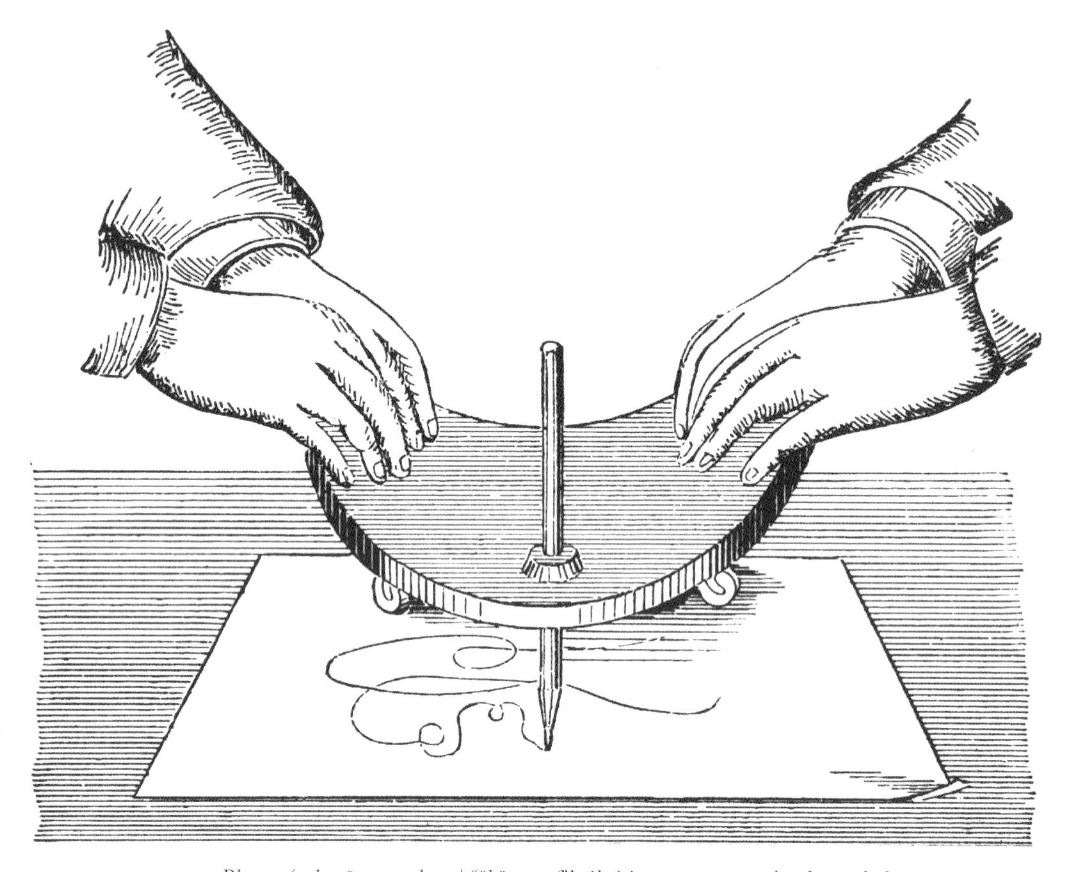

YUKARIDA *Planşet (ruh çağırma tahtası) "öbür taraf"la iletişime geçme aracı olarak popülerleşti.*
KARŞI SAYFADA *İtalyan medyum Eusapia Palladino'nun düzenlediği seansta havalanan masa.*

İspritizmacıların ruhlarla temasa geçmek için kullandığı araçlardan biri (1880'lerden itibaren) Quija tahtasıydı, ayrıca ruhların yazı yazmasına uygun olduğu düşünülen "ruh tahtaları" da vardı. Ruhların tıkırtılar ve çıtırtılar aracılığıyla iletişim kurduğu da söylenirdi. Bazen ruhlar kendilerini medyumun ağzından çıkan ektoplazma aracılığıyla görünür bile kılıyorlardı.

1920'lerde, Sir Arthur Conan Doyle gibi güçlü isimlerin desteğine rağmen ispritizmacılık saygınlığını yitirdi. Harry Houdini'nin de aralarında olduğu bazı ispritizma karşıtları bu teorilerin yanlışlığını ve sahtekâr medyumları ifşa ettiler.

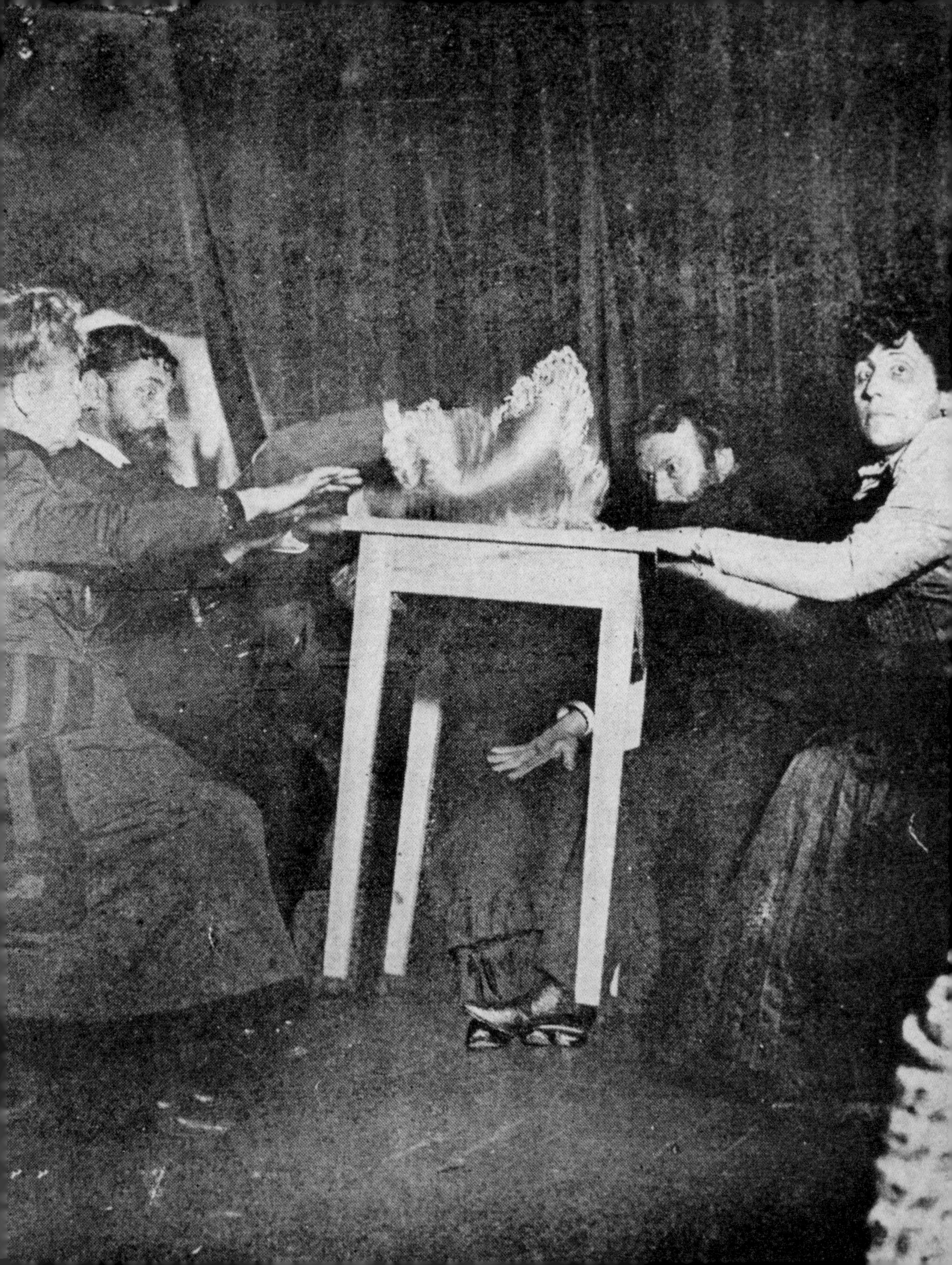

YUKARIDA *Robert-Houdin bir ağacın sırf büyü aracılığıyla kendi kendine serpildiği meşhur Portakal Ağacı numarasını uygularken. Numaranın devamında seyircilerden ödünç alınan bir mücevherat ağaçtan koparılan portakallardan birinin içinden çıkardı.*
KARŞI SAYFADA *Londra'da sihirbazlık gösterilerinin ve otomatların sergilendiği Egyptian Hall'un afişi. 18. yüzyılın sonlarından itibaren yapılan yeni keşifler Avrupalıların kadim Mısır ilgisini canlandırmıştır.*

# 19. YÜZYILDA SAHNE BÜYÜSÜ

Sahne sihirbazlığı on sekizinci yüzyılda ortaya çıkmış olsa da, dramatik yükselişi on dokuzuncu yüzyılda gerçekleşti. Ancak bu performanslar –ve onları sahneleyenler– okültizmden ve doğaüstü âlemden izler taşıyor, uzak ülkelerin egzotikliğini de barındırıyordu (Londra'daki en ünlü sihirbazlık gösterileri Mısır Salonu'nda yapılırdı).

On dokuzuncu yüzyılın en ünlü sahne sihirbazı Fransız Jean Eugène Robert-Houdin'di (1805-1871), ondan bazen modern büyünün babası diye söz edilir. Aslında eğitimli bir saat yapımcısı olan Houdin (saat yapma becerisini daha sonra otomatlar yaratmak için kullanacaktı), tesadüfen eline geçen bir kitaptan sonra büyüyle ilgilenmeye başlamıştı. Robert-Houdin sahne sihirbazlığına zarafet kattı ve doğaüstü unsurlar ekledi – "İkinci Görü" denen psişik numara da bunlardan biridir. Tuhaf maceralarla dolu bir hayatı olan Robet-Houdin, Louis Napoléon Bonaparte tarafından Fransız büyüsünün geleneksel Marabout büyüsünden daha güçlü olduğunu ispatlamak için Kuzey Afrika'ya gönderildi ve görevinde başarılı oldu.

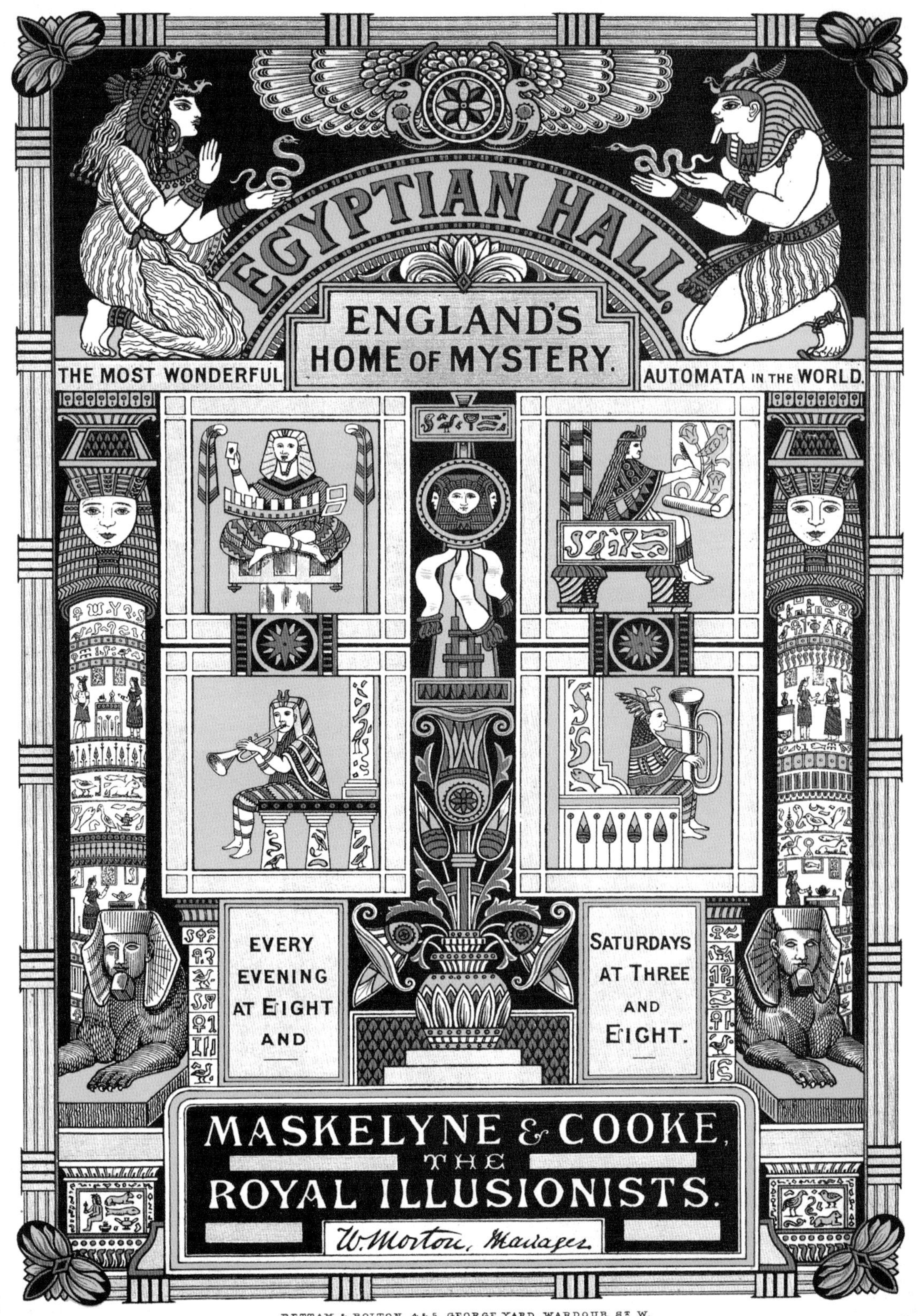
EGYPTIAN HALL,
ENGLAND'S
HOME OF MYSTERY.
THE MOST WONDERFUL
AUTOMATA IN THE WORLD.
EVERY
EVENING
AT EIGHT
AND
SATURDAYS
AT THREE
AND
EIGHT.
MASKELYNE & COOKE,
THE
ROYAL ILLUSIONISTS.
W. Morton, Manager.
BETTAM & BOLTON, 4 & 5, GEORGE YARD, WARDOUR ST W.

# EGYPTIAN HALL.

## ENTIRE CHANGE OF PERFORMANCE.

# M. ROBIN

## THE FRENCH WIZARD,

## EVERY EVENING AT EIGHT (Saturday Excepted)

GRAND MORNING PERFORMANCES

Wednesday and Saturday
At Half-past Two.

"Five Minutes with the Spirits, or the Medium of Inkerman."

Monsieur ROBIN will add to his usual Attractive and Extraordinary

# SOIRÉES FANTASTIQUES

## DURING LENT,

BY A NEW MODE OF ILLUSTRATION, WITH NOVEL EFFECTS,

## VIEWS OF THE TOUR OF

## H.R.H. THE PRINCE OF WALES

THROUGH

# THE EAST AND THE HOLY LAND

Embracing also the principal Cities which offer interest in this truly marvellous and classic ground.

**ADMISSION, 1s. & 2s. RESERVED STALL CHAIRS, 3s.**

CHILDREN UNDER TEN, STALLS, 2s. AREA, 1s.

Places may be secured, without any extra charge, at the Hall, and at Mr. Mitchell's Royal Library, 33, Old Bond Street.

Printed by J. Miles & Co., 105 Wardour Street, Oxford Street,—W.

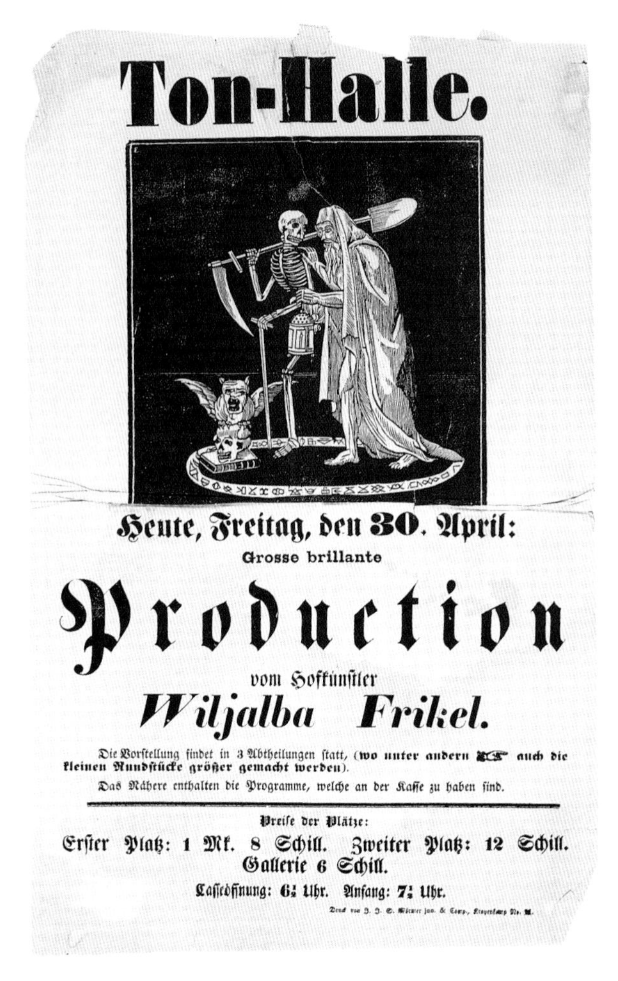


KARŞI SAYFADA VE YUKARIDA *Bu el ilanlarından da görüldüğü üzere 19. yüzyılda sahne sihirbazlığı hayaletler, iskeletler ve sihirli çemberler gibi unsurlarla doğaüstü merakını vurgulamaya devam etmiştir.*

On dokuzuncu yüzyıl boyunca sahne sihirbazlığı giderek daha sofistike bir hal aldı, kullanılan teçhizat giderek karmaşıklaştı. Halkın çoğu tarafından hâlâ pek iyi bilinmeyen elektrik, sahnede farklı efektler yaratmak için kullanıldı. Hollandalı Henri Robin gibi büyücüler daha geleneksel numaraların yanında bilimsel deneyleri de sahneye taşıdı. Macaristan'ın ünlü sihirbazlarından Josef Vanek (1818-1889) aslında bir fizik profesörüydü. Simyacılar nasıl bir anlamda ilk bilim adamlarıysa, büyücüler de bir anlamda on dokuzuncu yüzyılın bilim adamlarıydı.

Prusyalı sihirbaz Wiljalba Frikell (1816/17-1903) el çabukluğuyla marifet yerine karmaşık teçhizatlar ve sahne numaraları kullanımını eleştirenlerden biriydi. Frikell'in sihirbazlık teçhizatına karşı olması kendisinin de büyük bir gösteri adamı olmasını engellemiyordu – geleneksel "sihirbaz cüppesi" yerine şık bir frakla sahneye çıkan ilk sihirbazdı.

# ŞİROMANSİ

Şiromansi ya da el falı, kişinin geleceğini veya kişiliğini avcundaki çizgileri okumak suretiyle tahmin etme sanatıdır. Hindistan kökenli olduğu düşünülen uygulama Asya'ya yayıldı, eski Yunanlar tarafından da biliniyordu (Büyük İskender'in generallerinin el falına bakmaya çok meraklı olduğu söylenir). Şiromansi mikrokozmos-makrokozmos ilkesini temel almakla birlikte her insanın elinin benzersizliğinin bir nedeni olması gerektiği inancına dayanır.

Büyüde olduğu gibi el falında da el şekilleri dört elemente göre yorumlanır. Bunun yanı sıra, avuç içindeki bölgelerin çeşitli Yunan tanrı ve tanrıçalarını temsil ettiği düşünülür. Avuç içindeki çizgilerin ise kalp, baş ve Güneş ve Merkür'le ilişkili olduğuna inanılır.

YUKARIDA *Bir asker el falına baktırıyor.*
KARŞI SAYFADA *Bilge bir kadın el falı bakıyor; önündeki masanın üzerinde Tarot kartları gibi fal malzemeleri var.*

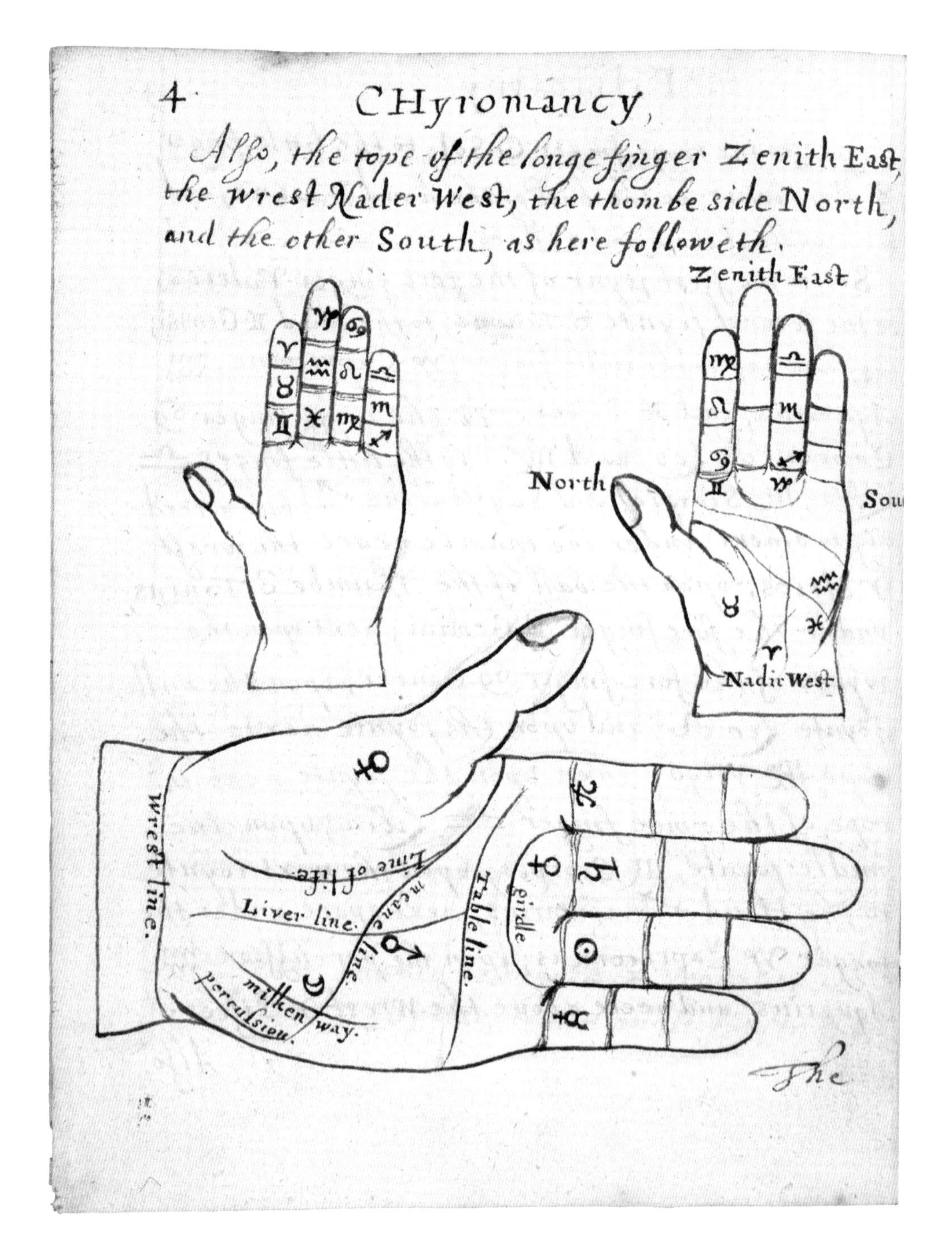


YUKARIDA VE KARŞI SAYFADA *17. yüzyıl tarihli bu çizimlerde elin farklı kısımları gezegenler, tanrılar, iç organlar ve dört ana yönle ilişkilendirilmiştir.*

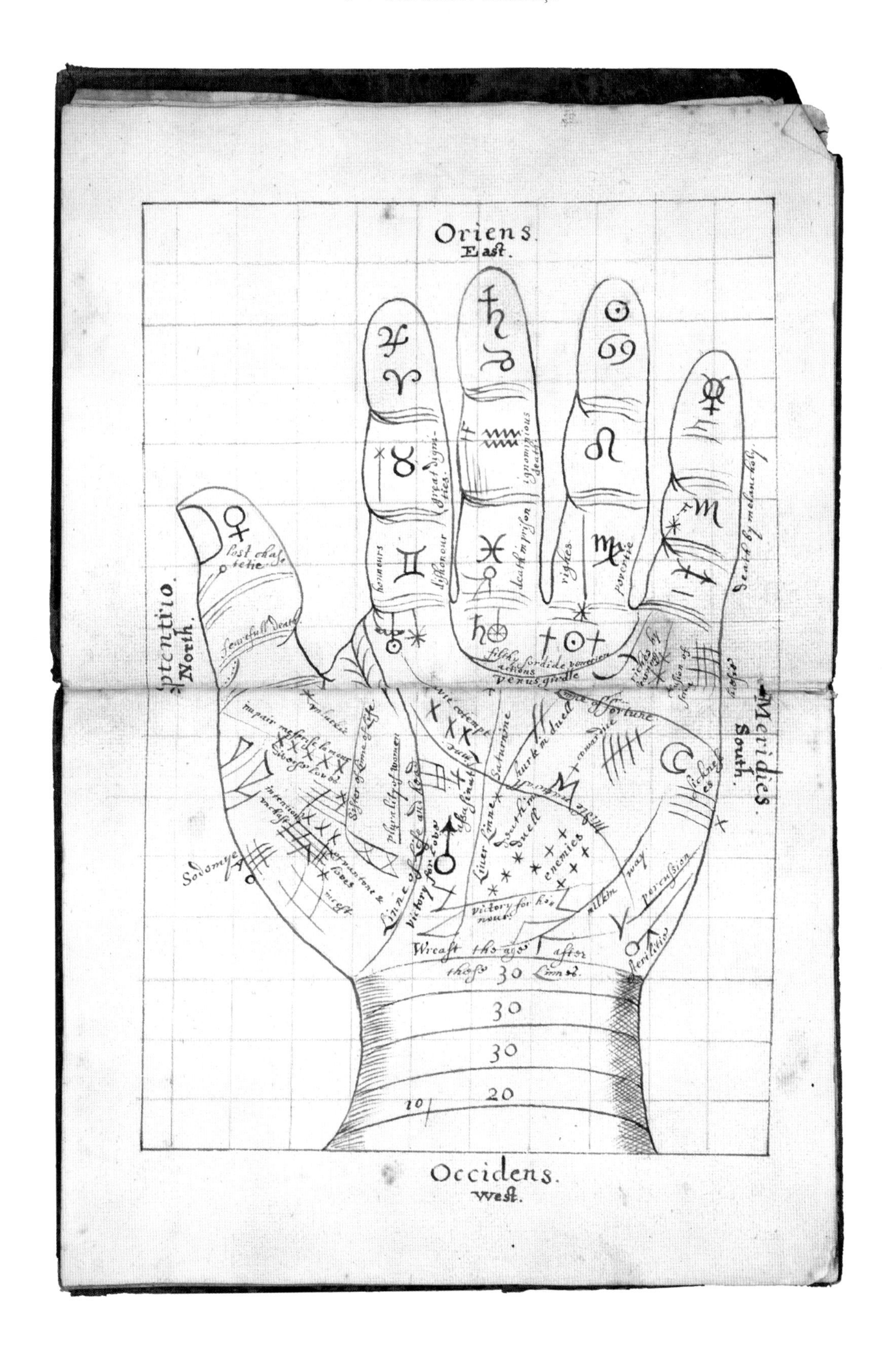
Oriens.
East.
North
Meridies.
South.
honours
ignominious death
righes
povertie
Venus girdle
Sodomye
enemies
30
30
30
20
Occidens.
West.

# Éliphas Lévi

On dokuzuncu yüzyılın belki de en etkili sihirbazı Éliphas Lévi 1810'da Paris'te, Alphonse Louis Constant adıyla doğdu. Küçük yaşta rahip olmaya karar verdi ama eğitimini tamamlamadan papaz okulundan ayrıldı. 1835'te büyücülük yapan "Ganneau" adlı bir adamla tanıştı ve büyüyle ilgilenmeye başladı. Anton Mesmer'in "canlısal manyetizma" kavramından da etkilendi.

Lévi'nin hayatındaki önemli anlardan biri, önde gelen okültist Edward Bulwer-Lytton aracılığıyla 1853'te İngiltere'de Gülhaççılarla tanışmasıydı. 1854'te, yine Londra'da ilk büyü denemesini yaptı. Oruç tutup meditasyon yaparak hazırlandığı bir ritüel aracılığıyla Yunan filozof Tyanalı Apollonios'un ruhunu çağırmayı denedi. Bu dönemde Éliphas Lévi mahlasını –adının Fransızcadan İbraniceye çevirisini– kullanmaya başladı.

Lévi insan iradesinin mucizeler yaratmak için kullanılabileceğine inanıyordu. Makrokozmos ve mikrokozmos ilkesini ve manyetizmanın evrelerinden "astral ışık" kavramını yeniden popülerleştirdi.

Lévi'nin başyapıtı *Dogme et Rituel de la Haute* (Yüksek Büyünün Dogmaları ve Ritüelleri) iki cilt olarak 1854 ve 1856'da yayımlandı. Lévi bu kitaplarda daha önceki büyü geleneklerini –simya, Hermetik büyü, Kabala, Tarot– sentezleyerek her zaman var olduğuna inandığı tek bir gelenek haline getirdi. Lévi'nin büyü sistemi en çok da Tarot kartlarını popülerleştirdi ve bu fal yönteminin yirminci yüzyılda yaygın biçimde kullanılmasına yol açtı.

# DOGME ET RITUEL

DE LA

# HAUTE MAGIE

PAR

**ÉLIPHAS LÉVI**

Auteur de l'*Histoire de la magie* et de la *Clef des grands mystères*

DEUXIÈME ÉDITION TRÈS AUGMENTÉE

Avec 24 Figures

TOME SECOND

**Rituel**

PARIS

GERMER BAILLIÈRE, LIBRAIRE-ÉDITEUR

RUE DE L'ÉCOLE-DE-MÉDECINE, 17

| LONDRES | NEW-YORK |
| --- | --- |
| Hippolyte Baillière, Regent street, 219. | Hipp. Baillière brothers, 440, Broadway. |

MADRID, C. BAILLY-BAILLIÈRE, PLAZA DEL PRINCIPE ALFONSO, 16.

1861

KARŞI SAYFADA *Éliphas Lévi tetragramaton pentagramının mikrokozmosun ya da insanın simgesi olduğuna inanıyordu.*
YUKARIDA *Éliphas Lévi'nin kitaplarındaki çizimler çok meşhur olmuştur – en bilineni olan pagan tanrı Baphomet çizimi Şeytan'ın prototip temsili kabul edilmiştir.*

YUKARIDA *Sihirli bir iksir hazırlayan cadı kazanının başında büyülü sözler söylüyor. Arkasında bir iskelet, önünde ise sihirli bir çemberin içinde diz çökmüş bir kadın duruyor.*
KARŞI SAYFADA *Bir sihirli iksire –ihtimamla– bir akrep ekleniyor.*

# SİHİRLİ İKSİRLER

Özellikle cadılık, sihirli iksirlerle özdeşleştirilir – kazanını karıştıran cadı imgesi dünyanın her yerinde bilinir. İksirler çeşitlidir: *Philtre* ya da aşk iksirleri de vardır, zehirler veya hayatı uzatan ilaçlar da. Bu iksirlerin içindekiler, özellikle şifalı otlar genellikle simgesel malzemelerdir ama en tuhaflarından biri insan kemiği olmak üzere pek çok farklı malzemeden iksir yapılabilir.

Törensel veya ritüel büyüde kullanılan Abremalin yağının tarifi, *Abremalin Kitabı* adıyla bilinen bir Ortaçağ grimoire'ından alınmıştır. Kutsal yağ tarifinin bir çeşitlemesi olan bu tarif için mürrüsahi, eğir, tarçın ve zeytinyağı gerekir. Aleister Crowley, bugün Thelema dininde hâlâ büyücülerin başını meshetmekte kullanılan kendi yağ karışımını yaratmıştı.

YUKARIDA *Bilinmeyen bir ritüelin tasvir edildiği bu resimde bütün klasik büyü unsurlarına yer verilmiş: Üç ayaklı masa, ateş, asa, çıplaklık ve okült simgelerle bezeli bir tören elbisesi.*
KARŞI SAYFADA Süleyman'ın Anahtarı*'nın bir versiyonundan tören asaları ve hançerler.*

# RİTÜEL VE BÜYÜ

Batılı Okültizm geleneğinde, ritüeller aracılığıyla, genellikle pratik büyü kitapları grimoire'lardan yararlanarak yapılan "törensel büyüler" ve doğa gözlemini temel alan astroloji, simya gibi "doğal büyüler" arasında belli bir ayrım gözetilir. Cadılar ve büyücülerin yaptığı törensel büyüler sıklıkla ana akım dinlerle uyumsuz kabul edilmiştir.

Bu uyumsuzluğun nedenlerinden biri, törensel büyünün de tıpkı din gibi ritüellerden yararlanması ve böylece örgütlü dinin alanını ihlal etmesidir. Belki de merasimlerini Hürmasonlar gibi resmileştirmeyi arzulayan büyülü ve okült kardeşliklerin doğuşu nedeniyle ritüeller on dokuzuncu yüzyılda daha da önem kazandı.

# TABLEAU DES INSTRUMENS.

L'Epée.

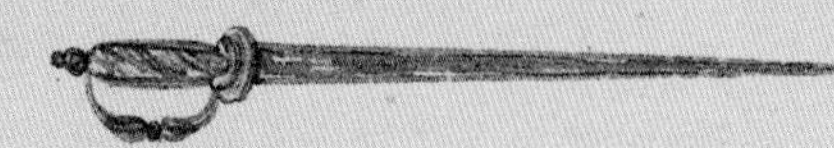

Le Stilet

Couteau pour les Victimes.

Couteau pour le Bois.

Le Burin.

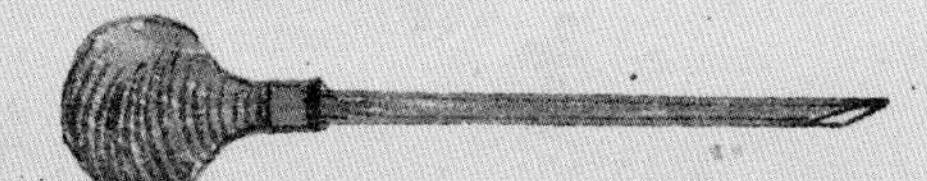

Le Canif.

Bâton pour toutes les Opérations.

Bâton pour les Opérations de Venus.

La Tasse.

L'Ecritoire.

Le Réchaud.

*Operatio Nigromantica, in qua Princeps Spirituum Malorum conjurari solet dictas Astaroth. Incipit hora undecima, et Durat usq 12 Noctis. Operatio hac periculosissima est, dificile enim est Conjuratum dimittere.*

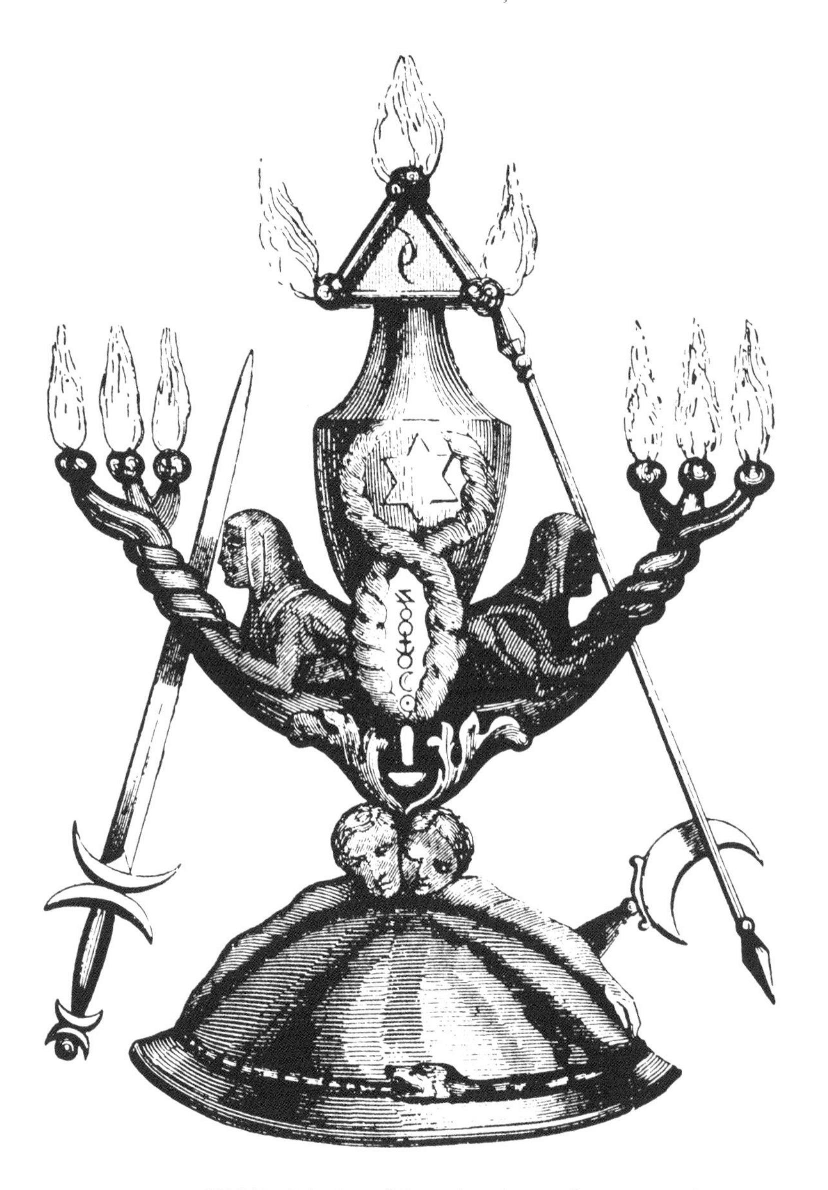

KARŞI SAYFADA *Kötü bir cini çağırmak üzere düzenlenen nekromansi ritüeli. Hançerler, bir mum, bir kılıç ve hatta bir horoz özenle yerleştirilmiş. Asma tahtaları ritüelde bir insanın da kullanılabileceğine işaret ediyor.*
YUKARIDA *Lévi'nin* Dogme et rituel de la haute magie *kitabının İngilizce çevirisinden büyü araçları tablosu.*

Éliphas Lévi'nin kitabı *Dogme et Rituel de la Haute Magie* büyünün nasıl yapılacağı konusunda önemli bir karar mekanizmasıydı. Kitapta ritüellerde kullanılacak kostümler, gereçler, semboller ve tütsü türleri bile özenle açıklanıyordu. Bu kitapta anlatılanlar Altın Şafak Hermetik Cemiyeti gibi örgütlerin ve sonunda törensel büyünün üstadı Aleister Crowley'in görüşlerini önemli ölçüde etkiledi.

Ritüelin önemi yirminci yüzyılın ilk yarısına, 1970'lerde kaos büyüsünün yükselişine dek artmaya devam etti. 1970'lerden sonra, ritüeller daha kişisel ve daha az katı bir hal aldı.

YUKARIDA *Teosofi Cemiyeti'nin mühründe Davud'un Yıldızı, yaşam çarmıhı, Swastika ve ouroboros gibi simgeler bulunur.*
KARŞI SAYFADA *Teosofi Cemiyeti kurucularından Rus asıllı Helena Blavatsky.*

# TEOSOFİ

"Tanrı'nın bilgeliği" anlamına gelen teosofi sözcüğü, varlığın ve yaratılışın gizemleri hakkındaki ezoterik veya okült bilgilerin açıklanması anlamına gelir. Bu bağlamda ilk kez on üçüncü yüzyılda kullanılan teosofi sözcüğü on dokuzuncu yüzyıldan sonra popülerleşti.

1875'te New York'ta kurulan Teosofi Cemiyeti'nin üç kurucusu vardı: Henry Steel Olcott, William Quan Judge ve en ünlüleri Helena Petrovna Blavatsky. Üçü de Batı ezoterizminden etkilenmişti ama Hindistan ezoterik geleneğinin etkilerini de taşıyorlardı. İspritizmacı, kâhin ve medyum olan Blavatsky küçük yaştan itibaren Hermetik gelenekten etkilenmiş, gizli bilgiler peşinde dünyayı dolaşmıştı. 1888'de *Gizli Doktrin*'i yayımladı ve –insanların kaderini yöneten karanlık bir klik olan– "gizli efendiler" teorisini ortaya attı.

YUKARIDA *Birliğin kurucularından Samuel Liddell MacGregor Mathers özel büyü kıyafetiyle.*
KARŞI SAYFADA *Rose Croix adıyla da bilinen Güllü Haç sembolü.*
*Birliğin her üstadı bu önemli sembolü kendi yorumuyla çizmek zorundaydı.*

# ALTIN ŞAFAK HERMETİK CEMİYETİ

12 Şubat 1888'de İngiltere'de kurulan Altın Şafak Hermetik Cemiyeti döneminin en etkili ezoterik cemiyetiydi. Hürmasonlar ve teosofistler tarafından kurulan cemiyet hem kadınlara, hem erkeklere açıktı, ünü kulaktan kulağa yayıldı ve giderek büyüdü. Tarihçi Israel Regardie'a göre amacı "Hermes'in Okült Bilimlerini ve büyü ilkelerini" öğretmekti. Derneğin Şifreli Elyazmaları olarak bilinen kuruluş bildirgesi ritüelleri ve cemiyet yapısını tarif ediyordu. Kökenleri belirsiz olan bu metin sonunda cemiyetin kurucularından William Wynn Westcott'un eline geçti ve Westcott metni bir başka kurucu üye olan Samuel Liddell MacGregor Mathers'a gösterdi.

Westcott'a göre, Şifreli Elyazmaları Alman kontes ve anlaşılan eski bir Gülhaççı olan Anna Sprengel'i işaret ediyordu. Westcott'a göre cemiyete Londra'daki ilk locası İsis-Urania Tapınağı'nı kurma iznini veren de Sprengel'di. Büyük olasılıkla hem elyazmalarını hem Sprengel'i kendisi uydurmuştu ama cemiyet için orijinal Gülhaççılara ve büyü tarihine resmi bir bağ kurmanın yoluydu bu metin.

*19. yüzyıl tarihli elle boyanmış cemiyet simgesi. Çarmıha gerilmiş insan figürü, Davud'un Yıldızı, Güneş, Ay ve diğer okült simgeleri içermektedir.*

Cemiyet hiyerarşik olarak üç seviyeye ayrılmıştı, her seviyeye bir dizi "puan" kazanarak geçiliyordu. Bu anlamda Hürmasonlara benziyorlardı (toplam on bir farklı seviye, Kabalacılık'taki Hayat Ağacı'na bağlanıyordu). Cemiyetin ilk seviyesi "Altın Şafak" olarak biliniyordu ve bu aşamada dört elementin metafizik anlamlarını çağrıştıran ritüeller yapılıyordu. İkinci seviye "Kırmızı Gül ve Altın Haç"tı, üçüncü aşama da "Gizli Şefler". Pratik büyü uygulamaları ikinci seviyede başlıyordu. Ritüeller güçlü bir Mısır etkisinin yanında Kabala'dan, Hürmasonluk'tan, büyüden, simyadan, Tarot'tan, Gülhaççılık'tan ve Enokyan büyüsünden izler taşıyordu.

Giderek büyüyen cemiyetin yüzden fazla üyesi vardı. En tanınmış üyeleri Aleister Crowley ve İrlandalı şair W. B. Yeats'ti. Yirminci yüzyılın ilk yıllarında cemiyet içindeki çekişmeler çok sayıda küçük derneğin ortaya çıkmasına neden oldu. Crowley'in büyülü A.·.A.·. derneği de bunlardan biriydi. Ayrılanlardan sonra geriye kalan "Asıl Rit" topluluğu büyülü unsurları tamamen terk etti.

*Leila Waddell Aleister Crowley'in Altın Şafak Hermetik Cemiyeti'nin dağılmasından sonra düzenlediği "Artemis'i Uyandırma Töreni"ne katılıyor. Crowley'in ilham perisi olan Waddell'in kendisi de büyücülükle uğraşıyordu – aynı zamanda başarılı bir müzisyendi.*

YUKARIDA *Aleister Crowley 1902'de, yirmi yedi yaşındayken.*
KARŞI SAYFADA *Crowley gençlik yıllarında büyücülük güçlerini sınarken.*

# Aleister Crowley

Modern dönemin en kötü şöhretli okültistlerinden Aleister Crowley, 1875'te dindar bir ailenin çocuğu olarak dünyaya geldi. 1989'da, asi bir gençlik döneminden sonra Altın Şafak Hermetik Cemiyeti'ne katıldı. Diğer üyelerle sık sık çatıştığı için ancak dernek kurucularından Samuel Liddell MacGregor Mathers'ın araya girmesiyle ikinci aşamaya geçebildi.

Yolculuk etmeyi ve dağlara tırmanmayı çok seven Crowley sürekli en aşırı ve gizemli büyülerin peşindeydi. 1900'de Arbamelin Ritüeli'ni denemek için çok özel koşullara ihtiyaç vardı; ritüeli başarıyla tamamlamak için İskoçya'daki Boleskine Evi'ni özel konumu nedeniyle satın aldı. Ritüeli tamamlamak altı ay sürecek ama sonuçta büyücü Cehennem'in On İki Efendisi'ne hükmedecekti. Ancak ritüeli yarım bıraktı ve daha sonra evi sattı.

Crowley 1904'te Mısır'a yolculuk edip Büyük Gize Piramidi'nde büyülü törenler yaptı. Koruyucu meleği Aiwass'ın *Yasa Kitabı*'nı ona Mısır'da ifşa ettiğini açıkladı. Bu metin, Crowley'in Thelema dininin temelini oluşturacaktı. Crowley, Ordo Templi Orientis derneğinin üyesi ve A∴A∴ derneğinin kurucu üyelerindendi.

Büyünün varlığına derinden inanan Crowley, basit gözbağcılık numaralarından ayırt etmek amacıyla büyüye (bir "k" harfi ekleyerek) Magick diyordu. Özellikle Enokyan büyülerine düşkündü. Kendini görünmez kılabildiğini ve bir vampirin saldırısına uğradığını iddia ediyordu.

Teatralliği çok seven Crowley, kostüm, mekân, uyuşturucular ve seksin büyü deneyiminin merkezinde yer aldığı görüşündeydi. Hayatı ihtilaflar ve sansasyonlarla doluydu. Kendisinin pek hoşuna gitmese de, Somerset Maugham, *Büyücü* (1908) romanında pek de gizlemeye gerek görmeden onu anlatmıştı.

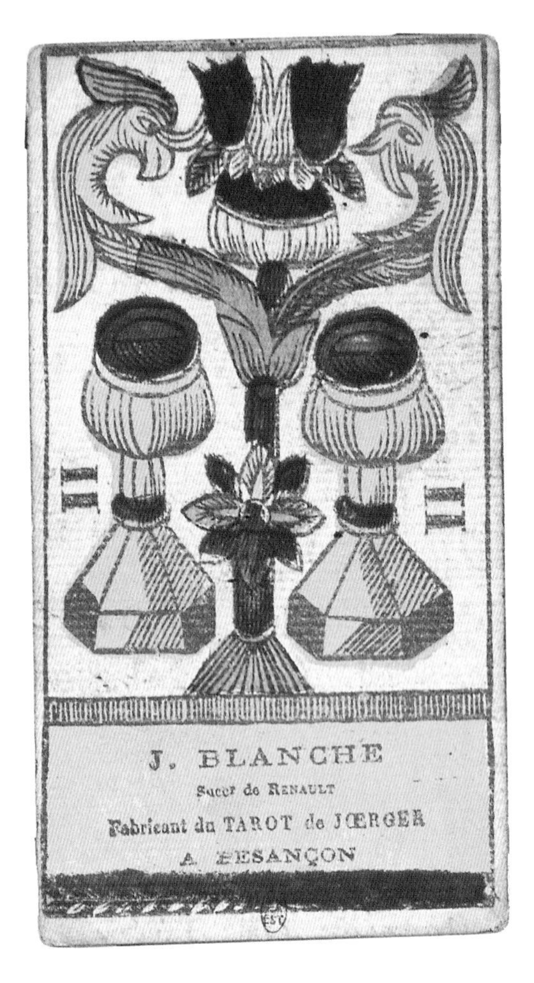


YUKARIDA VE KARŞI SAYFADA *19. yüzyıl tarihli bir Tarot destesinin kartlarından bazıları.*

# TAROT

Tarot destesini oluşturan kartlar on beşinci yüzyıldan beri kart oyunları oynamak amacıyla kullanılsa da (kuzey İtalya'da icat edildikleri söylenir) kartların okült amaçlarla kullanımı on sekizinci yüzyılda başlamıştır. Tarot destesi günümüzde genellikle fal bakmak için kullanılır.

Peki bu oyun kartı destesi nasıl doğaüstü amaçlarla kullanılır oldu? Sıradan oyun kartları on altıncı yüzyıldan beri fal bakmak için kullanılıyordu ama Tarot destesinin bu şekilde kullanılması 1700'lerde, bu kartların eski Mısır teolojisinin özeti olduğunu iddia eden Antoine Court de Gébelin'le başladı (bkz s. 293). Sonraki onyıllar içinde Éliphas Lévi, Tarot'u Kabala'yla ilişkilendirdi, Marquis Stanislas de Guaita destenin Büyük Arkana kartlarını kişinin tinsel gelişimiyle bağlantılandırdı, başkaları da Tarot'un Hermes Trismegistos'un Kitabı olduğunu iddia etti. Tarot destesini on sekizinci yüzyıl sonunda popülerleştiren Etteilla, destenin kadim Mısır'da ortaya çıktığını söylüyordu (bkz. s. 293).

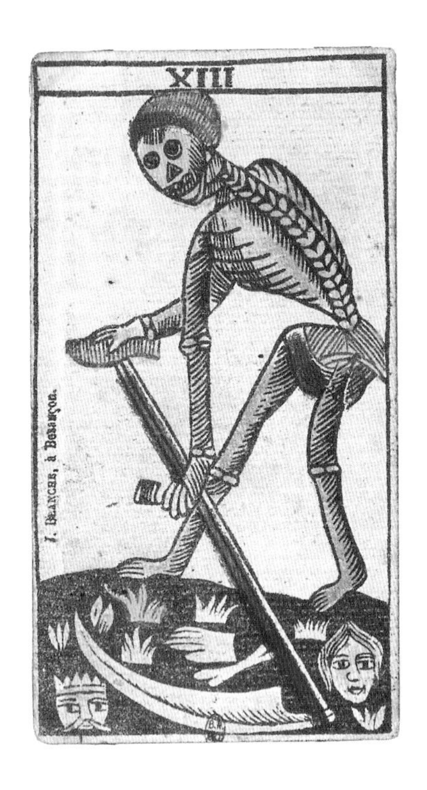
XIII

XV
LE DIABLE

XX

II
JVNON

III
LIMPERATRIS

IIII
LEMPEREVR

I
LE BATELEUR

1
LE BATELEVR

1
IL BAGATTO
IL BAGATTO
1

1 Diritto: IL RE THOT
1 Aleph
א
EL CAOS
1
א
LA NADA
Aleph 1
1 Rovescio: IL CONSULTANTE

I
THE MAGICIAN

I
THE MAGICIAN.

KARŞI SAYFADA *Çeşitli destelerden 7 Tarot kartı; büyük bölümü Sihirbaz kartının farklı yorumları.*
YUKARIDA *911 tarihli bu tabloda iki kadın kartlarla geleceği görmeye çalışıyor – o yıllarda Tarot ve falcılığa ilgi giderek yaygınlaşıyordu.*

Yetmiş iki karttan oluşan Tarot destesi Büyük Arkana ve Küçük Arkana olmak üzere ikiye ayrılır – küçük Arkana'da dört renk (bugün Pentagram, Kılıçlar, Kupalar ve Değnekler) vardır. Büyük Arkana'da yirmi iki kart vardır (Soytarı, Büyücü, Ölüm vs). Başlangıçta, Büyücü gibi bazı kartların (Hokkabaz gibi) okültizmi daha az çağrıştıran adları olduğu biliniyor.

Günümüzde Tarot kartlarının çok farklı tasarımları var. Marseilles destesi on yedinci yüzyıldan veya daha eskiden kalma, Oswald Wirth destesi (1889) de Guaita tarafından sipariş edildi. Tanınmış tasarımlardan biri de (1907'den beri çok popüler olan) Rider-Waite destesi. Aleister Crowley ve Lady Frieda Harris tarafından tasarlanan, 1969'da basılan Altın Şafak tarot kartları ise Thot Kitabı adıyla biliniyor.

# 9. Günümüzde Büyü

*Cinler tarafından ele geçirildiğine inanan bir kadın, bir şeytan çıkarma ritüeli dahilinde bir ateş çemberinin içinde uzanıyor.*

Yirminci yüzyılın ortasından itibaren büyünün tarihine kabullenme, merak ve çoğulculuk hakimdi, bir de şaşırtıcı bir yaratıcılık. Büyük ölçekli toplumsal değişiklikler –oy verme hakkının yayılması, yerleşik dinin otoritesinin giderek zayıflaması, bilgiye ulaşımın demokratikleşmesi– merak eden ve kendi kendine bilgi edinebilen bir toplum yarattı. Büyü ve büyücülük yirminci yüzyılda hâlâ eksantrik kabul edilse de, önceki dönemlerde karşılaşılan toplumsal damgalanma ve zulüm uzun zaman önce azaldı.

Aleister Crowley şüphesiz yirminci yüzyılda büyüyü etkileyen bir figürdü – insanları hem esinlendirdi hem de yabancılaştırdı. Aynı zamanda, özellikle basının konuya olan ilgisini artırdı. Onun törensel büyü anlayışı, Gerald Gardner'ın 1940'lar ve 1950'lerde yarattığı Wicca kültürünü, Anton LaVey'in Satanizm Kilisesi'nin gelişimini de etkiledi. Satanizm Kilisesi, Crowley'in düsturu olan "Ne istersen yap" sloganını bir adım daha ileri taşıyarak geleneksel toplumsal yapıyla bütün bağlarını kopardı.

Toplumun saf kesimlerinin düzenbazlar tarafından kandırıldığı düşüncesi bazı kesimleri rahatsız etti. Sahne sihirbazı ve kaçış uzmanı Harry Houdini kendini sahtekârları ifşa etmeye adadı. *Scientific American* komitesinin üyesi olarak, hakiki doğaüstü güçleri olduğunu kanıtlayan herkese ödül verileceğini duyurdu. Diğer yandan, büyüyle bilim arasındaki ilişki daha iyi anlaşılmaya başlandı. Geçen yüzyıl boyunca büyü sosyolojik, antropolojik ve psikolojik araştırmalara konu oldu ve hakkında teoriler geliştirildi.

Büyüye akademik yaklaşımın önemli örneklerinden biri "Büyü, Bilim ve Din" (1925) makalesinin yazarı Polonyalı antropolog Bronislaw Malinowski'dir (1884-1942). Büyü ve dinin yakından ilişkili olduğu tezini ortaya koyan makalede, Malinowski büyünün Güneydoğu Asya ve Papua'da (günümüzde Papua Yeni Gine) gündelik hayatta nasıl kullanıldığını ilk elden, de-

*İngiltere'deki Avebury in Wiltshire'da beyaz taşlardan örülü bir çemberin içinde beyaz cadılar. Bu cadılar, arkadaki taşı kirleten kişinin "psişik fotosunu" üretme ritüeli gerçekleştirmiş.*

*Stonehenge'de Druidler kış gündönümünü kutluyor.*

rinlikli bir şekilde inceliyordu. Son yüzyılda dünya küçüldü, anlayış ve bilgi arttı. Malinowski'nin makalesini, Carlos Castenada'nın bir Meksika Şamanı'nın geleneksel bilgeliğini konu alan ve yüz binlerce kopyası satılan *Don Juan'ın Öğretileri* (1968) takip etti. Kadim büyü teknikleri araştırılıyor, ciddiye alınıyordu.

1921'de Margaret Murray'in (1836-1963) önemli eseri *Batı Avrupa'da Cadılık Kültü* yayımlandı. Cadılık tarihini yeniden yazmayı amaçlayan Murray, on altıncı ve on yedinci yüzyılda cadı oldukları gerekçesiyle zulüm gören kadınların, kökenleri tarih öncesi çağlara giden kadim bir bereket kültünün takipçileri olduğunu öne sürüyordu. Murray'in bu tezi sorgulansa da kitap modern Wicca kültürü üzerinde etkili oldu. Büyüyü popüler hale getiren önemli kitaplardan biri de Louis Pauwels ve Jacques Bergier'in *Büyücülerin Sabahı*'ydı (1960). Okült geleneği ve komplo

YUKARIDA *New Orleans'ta bir polis memuru üzerine çiviler çakılıp özel tılsımlarla süslenmiş bir haç tutuyor. Bir kadının evinin eşiğinde bulunan bu haçın üzerinde kadının nişanlısının adı yazılı olduğundan, iki sevgiliyi ayırma amaçlı bir vudu hacı olduğu düşünülebilir.*
KARŞI SAYFADA *Modern bir büyü flaması ve tören kılıcı.*

teorilerini ayrıntılı bir şekilde inceleyen kitap, Nazilerin, özellikle de Heinrich Himmler'in okültizm ilgisi üzerinde de duruyordu.

1960'lar ve 1970'ler büyü için uygun bir dönemdi. Putkırıcı ve gürültülü popüler kültür, toplumun tabularını yıkıyor, Rolling Stones grubu gibi yeni rol modelleri aktif bir şekilde büyüyle ilgileniyor, Beatles ise Doğu gelenekleriyle amatörce ilgileniyordu. Psikoaktif uyuşturucuların giderek yaygınlaşması, mistik deneyime önem veren ve evrendeki her şeyin bağlantılı olduğunu öne süren bir Yeni Çağ felsefesinin doğuşuna yol açtı. Böylece gerçekten çoğulcu, farklı inançların uyumlu olduğunu ve birbirini tamamladığını hayal edebilen bir dünya görüşü ortaya çıktı.

Bu anarşik düşünme biçimi, sonunda okültizm dünyasında yeni bir disiplinin oluşmasına yol açtı: Kaos Büyüsü. Kaos Büyüsü konunun derin, doğaüstü kökenlerini temel alır. Gizli ve örtülü bilgilerin peşinde koşmak yerine, geleneksel büyü düşüncesini tepetaklak ederek takipçilerinden kendi ritüellerini yaratmalarını ister. Tanınmış İngiliz okültist Phil Hine, Kaos Büyüsü'nü "gizeme, yabana ve içkinliğe geçiş kapısı" diye nitelendirir. Büyü, kimi gereklilikler yüzünden çevreyi etkileme yöntemi olarak ortaya çıkmıştı ama şimdi –en azından Batı'da– daha eğlenceli, bireyin kişisel gelişimine odaklanan bir tür çevreyle bağlantı kurma yöntemi olarak görülüyor.

Büyünün yolculuğu ne yönde devam edecek? Bilim dünyasında din nasıl gelişimini sürdürdüyse, büyünün de tamamen yok olması pek mümkün görünmüyor. Hatta hiper-bağlantılı günümüz dünyası, benzer şekilde düşünenlerin tarih boyunca zulüm görmelerine neden olan bir şekilde bir araya gelmesi için yeni fırsatlar sunuyor. İnsanları büyünün peşinden gitmeye yönlendiren şeyler –çevreyi kontrol etme, evrendeki yerimizi anlama, hayatlarımızın yolunda gitmesini sağlama, kendimizi talihin cilvelerinden koruma arzusu– insan doğasının temel bir parçası. Metali altına çevirme, düşmanlarımızı engelleme, geleceği tahmin etme yönündeki hiçbir başarısızlık bu gerçeği değiştirmeyecek.

KARŞI SAYFADA *Wicca hareketinin önde gelen üyelerinden Eleanor 'Ray' Bone evinde bir ritüel yaparken. Arkasında bir İsis tablosu asılı.*
YUKARIDA *Doreen Valiente'nin ritüel sunağı. Sağ tarafta Gerald Gardner'ın* Gölgeler Kitabı*'nın bir nüshası görülüyor (bkz. s. 376)*

# WICCA

Wicca, doğayı yücelten ve aynı zamanda törensel yüksek büyü öğeleri barındıran modern, pagan, duoteist bir din olarak görülüyor. 1950'lerde Gerald Gardner tarafından (bkz. s. 376) dünyaya tanıtıldı ama köklerinin yüzyıllar, hatta binyıllar öncesine uzandığına inananlar da var. Gardner'ın öğretileri takipçileri Doreen Valiente ve Alex Sanders tarafından geliştirildi ve hareket kısa sürede Britanya Adaları'ndan dünyaya yayıldı. Bugün inanışın dünya üzerinde yarım milyondan fazla takipçisi olduğu tahmin ediliyor.

Geleneksel cadılığın olumsuz çağrışımlarını dışlayan bir tür modern ifadesi olarak da görülebilir.

"Wicca" adı, cadı anlamına gelen Eski İngilizce bir sözcükten geliyor. Wicca hareketi merkezsiz olduğundan bir Wicca'nın aslında ne olduğu tartışmalı bir konu. Bütün Wicca'ların tek ortak yanı, güneş ve ay çevrimleriyle dört önemli tarihi (ekinokslar ve gündönümleri) kutlamaları.

YUKARIDA *Wicca törenlerinde kullanılan aletlerden bir seçki: Bir tören bıçağı, bir pentagram ve bir kristal küre.*
KARŞI SAYFADA *Wiccan'lar Amsterdam yakınlarındaki terk edilmiş bir kilisede gerçekleştirecekleri ritüel için bir çember oluşturuyor.*

Wicca Rede'si (ya da yasaları), 1964'te Valiente tarafından özetlendiği üzere, oldukça basit: "Wicca yasası sekiz sözcüktür: Kimseye hiçbir zarar vermediğin sürece ne istiyorsan yap." Wicca inancında iki tanrıya ya da güce inanılır: Boynuzlu Tanrı ve Ay Tanrıçası. Bunlar Kutsal Eril ve Kutsal Dişi'yi simgeler.

Wicca'ların çoğu büyüyü dinin gereği kabul eder ama (sol elin yolu denen) Satanizm'le karıştırılmaması için sık sık "ak büyü" ya da "sağ elin yolu" olarak nitelendirirler. Wicca kutlamaları genellikle bir asa ya da kılıçla çizilen ve önemli noktalarına beyaz mumlar yerleştirilen kutsal bir çember oluşturularak yapılır.

Büyü geleneğinde ritüeller için bir sunak ve bazen de dört elementi simgeleyen nesneler kullanılır. Diğer önemli objeler pentagram (beş köşeli yıldız), bir kadeh ve bıçaktır. Son ikisi sırasıyla dişi ve erkek güçleri temsil eder.

*Gerald Gardner, 1951. Elinde Aleister Crowley'in sahibi olduğu bir asa var.*

# Gerald Gardner

1884'te İngiltere'de doğmasına rağmen, Gerald Gardner dönüştürücü deneyimlerini Asya'da yaşadı. Madeira'da büyüdü ve on altı yaşında Seylan'a (Sri Lanka), on bir yıl sonra da (şimdi Malezya'nın parçası olan) Malaya'ya taşındı. Burada Malay büyüsünden etkilendi, kauçuk plantasyonlarında çalışırken törensel büyü ve sihirli silahlar konusunda araştırmalar yaptı.

Gardner'in büyülü yolculuğu, 1936'da devlet hizmetinden ayrılıp eşiyle birlikte İngiltere'ye döndükten sonra başladı. Bundan önce, 1927'de İngiltere'ye yaptığı bir yolculukta spiritüalizmle tanışmış (bir seansa katılmış) ve 1932'de paganizmle ilgilenmeye başlamıştı. Ancak yaklaşan savaş ve bombalanma korkusu Gardner'ın New Forest'ın güneyinde küçük bir kasaba olan Highcliffe'in göreceli huzuruna sığınmasına yol açtı.

Highcliffe'te gizemcilik temalı tiyatro oyunları sergileyen Gülhaççı Crotona Kardeşlik Birliği'yle bağlantı kurdu. Bu bağlantı aracılığıyla, büyü yapmak amacıyla buluşan New Forest Cadılar Meclisi'yle tanıştı. 1939 Eylülü'nde meclise kabul edildi. Gardner'ın anlattığına göre, 1944'e kadar varlığını sürdüren meclis 1940'ta Hitler'in ordusunun Manş Tüneli'ni geçmesini engellemek için bir ritüel gerçekleştirdi. Bu ritüelde Almanya'ya yönelttikleri bir "güç konisi" dikmişlerdi.

Gardner, Druidlere de ilgi duymaya başladı ve 1947'de, ölümünden kısa süre önce Aleister Crowley'le tanıştı. Crowley'in Gardner'ı Ordo Templi Orientis'e üye yaptığı söylenir. ABD'de bulunduğu 1948'de Gardner vudu konusunda bilgi almak için New Orleans'a gitti.

1950'lerde, "Wicca" adını verdiği modern cadılık yorumu üzerinde çalışmaya başladı. Bu amaçla büyüleri ve ritüelleri derlediği, *Gölgeler Kitabı* adlı bir grimoire hazırlamaya başladı. *Günümüzde Cadılık* (1954) adlı bir kitap yazdı ve Wicca dinini tanıtmak için basınla ilişki kurdu. 1964'te öldü.

*Gardner, Isle of Man'deki Cadılar Değirmeninde iş başında. Sol taraftaki süpürge dikkat çekiyor.*

# MODERN KÜLTÜRDE BÜYÜ

Amerikalı yazar H. P. Lovecraft (1890-1937) fantezi edebiyatın öncülerindendi. Cthulhu adıyla bilinen şeytani bir tanrının adını taşıyan kurmaca bir evren olan Cthulhu mitini yarattı. Lovecraft'ın yaratısı Kaos Büyüsü üzerinde etkili oldu, Anton LaVey, Lovecraft'ın eserlerini Satanizm Kilisesi ritüellerine kattı. Diğer yandan, Harry Houdini, büyünün ve büyücülerin sahtekârlığını anlatan bir kitap yazması için Lovecraft'la anlaşmıştı. Tamamlanmayan kitabın adı *Batıl İnanç Kanseri*'ydi.

Yirminci yüzyıl ortasında yükselişe geçen fantezi edebiyatın ilk ve en önemli temsilcileri J. R. R. Tolkien ve C. S. Lewis'ti. Tolkien, fantastik yaratıklar ve yenilmez kötü ruhları konu alan kitaplarını yazarken –özellikle *Hobbit* (1937) ve *Yüzüklerin Efendisi* (1954-1955)– Kuzey Avrupa mitolojisi ve büyüsünden faydalandı. Sihirle savaşan büyücüleri anlattı – *Yüzüklerin Efendisi*'nin kahramanlarından büyücü Gandalf, bir simya sürecinden geçerek griyken beyaza dönüşüyordu.

Daha yakın zamanda, J. K. Rowling'in *Harry Potter* serisi (1997-2007) büyü tarihinden farklı öğeleri –felsefe taşı, Nicolas Flamel– bir araya getirerek pratik büyüye duyulan ilgiyi artırdı, büyüyle ilgili eski klişeleri yeniden yarattı.

KARŞI SAYFADA *Satanizm Kilisesi lideri Anton LaVey.*
YUKARIDA *Büyü son dönemlerde filmlerde sıklıkla karşımıza çıkıyor.* Yüzüklerin Efendisi: Kral'ın Dönüşü*'nün (2003) bu sahnesinde Gandalf atının sırtında Minas Tirith'e doğru ilerliyor.*

*Erik Satie'nin Ordre de la Rose-Croix Catholique, du Temple et du Graal'ın özel bestecisi olduğu 1891'de bestelediği 'Sonneries de la Rose + Croix'nın ilk sayfası.*

*Robert Johnson'ın blues'da ustalaşmak için ruhunu Şeytan'a sattığı yer olduğu rivayet edilen Dört Yol Ağzı.*

Müzik ve büyü arasındaki bağ çok eskilere uzanır. Klasik dönemde, Erik Satie ve Claude Debussy gibi isimler Gülhaççı'ydılar. Yirminci yüzyıl başında, blues şarkıcısı Tommy Johnson gitar çalabilmek için ruhunu vudu tanrısı Papa Legba'ya sattığını iddia etti. Robert Johnson'ın "Cross Road Blues" (1937) şarkısı, kökeni Hekate'ye (bkz. s. 70) uzanan bir geleneğe gönderme yapıyordu. Avrupa'da folk müziğinin yükselişi kadim pagan geleneklerinin yeniden keşfi ve psikoaktif uyuşturucuların kullanımının yaygınlaşmasıyla eş zamanlı ilerledi.

1960'larda rock müzik popülerleşti, New Age hareketi ve Satanizm doğdu. David Bowie hayatının sonunda, '★' ("Blackstar", 2015) için hazırladığı video klipte okült imgelere başvurdu. Led Zeppelin'in kurucusu Jimmy Page, Crowley'in Abramelin ritüelini gerçekleştirmeye çalıştığı evi satın aldı.

1970'lerde, İngiliz müzisyen ve performans sanatçısı Genesis P-Orridge, Brion Gysin ve William S. Burroughs gibi karşı kültür figürleriyle yakınlaştı. İngiliz sanatçı ve okültist Austin Osman Spare'in (bkz. s. 386) eserlerinden etkilendi. Amerika'da, New Orleans doğumlu şarkıcı Dr. John, ilk albümü *Gris-Gris*'yi (1968) vuduya adadı.

*Dion Fortune'un ender gençlik fotoğraflarından biri.*

# Dion Fortune

1890'da Galler'de doğan Dion Fortune, yirminci yüzyılın en tanınmış büyücü ve medyumlarından biriydi. İlk görülerini –Atlantis'e dair– henüz beş yaşındayken deneyimlediği, yirmi yaşında psişik güçlerinin tamamen geliştiği söylenir.

Teosofi Derneği'nin üyesi olan Fortune, Altın Şafak Hermetik Cemiyeti'nin bir başka kolu olan Alpha et Omega'nın da üyesiydi. Ancak bir tür "psişik saldırıya" uğradığını –kara büyüye maruz kaldığını– söyleyerek Stella Matutina derneğine geçti. Bugün, İç Işık Kardeşliği'ni kurmasıyla hatırlanıyor.

Büyücülerin çoğu gibi Fortune da yaratıcı biriydi ve 1919'da çoğu büyü ve gizemcilik konularını işleyen kurmaca eserlerini yayımlamaya başladı. Önemli kitaplarından bazıları Wicca ve Tanrıça hareketleri üzerinde etkili olan *Deniz Rahibesi* (1935) ve Hermetik Kabala'nın yeniden popülerleşmesinde büyük katkısı olan *Mistik Kabala*'dır (1935).

İkinci Dünya Savaşı'nın patlak vermesi, yakın dönem büyü tarihinin en ilginç olaylarından birine yol açtı. Savaş boyunca sürekli İç Işık Kardeşliği üyelerine yazan Fortune, "psişik direniş" yöntemiyle savaşa katkıda bulunmanın ipuçlarını açıkladı.

Bir süre büyüyle ilişkilendirilen Glastonbury Tor tepesinin eteklerinde bir evde yaşayan Fortune, İç Işık Kardeşliği'nin temelindeki felsefe olan Arthur Formülü'nün kendisine burada ifşa edildiğini iddia etti. 1946'da ölen Fortune'un kurduğu cemiyet bugün hâlâ varlığını sürdürüyor.

First Cheap Edition, 3/6

PSYCHIC SELF-DEFENCE

PRACTICAL INSTRUCTIONS FOR THE DETECTION OF PSYCHIC ATTACKS, & DEFENCE AGAINST THEM

by

Dion Fortune

THERE HAVE BEEN MANY ATTACKS UPON OCCULTISM BY THOSE WHO ARE ALIVE TO THE DANGERS AND ABUSES TO WHICH IT IS LIABLE, BUT THIS IS THE FIRST TIME THAT A PROFESSED OCCULTIST HAS REVEALED WHAT HAPPENS BEHIND THE CAREFULLY GUARDED DOORS OF BLACK LODGES AND WHAT IS DONE BY BLACK OCCULTISTS WHEN ATTACKING OR ATTACKED

*Fortune'un pratik büyüye odaklanan kitapları çok başarılı oldu.*

YUKARIDA *16. yüzyılda Lorenzo Lotto tarafından hayal edildiği haliyle Kaos'un İlk Hali.*
KARŞI SAYFADA *Austin Osman Spare'in bir sunak önünde dua eden kadın tablosu. Sunak üzerindeki nesnelerden biri Spare'in Zos Kia Cultus olarak da bilinen felsefesiyle ilişkilidir (bkz. s. 386).*

# KAOS BÜYÜSÜ

Yirminci yüzyıl sonunda, potansiyel büyü kaynakları sayıca giderek artarken, bir büyü meraklısı için hangi ekolü tercih edeceğine karar vermek zorlaşmıştı. Kaos Büyüsü tamlaması yıkım ve anarşiyi çağrıştırsa da, temelde evrenin çoğulcu yapısını kabul ediyor, büyü ve büyücülüğe giden farklı yollar olduğunu söylüyordu.

Kaos Büyüsü kavramı iki ana kaynaktan besleniyordu: Austin Osman Spare'in çalışmaları ve Peter J. Carroll'ın yazıları. Carroll'ın *Liber Null* (1978) ve *Psychonaut*'ı (1982) Kaos Büyüsü'nün iki kilit metniydi. Carroll, Kaos Büyüsü'nü şöyle tarif ediyordu: "Kaosçular, inancın yalnızca istenen etkiyi yaratmanın aracı olduğu üst inancına sahiptirler, inanç kendi başına bir amaç değildir." Bir başka deyişle, inanç bir ruh halidir – kendi gerçekliklerini ve bu gerçekliğe uygun kurallarını yaratmak kişiye kalmış bir şeydir.

1906·AOS
KIĀ

*Austin Osman Spare'in 1953 tarihli bir portresi.*

# Austin Osman Spare

1886'da Londra'da doğan Austin Osman Spare, çağdaş büyü geleneğini herkesten çok etkilemiş bir isimdi. Sanat eğitimi aldı ve art nouveau tarzında eserleriyle genç yaşta ünlendi. Diğer yandan otomatik yazma ve çizme yöntemleriyle ilgilendi ve Agrippa, Madam Blavatsky ve Éliphas Lévi'nin çalışmalarından etkilendi. Okültizme duyduğu ilgi zamanla sanatını besleyen bir kaynağa dönüştü.

Spare'in yayımlanan ilk eserlerinden biri *Haz Kitabı* (1913) adlı bir grimoire'dı ve yalnızca resimlerden oluşuyordu, içinde hiç yazı yoktu. Spare, kitabı "yazarken" istenen belli bir sonucu ifade eden sözcüklerin sıkıştırılıp soyutlaştırılarak bir dizi mühre dönüştürüldüğü bir tür "arzu alfabesi" yarattı. Süreç dört aşamadan meydana geliyordu. Önce istenen sonuç sözcüklerle ifade ediliyor, sonra yinelenen bütün harfler siliniyordu. Sonra, ifade bir tür meditasyon ya da esrik dansla "yükleniyor" ve son olarak unutulmasına, bilinçdışında kaybolmasına izin veriliyordu. Bu noktada büyü etkin hale geliyordu.

Spare, yeniyetmeliğinde "cadı ana" dediği gizemli bir kadından büyü eğitimi aldığını iddia ediyordu. Bu iddianın kendi öyküsünü efsaneleştirme çabası olduğunu tahmin etmek zor değil. Ancak Spare'in 1908'de Aleister Crowley'le tanışıp 1912'ye kadar A∴A∴ üyesi olduğu biliniyor. Zamanla törensel büyünün hiyerarşisinden ve resmiyetinden hoşlanmayıp Crowley'le ters düştü. Yıllar sonra, 1950'lerde Gerald Gardner'la tanıştı ve mühürlerini kullanarak Gardner için bir tılsım yarattı.

Spare, çağdaş büyü çevrelerinde Zos Kia Cultus diye bilinen kendine özgü felsefesiyle tanınır. "Zos" insan zihni demektir, "Kia" da evrensel anlamına gelir. Spare'in felsefesi pek çok açıdan mikrokozmos ve makrokozmos ilkesinin yeniden yorumudur, Çin'in Tao geleneğine de yakındır. Gerçeküstücü sanatçıların çoğu gibi Spare de bilinçdışının gücüne inanıyor, büyü yeteneğinin baskılanmış arzulardan kaynaklanabileceğini öne sürüyordu.

*Austin Osman Spare'in kendini bir büyücü olarak resmettiği otoportresi.*

# ÇAĞDAŞ BÜYÜ

Teknoloji çağında paganizmin yeniden popüler olması belki de kaçınılmaz bir şeydi. Hayatın dijitalleşmesi ve sekülerleşmesi karşısında insanların kaçınılmaz olarak doğaya daha yakın, daha temel bir şeyler aramasında şaşılacak bir şey yok.

Neopaganizm, çok eskide, Hıristiyanlık öncesi dönemden kalma gelenekleri temel alan bir dizi Yeni Çağ inanç sistemini tarif etmekte kullanılan kapsayıcı bir terimdir. Kökenlerinin Rönesans'a uzandığı öne sürülen neopaganizm, on sekizinci yüzyılın sonunda yerel halk hikâyeleriyle büyülerin Romantik akımla canlanışıyla güçlendi. Yakın tarihlerde yeniden doğayla ve toprakla bağlantı kurmayı amaçlayan ekoloji hareketi gibi akımların ortaya çıkışı da Neopaganizmi destekledi.

Neopaganizmin kollarından biri de neoşamanizmdir. Animizm unsurlarını barındıran neoşamanizm, dünyayla daha sağlam bir bağlantı haline dönüş denemesidir. Takipçileri davul çalma, ritüel danslar ve psikoaktif maddeler aracılığıyla başka bilinç seviyelerine ulaşmayı hedeflerler. Avrupa cadılık geleneğindeki "kişiye yakın ruhları" andıran "kudret hayvanı" inanışına da sahip çıkarlar.

*İsveç'teki Ásatrú Cemiyeti'ne özgü bahar blót'u için (Nors tanrıları adına düzenlenen adak töreni) adaklarla bezenmiş sunak. Arpa, şarap ve portakalların yanında Nors bereket tanrısı Freya'nın resmi göze çarpıyor.*

*Avustralya, Melbourn'da bir cadı, "Her tür cadılık, büyücülük, sihir ve gözbağcılığın kullanımını" yasaklayan 200 yıllık yasanın yürürlükten kaldırılmasından sonra evinde özel bir ritüel düzenliyor.*

Büyücülüğün yeniden keşfi, yirminci yüzyıl boyunca filizlenen feminist hareketle de doğrudan ilişkilendirilebilir. Geçmişin tanrıçaları –pek çok başka tanrıçanın yanında Diana, Ceres, Artemis ve Freya– tek bir "kutsal dişi"nin tezahürleri olarak görülür. Cadılık ve büyücülüğe duyulan yeni ilginin merkezinde, eskiden beri insanları kendine çeken bereket miti –özellikle de toprağın bereketi– yatar. Amerikalı mitoloji uzmanı Joseph Campbell'in dediği gibi: "Kadın büyüsü ve toprak büyüsü aynı şeydir."

İnternet, okült meraklılarının birbiriyle tanışması ve ritüelleri sanal olarak birlikte kutlaması için sayısız fırsat sunuyor. Tabii her şey her zaman yolunda gitmeyebiliyor: 2012'de, Massachusetts, Salem'deki bir kütüphaneye, üyelerinin "okült" konuları ele alan internet sitelerine –Wicca kültürü hakkında olanlar da dahil– erişimini yasakladığı gerekçesiyle Amerikan Sivil Haklar Birliği tarafından dava açıldı. Dava Birlik lehine sonuçlandı.

# OKUMA LİSTESİ

Buradaki kitaplar genel okur kitlesine hitap eder ve kolaylıkla bulunabilir. Astroloji, simya vb özel konulara dair tavsiyeler, ilgili bölümün başlığı altında verilmiştir.

**Genel**


Matilde Battistini, *Astrology, Magic, and Alchemy in Art* (çev. Rosanna M. Giammanco Frongia), Los Angeles: The J. Paul Getty Museum, 2007

David J. Collins (ed.), *The Cambridge History of Magic and Witchcraft in the West: From Antiquity to the Present*, New York and Cambridge: Cambridge University Press, 2015

Brian Copenhaver, *The Book of Magic: From Antiquity to the Enlightenment*, Londra: Penguin Classics, 2015 Owen Davies, *Magic: A Very Short Introduction*, Oxford: Oxford University Press, 2012

Nevill Drury, *Magic and Witchcraft: From Shamanism to the Technopagans*, Londra: Thames & Hudson, 2004

Antoine Faivre, *Access to Western Esotericism* (Suny Series, Western Esoteric Traditions), New York: SUNY Press, 1994

Antoine Faivre, *Western Esotericism: A Concise History* (SUNY Series in Western Esoteric Traditions) (çev. Christine Rhone), New York: SUNY Press, 2010

James George Frazer, *The Golden Bough: A Study in Magic and Religion: A New Abridgement from the Second and Third Editions*, Oxford: Oxford University Press, 2009

Fred Gettings, *Encyclopedia of the Occult*, Londra: Rider & Co, 1986

Fred Gettings, *Visions of the Occult: A Visual Panorama of the Worlds of Magic, Divination and the Occult*. Londra: Guild Publishing Ltd, 1987

Grillot de Givry, *Witchcraft, Magic and Alchemy* (çev. J. Courtenay Locke), Mineoloa, New York: Dover Publications Inc., 2009 [1931]

Joscelyn Godwin, *The Golden Thread: The Ageless Wisdom of the Western Mystery Tradition*, Wheaton, Illinois: Quest Books, 2007

Susan Greenwood, *The Illustrated History of Magic and Witchcraft*, Wigston: Anness Publishing, 2011

Manly P. Hall, *Secret Teachings of All Ages*, New York: Jeremy P. Tarcher, 2004

Francis King, *Magic: The Western Tradition*, Londra: Thames & Hudson, 1975

Christopher Partridge, *The Occult World*, Abingdon: Routledge, 2015

Alexander Roob, *Alchemy & Mysticism (Hermetic Museum)*, Köln: Taschen, 2014


**1: Kadim Büyü**


Tzvi Abusch, *Mesopotamian Witchcraft: Towards a History and Understanding of Babylonian Witchcraft Beliefs and Literature*, Leiden: Brill, 2002

Tzvi Abusch ve Karel van der Toorn, *Mesopotamian Magic: Textual, Historical and Interpretative Perspectives*, Leiden: Brill, 2000

Michael Baigent, *Astrology in Ancient Mesopotamia: The Science of Omens and the Knowledge of the Heavens*, New York: Bear & Co., 2015

Jeremy Black ve Anthony Green, *Gods, Demons and Symbols of Ancient Mesopotamia*, Austin: University of Texas Press, 1992

Bob Brier, *Ancient Egyptian Magic*, New York: William Morrow Paperbacks, 1998

Nicholas Campion, *A History of Western Astrology*, 2 vols, New York: Continuum, 2006, 2009

Walter Farber, 'Witchcraft, Magic, and Divination in Ancient Mesopotamia', in Jack M. Sasson (ed.), *Civilizations of the Ancient Near East*, C. 3, New York: Charles Scribner's Sons, 1995

Migene González-Wippler, *The Complete Book of Amulets & Talismans* (Llewellyn's Sourcebook), Woodbury, Minnesota: Llewellyn, 1991

Geraldine Pinch, *Magic in Ancient Egypt*, University of Texas Press, 2010

Kasia Szpakowska (ed.), *Through a Glass Darkly: Magic, Dreams, and Prophecy in Ancient Egypt*, Swansea: Classical Press of Wales, 2006

Richard Wilhelm ve Cary F Baynes (çev.), *I Ching or Book of Changes*, New York: Arkana, 1989


**2: Yunan ve Roma Büyüsü**


Gideon Bohak, *Ancient Jewish Magic: A History*, Cambridge: Cambridge University Press, 2008

Derek Collins, *Magic in the Ancient Greek World*, Hoboken: Wiley Blackwell, 2008

Brian Copenhaver, *Hermetica: The Greek Corpus Hermeticum and the Latin Asclepius in a New English Translation: With Notes and Introduction*, 2008, Cambridge: Cambridge University Press

Christopher A. Faraone, *Talismans and Trojan Horses: Guardian Statues Ancient Greek Myth and Ritual*, Oxford: Oxford University Press, 1992

Christopher A. Faraone, *Ancient Greek Love Magic*, Cambridge, Massachusetts: Harvard University Press, 1999

Christopher A. Faraone ve Dirk Obbink (ed.), *Magika Hiera: Ancient Greek Magic and Religion*. New York and Oxford, 1991

John G. Gager, *Curse Tablets and Binding Spells from the Ancient World*, Oxford: Oxford University Press, 1992

Fritz Graf, *Magic in the Ancient World* (çev. Franklin Philip), Cambridge, Massachusetts: Harvard University Press, 1997

Gary Lachman, *The Quest for Hermes Trismegistus: From Ancient Egypt to the Modern World*, Edinburgh: Floris, 2011

Georg Luck, *Arcana Mundi: Magic and the Occult in the Greek and Roman World – A Collection of Ancient Texts*, Baltimore: John Hopkins Universtiy Press, 2006

Daniel Chanan Matt, *The Essential Kabbalah: The Heart of Jewish Mysticism*, New York: HarperOne, 1995

Marvin W. Meyer ve Richard Smith, *Ancient Christian Magic*, Princeton: Princeton University Press, 1999

Daniel Ogden, *Night's Black Agents: Witches, Wizards and the Dead in the Ancient World*, Londra: Bloomsbury Academic, 2008

Roelof Van Den Broek ve Wouter J. Hanegraaff (ed.), *Gnosis & Hermeticism from Antiquity to Modern Time* (SUNY Series in Western Esoteric Traditions), New York: State University of New York Press, 1997


**3: Kuzey Büyüleri**


Sioned Davies (çev.), *The Mabinogion*, Oxford: Oxford World's Classics, 2008

Jeffrey Gantz, *Early Irish Myths and Sagas*, Londra: Penguin Classics, 2000

Richard Heygate ve Philip Carr-Gomm, *The Book of English Magic*, Londra: Hodder Paperbacks, 2010

Ronald Hutton, *Blood and Mistletoe: The History of the Druids in Britain*, New Haven: Yale University Press, 2011

Carolyne Larrington (çev.), *The Poetic Edda*, Oxford: Oxford World's Classics, 2014

Thomas Malory, *Le Morte d'Arthur* (çev. Janet Cowen), Londra: Penguin, 2004

Stephen A. Mitchell, *Witchcraft and Magic in the Nordic Middle Ages* (The Middle Ages Series), Philadelphia: University of Pennsylvania Press, 2013

Nigel Pennick, *Pagan Magic of the Northern Tradition: Customs, Rites, and Ceremonies*, New York: Destiny Books, 2015

Snorri Sturlson, *The Prose Edda: Norse Mythology* (çev. Jesse L. Byock), Londra: Penguin Classics, 2005

Edred Thorsson, *Runelore: The Magic, History, and Hidden Codes of the Runes*, Newburyport: Weiser, 1987

**4: Ortaçağ'da Büyü**

Robert Bartlett, *The Natural and the Supernatural in the Middle Ages* (The Wiles Lectures), Cambridge: Cambridge University Press, 2008

Owen Davies, *Grimoires: A History of Magic Books*, Basingstoke: Palgrave Macmillan, 2010

Valerie Irene Jane Flint, *The Rise of Magic in Early Medieval Europe*, Princeton: Princeton University Press, 1994

K. Jolly, C. Raudvere ve E. Peters (ed.), *The Athlone History of Witchcraft and Magic in Europe, Volume 3: The Middle Ages*, Londra: Athlone, 2002

Richard Kieckhefer, *Magic in the Middle Ages*, Cambridge: Cambridge University Press, 2000

Stanislas Klossowski de Rola, *Alchemy: The Secret Art* (Art and Imagination), Londra: Thames & Hudson, 2013

Anne Lawrence-Mathers ve Carolina Escobar-Vargas, *Magic and Medieval Society*, New York: Routledge, 2014

P. G. Maxwell-Stuart (ed.), *The Occult in Medieval Europe 500–1500*, Basingstoke: Palgrave Macmillan, 2005

Catherine Rider, *Magic and Religion in Medieval England*, Londra: Reaktion, 2013

**5: Rönesans'ta Büyü**

Heinrich Cornelius Agrippa von Nettesheim, *The Three Books of Occult Philosophy: A Complete Edition* (ed. Donald Tyson), Woodbury, Minnesota: Llewellyn, 1993

Stuart Clark, *Thinking with Demons: The Idea of Witchcraft in Early Modern Europe*, Oxford: Oxford University Press, 1997

Ioan P. Culianu, *Eros and Magic in the Renaissance*, Chicago: University Of Chicago Press, 1987

A. Debus ve I. Merkel (ed.), *Hermeticism and the Renaissance: Intellectual History and the Occult in Early Modern Europe*, Washington: Folger Books, 1988

Stanislas Klossowski de Rola, *The Golden Game: Alchemical Engravings of the Seventeenth Century*, Londra: Thames & Hudson, 1988

Christopher S. Mackay (çev.), *The Hammer of Witches: A Complete Translation of the Malleus Maleficarum*, Cambridge: Cambridge University Press, 2009

John S. Mebane, *Renaissance Magic and the Return of the Golden Age: The Occult Tradition and Marlowe, Jonson, and Shakespeare*, Lincoln: University of Nebraska Press, 1992

Edward Peters ve Alan Charles Kors (eds), *Witchcraft in Europe, 400–1700: A Documentary History*, Lincoln: University of Pennsylvania Press, 2000

Liana Saif, *The Arabic Influences on Early Modern Occult Philosophy* (Palgrave Historical Studies in Witchcraft and Magic), Basingstoke: Palgrave Macmillan, 2015

D. P. Walker, *Spiritual and Demonic Magic: From Ficino to Campanella* (Magic in History), Philadelphia: Pennsylvania State University Press, 2000

Benjamin Woolley, *The Queen's Conjuror: The Science and Magic of Dr Dee*, Londra: Flamingo, 2002

Frances A. Yates, *Giordano Bruno and the Hermetic Tradition*, Chicago: University Of Chicago Press, 1991

Frances A. Yates, *The Occult Philosophy in the Elizabethan Age*, New York: Routledge, 2001

**6: Büyücülük Dünyası**

Alexandra David-Neel, *Magic and Mystery in Tibet*, Mineola: Dover Publications, 1971

Thomas A. DuBois, *An Introduction to Shamanism*, Cambridge: Cambridge University Press, 2009

Mircea Eliade, *Shamanism: Archaic Techniques of Ecstasy*, Princeton: Princeton University Press, Bollingen Series, 2004

Tong Enzheng, 'Magicians, Magic, and Shamanism in Ancient China', in *Journal of East Asian Archaeology*, C. 4, S. 1, s. 27–73, 2002

Graham Harvey, *Shamanism: A Reader*, New York: Routledge, 2002

Philip A. Kuhn, *Soulstealers: The Chinese Sorcery Scare of 1768*, Cambridge, Massachusetts: Harvard University Press, 2006

Ireneus Laszlo Legeza, *Tao Magic: The Chinese Art of the Occult*, New York: Pantheon Books, 1975

**7: Aydınlanma'da Büyü**

Owen Davies and Willem de Blécourt, *Beyond the Witch Trials: Witchcraft and Magic in Enlightenment Europe*, Manchester: Manchester University Press, 2004

John V. Fleming, *The Dark Side of the Enlightenment: Wizards, Alchemists and Spiritual Seekers in the Age of Reason*, New York: W. W. Norton, 2013

Wouter J. Hanegraaff, *Esotericism and the Academy: Rejected Knowledge in Western Culture*, Cambridge: Cambridge University Press, 2014

Paul Kléber Monod, *Solomon's Secret Arts: The Occult in the Age of Enlightenment*, New Haven: Yale University Press, 2013

Lynn Picknett ve Clive Prince, *The Forbidden Universe: The Occult Origins of Science and the Search for the Mind of God*, Londra: Constable, 2011

Frances Yates, *The Rosicrucian Enlightenment*, New York: Routledge Classics, 2001

**8: Büyünün Dirilişi**

Francis Barrett, *The Magus: A Complete System of Occult Philosophy*, San Francisco: Red Wheel/Weiser, 2000

H. P. Blavatsky, *Secret Doctrine*, New York: Jeremy P. Tarcher, 2009

Aleister Crowley, *Magick: Liber ABA* (Book 4), San Francisco: Red Wheel/ Weiser, 1994

Eliphas Levi, *Transcendental Magic: Its Doctrine and Ritual* (trans. Arthur Edward Waite), Martino Fine Books, 2011

S. L. MacGregor Mathers (trans.), *The Book of the Sacred Magic of Abramelin the Mage*, New York: Dover, 1975

Israel Regardie, with John Michael Greer, *The Golden Dawn: The Original Account of the Teachings, Rites, and Ceremonies of the Hermetic Order*, Woodbury, Minnesota: Llewellyn Publications, 2016

Arthur Edward Waite, *The Book of Ceremonial Magic*, New York: Citadel Press, 1986

**9: Günümüzde Büyü**

Margot Adler, *Drawing Down the Moon: Witches, Druids, Goddess-Worshippers, and Other Pagans in America*, Londra: Penguin, 1997

Franz Bardon, *Initiation into Hermetics*, Holladay: Merkur Publishing Company, 2015

Raymond Buckland, *Buckland's Complete Book of Witchcraft* (Llewellyn's Practical Magick), Woodbury, Minnesota: Llewellyn, 2002

Peter J. Carroll, *Liber Null & Psychonaut: An Introduction to Chaos Magic*, San Francisco: Red Wheel/Weiser, 1987

Julius Evola ve the UR Group, *Introduction to Magic: Rituals and Practical Techniques for the Magus*, New York: Inner Traditions, 2001

Gerald Gardner, *Witchcraft Today*, New York: Citadel Press,

Ronald Hutton, *The Triumph of the Moon: A History of Modern Pagan Witchcraft*, Oxford: Oxford University Press, 2001

C. G. Jung, *Psychology and Alchemy*, New York: Routledge, 1980

Louis Pauwels ve Jacques Bergier, *The Morning of the Magicians (Mysteries of the Universe)* (çev. Rollo Mays), Londra: Souvenir Press, 2011

Robert Place, *The Tarot: History, Symbolism, and Divination*, New York: TarcherPerigee, 2005

Starhawk, *The Spiral Dance: A Rebirth of the Ancient Religion of the Goddess*, New York: HarperOne, 1999

# ZİYARET EDİLECEK SİHİRLİ YERLER

Aşağıda büyü ve büyücülük, okült ve cadılıkla ilişkili müzelerin, kitabevlerinin, dükkânların ve kütüphanelerin bir listesi verilmiştir. Açılış saatleri ve giriş ücretleri için ilgili yerin internet sitesine bakılabilir; bu mekânlardan bazılarının sadece randevuyla ziyaretçi kabul ettiğini hatırlatırız.

**Bolivya**
*Mercado de las Brujas* Melchor Jimenez, La Paz
Bolivya büyülerinde kullanılan şifalı bitkiler ve kurutulmuş hayvanların satıldığı ünlü bir "cadı pazarı".

**Çek Cumhuriyeti**
*Museum of Alchemists and Magicians of Old Prague (Eski Prag Simyacı ve Büyücü Müzesi)*
Jánski Vršek 8, Prague 1
www.muzeumalchymistu.cz

*Museum of Alchemy (Simya Müzesi)*
Haštalská 1, 110 00, Prague 1
www.alchemiae.cz
Simya ve simyacılık tarihi konusunda Avrupa'nın en ileri gelen kenti olan Prag'da iki simya ve simyacılık müzesi.

**Danimarka**
*Astrology Museum of Copenhagen* (Kopenhag Astroloji Müzesi)
Teglgården (Astrologihuset), Teglværksgade 37, 2100 Copenhagen
www.asmu.dk

**Fransa**
*Haxahus: The Witches' House*
Place de l'Église, 68750 Bergheim
www.haxahus.org
16. yüzyıl sonu ve 17. yüzyıldaki meşhur cadı mahkemelerinin düzenlendiği mekân.

*Maison de la Magie Robert-Houdin*
1 Place du Château, 41000 Blois
www.maisondelamagie.fr
*Musée de la Sorcellerie*
La Jonchère, 18410 Blancafort
www.musee-sorcellerie.fr

**Almanya**
*Alte Burg Penzlin*
Warener Chaussee 55a, D-17217 Penzlin
Ortaçağ'ın sonlarında ve modern dönemin ilk yıllarında cadılara yapılan zulme odaklanan bir müze. "Cadı zindanları"nın günümüze kadar kalmış tek örneği burada görülebilir.

*Magicum: Berlin Magic Museum*
Große Hamburger Str. 17, 10115 Berlin
www.magicum-berlin.de
Astroloji, cadılık ve okült büyü temalarını din bağlamında ele alan bir müze.

*Museum Hexenbürgermeisterhaus Lemgo*
Breite Str. 17–19, D-32657 Lemgo
www.hexenbuergermeisterhaus.de
Eski bir cadı avcısının evi. Bölgedeki cadılık faaliyetlerinin tarihine ışık tutan eserler sergileniyor.

**İzlanda**
*Museum of Icelandic Sorcery and Witchcraft* (İzlanda Büyücülük ve Cadılık Müzesi)
www.galdrasyning.is
İzlanda'nın büyücülük tarihine dair eserlerin ve büyücü asalarının sergilendiği bir müze – aynı zamanda meşhur "ölü pantolonlar" da burada görülebilir.

**İtalya**
*Museo dei Tarocchi*
Via Arturo Palmieri, 5/1 Riola, 40038 Vergato, Bologna
www.museodeitarocchi.net
15. yüzyıl sonrası Tarot tarihini ele alan bir müze.

*Museo di Triora: Etnografico e della Stregoneria*
Corso Italia 1, 18010 Triora IM
www.museotriora.it
İtalya'nın Salem'i olarak da anılan Triota kenti 16 yüzyıl sonlarında cadı idamlarıyla nam salmıştı. Kentte müzenin yanı sıra, cadı sığınağı olduğu iddia edilen La Cabotina da ziyaret edilebilir.

**Meksika**
*Mercado de Sonora*
Mexico City, Mexico
www.mercadosonora.com.mx
Büyü malzemeleri satılan bir pazaryeri.

**Hollanda**
*Amsterdam Theosophical Library*
Tolstraat 154, 1074 VM Amsterdam
www.theosofie.nl
Sadece randevu sistemiyle erişime açılan kapsamlı bir ezoterik kitaplar koleksiyonu.

*Bibliotheca Philosophica Hermetica*
Keizersgracht 123, 1016 KV Amsterdam
www.ritmanlibrary.com
Halka açık olan bu "Hermesçi kütüphane" muazzam bir kitap ve baskı koleksiyonu sunar. Düzenli olarak Hermetizm temalı sergiler düzenlenir.

*Museum de Heksenwaag*
Leeuweringerstraat 2, 3421 AC Oudewater
www.heksenwaag.nl
"Cadı Kantarı" adlı bu müzede, cadı avı sergisinin yanı sıra, cadı tartmak için kullanılan kantarlar da sergilenir.

**Portekiz**
*Quinta da Regaleira*
2710-567 Sintra
www.regaleira.pt
Bu görkemli evde tuhaf yeraltı odaları ve Tarot ritüellerinde kullanılan "inisiasyon kuyuları" bulunmaktadır.

**Güney Kore**
*Gahoe Museum*
17 Bukchon-ro 12-gil, Jongno-gu, Seoul
gahoemuseum.org (Korece)
Şamanist sanat eserlerinin ve büyük bir muska koleksiyonunun sergilendiği müze.

*Museum of Shamanism* (Şamanizm Müzesi)
952-13, Jeongneung-3 dong, Seongbuk-gu, Seoul
shamanismmuseum.org (Korece)

**İspanya**
*Museo de Brujería y Supersticiones del Moncayo*
Calle Sagrado Corazón de Jesús s/n, 50583 Trasmoz, Aragón
www.turismodezaragoza.es

*Museo de la Brujería de Segovia*
Daoiz 9, Segovia, Castilla y León
*Museo de las Brujas*
Calle de Beitikokarrika 22, 31710 Zugarramurdi, Navarra
www.turismozugarramurdi.com
Cadılar kasabası olarak da bilinen Zugarramurdi'de bu cadılık müzesinin yanı sıra, cadıların buluşma yeri olduğu iddia edilen bir dizi mağara bulunmaktadır.

*Museo Lara*
Calle Armiñán 29, 29400 Ronda, Andalucia
www.museolara.org
Cadılık ve Engizisyon tarihinde uzmanlaşan bir müze.

**İsviçre**
*Hexenmuseum Schweiz*
Mühliacherweg 10, 5105 Auenstein
www.hexenmuseum.ch

*Museum Klösterli, Schloss Wyher*
Postfach 71, 6218 Ettiswil
www.historischesmuseum.lu.ch
Alpler'in bu bölgesindeki büyü ve din tarihinde uzmanlaşan müze.

**Birleşik Krallık**
*Atlantis Bookshop*
49A Museum St, London WC1A 1LY
www.theatlantisbookshop.com
Londra'nın en eski bağımsız okült kitapevi 1922'de kurulmuştur. Düzenli müşterileri arasında Aleister Crowlet ve Gerald Gardner gibi isimler vardır. Kitabevinde özel toplantılar ve atölyeler de düzenlenmektedir.

*The British Museum*
Great Russell St, London WC1B 3DG
www.britishmuseum.org
*Maqlû* levhaları, John Dee'nin kehanet aynası, çeşitli kristal küre ve mühürler gibi büyücülükle ilgili objelerin de sergilendiği müze.

*The Hellfire Caves*
Church Lane, West Wycombe, High Wycombe, Buckinghamshire HP14 3AH
www.hellfirecaves.co.uk
Sör Francis Dashwood'un Hellfire Kulübü'nün buluşma yeri olan mekânın kara büyü için de kullanıldığı iddia edilir.

*Horniman Museum and Gardens*
100 London Road, Forest Hill, London SE23 3PQ
www.horniman.ac.uk
Bir muska koleksiyonu ve Haiti vudu mabetleri içeren bir antropolojik koleksiyona ev sahipliği yapan bir müze.

*The Magic Circle Museum* (Sihirli Çember Müzesi)
12 Stephenson Way, London NW1 2HD
www.themagiccircle.co.uk
Sanhe sihirbazlığının altın çağından kalma objelerden oluşan zengin bir koleksiyon sunar. Müzeye erişim için önceden rezervasyon yapılması gerekir.

*Mother Shipton's Cave* (Mother Shipton Mağarası)
Prophecy Lodge, High Bridge, Knaresborugh, North Yorkshire HG5 8DD
www.mothershipton.co.uk
Cadı ve Kâhin Mother Shipton'un yaşadığı iddia edilen muhteşem bir mağara.

*Museum of Witchcraft and Magic* (Cadılık ve Büyücülük Müzesi)
Boscastle, Cornwall PL35 0HD
www.museumofwitchcraft.com
Dünyanın en büyük ve en bilinen cadılık koleksiyonunu sunan cadılık ve büyücülük müzesi.

*Pitt Rivers Museum*
Parks Road, Oxford OX1 3PW
www.prm.ox.ac.uk
Oxford Üniversitesi'nin yaklaşık 6.000 tılsım ve muska içeren antropolojik koleksiyonuna ev sahipliği yapan müze.

*Treadwell's Bookshop*
33 Store St, London WC1E 7BS
www.treadwells-london.com
Londra'nın en bilinen ezoterik kitabevi. Tören aletlerinin de satıldığı kitabevinde özel buluşmalar da düzenlenmektedir.

**Amerika Birleşik Devletleri**
*John G. White Folklore Collection (*John G. White Folklor Koleksiyonu)
Cleveland Public Library, 325 Superior Avenue NE, Cleveland, OH 44114
www.cpl.org
Kapsamlı bir okült eserler koleksiyonu.

*Livingston Masonic Library* (Livingston Mason Kütüphanesi)
Grand Lodge of the State of New York, 71 W 23rd Street, 14th Floor, New York, NY 10010
www.nymasoniclibrary.org
Okült, ezoterik ve hermesçi yayınlara ağırlık veren bir Mason kütüphanesi. Kütüphane halka açıktır.

*New Orleans Historic Voodoo Museum* (New Orleans Tarihi Vudu Müzesi)
724 Dumaine St, New Orleans, LA 70116

*Rosicrucian Park*
1660 Park Avenue, San Jose, CA 9519
www.rosicrucianpark.org
Mısır Müzesi ve Simya Müzesi'ni de bünyesinde barındırır.

*Salem Witch Museum* (Salem Cadı Müzesi)
19½ Washington Square North, Salem, MA 01970
www.salemwitchmuseum.com

*The Warrens' Occult Museum* (Warren Ailesi Okült Müzesi)
466–482 Monroe Turnpike, Monroe, CT 06468
www.warrens.net
Perili nesneler koleksiyonuyla nam salan müze, paranormal olayları araştıran Ed ve Lorraine Warren çiftine aittir.

*Witch Dungeon Museum* (Cadı Mahzeni Müzesi)
16 Lynde St, Salem, MA 01970
www.witchdungeon.com

# GÖRSELLER LİSTESİ

Kısaltmalar:
BI = Bridgeman Images; SM = Science Museum, Londra; WI = Wellcome Images; WL = Wellcome Library, Londra

1 'Şeytana sunulan balmumu bebekler', *The history of witches and wizards: giving a true account of all their tryals in England, Scotland, Swedeland, France, and New England; with their confession and condemnation* (Londra: T. Norris, 1720) kitabından. WL. WI.
2 Francisco José de Goya y Lucientes, *Cadıların Sabbatı*, 1797–8. Tuval üzerine yağlıboya. Museo Lázaro Galdiano, Madrid.
4–5 (arka plan) İllüstrasyon Mihai's Place/ Shutterstock.com.
6 Bir büyücü dünya üzerinde ilahi güce sahip olmak için ritüel düzenliyor, 19. yüzyıl. Renkli leke baskı. WL. WI.
8 Güney Alaska Eskimo Şaman maskesi, 20. yüzyıl başı. Ahşap. Thomas Burke Memorial Washington State Museum, University of Washington.
9 Renkli oyma, *yak.* 17. yüzyıl, Nicolas Flamel'den kopya. WL. WI.
10 Francis Barrett, *The Magus, or Celestial Intelligencer; being a compleat system of Occult Philosophy*, 1801 kitabının bir nüshasına tutturulmuş renkli şema. Kalem ve suluboya. WL. WI.
11 Raffaello, *Hezekiel'in Düşü*, *yak.* 1518. Pano üzerine yağlıboya. Palazzo Pitti, Floransa.
12 Ivan Bilibin, *Binbir Gece Masallari*'ndaki "Sihirli Halı" öyküsünün çizimi, 1934.
13 Guvaş çizim. WL. WI.
14 *Compendium rarissimum totius Artis Magicae sistematisatae per celeberrimos Artis hujus Magistros. Anno 1057. Noli me tangere*'den, *yak.* 1775, MS 1766. Suluboya. WL. WI.
15 Francisco José de Goya y Lucientes, *Cadıların Uçuşu*, 1797–8. Tuval üzerine yağlıboya. Museo del Prado, Madrid.
16 Sir James Thornhill'in Bir Müridi, *Sir Isaac Newton*, 1710. yağlıboya tablo. WL. WI.
17 'Ruhun Ağacı', William Law'un *The works of Jacob Behmen, the Teutonic theosopher: to which is prefixed the life of the author; with figures illustrating his principles, left by the Reverend William Law, M.A.*'deki (Londra, 1764) çizimi. Fotoğraf: Eileen Tweedy.
18 A. de Para d'Hermes, El Falıyla Kehanet Oyunu, 19. yüzyıl sonu. Özel koleksiyon/ Arşiv Charmet/BI.
20–21 Jacob Cornelisz. van Oostsanen, *Saul and the Witch of Endor*, 1526. Pano üzerine yağlıboya. Rijksmuseum, Amsterdam.
22 H. Breuil, tarihöncesi mağara resmi çizimi, Trois Frères, Ariège, Fransa.
23 Oymalı muska, Mısır, 1786–725 İÖ. Kahverengi stetit. Los Angeles County Museum of Art, Hyatt Robert von Dehn'in bağışı (M.69.91.238).
24 Cippus, 380–343 İÖ. Siyah stetit. Walters Art Museum, Baltimore, Maryland.
25 Prototarihsel mağara resmi. Vitlycke Museum, Tanum, Bohuslan, Sweden/BI.
26 Kilden karaciğer, *yak.* İÖ 1830–1530 akg-images/Bible Land Pictures/Z. Radovan/ www.BibleLandPictures.com.
27 Kilden rölyef pano. British Museum, Londra. Fotoğraf: BabelStone.
28 Ashurbanipal, Neo-Assyrian, Kouyunjik Kütüphanesi'nden *Maklû* tablet. © Londra, British Museum Mütevellileri.
29 Asur tanrıları huzurunda su içen ya da arayan kral, 19. yüzyıl. Gravür. Özel koleksiyon/Look and Learn/BI.
30 Sentinum, Sassoferrato, İtalya'da bir Roma villasındaki mozaik, *yak.* İS 200–250. Glyptothek, Münih.
31 Vivant Denon'dan kopyalayan John Chapman, Mısır Zodyak'ının renkli gravürü, Dendera. WL. WI.
32 Zodyak simgeleriyle çevrili adam, 1795. Elyazması. WL. WI.
33 Ağaç baskı, *yak.* 1583. WL. WI.
34 Tycho Brahe, *Astronomiae instauratae mechanica'dan* (Wandsbeck, *yak.* 1598).
35 Anonim sanatçı, 1825. Suluboya. WL. WI.
36 Brunetto Latini, *Le Livre du Tresor*, 1425'ten Italian School, 'Büyücü Zerdüşt', Add. MS 39844, fol. 51. British Library, Londra. British Library Board. Bütün Hakları Saklıdır/BI.
37 *Zerdüşt, Clavis Artis'ten*, 1738, MS-2-27. Biblioteca Civica Hortis, Trieste.
38 Batlamyos döneminden kalma papirüs, İÖ 4. yüzyıl. Brooklyn Museum of Art, New York/BI.
39 Deir el-Medina, Teb'deki Pashedu mezarından boyalı kireçtaşı süsleme, İÖ 1292–1073. The Art Archive/Gianni Dagli Orti.
40 üstte *Ba kuşu muskası*, İÖ 4. yüzyıl. Laciverttaşı, turkuaz ve stetit kakmalı altın. Los Angeles County Museum of Art, William Randolph Hearst Collection (50.22.19).
40 altta *Papyros Ebers'ten Ebers Papirüsü repródüksiyonu* (Leipzig: W. Englemann, 1875). WL. WI.
41 Hunefer Papirüsü'nden "Kalbin Tartılması" sahnesi, *yak.* İÖ 1285. British Museum, Londra.
42 Mısır muskası, İÖ 724–31. Faience. Los Angeles County Museum of Art, William Randolph Hearst Foundation (50.4.6.9).
43 sol üstte Papua Yeni Gine'den tılsım. SM. WI.
43 üst ortada Johannes de Cuba'dan, *Hortus Sanitatis* (Paris, 1498).
43 sağ üstte Mısır muskası, İÖ 2000–100. SM. WI.
43 alt solda Sioux muskası, *yak.* 1900. SM. WI.
43 sağ altta Kolye, Ortadoğu, 1880–1930. SM. WI.
44 Sudan muskası, 18. yüzyıl. WL. WI.
45 üstte Yahudi muskası. Sağ sayfası ve deri mahfazası. WL. WI.
45 altta John Dee'nin Tanrı'nın Mührü. British Museum, Londra. Photo Vassil.
46 Jean-François Champollion, *Panthéon égyptien: collection des personnages mythologiques de l'ancienne Égypte'den* (1823–5) Léon-Jean-Joseph Dubois çizimi. Brooklyn Museum of Art, New York/BI.
47 Thot ve kâtip, Amarna, Mısır'dan heykelcik, *yak.* İÖ 1340. Egyptian Museum, Kahire. akg-images/Erich Lessing.
48 Aziz Isidore'nin Vizigot-İberya İncili'nden ayrıntı, İS 960, fol. 36r. Archivo Capitular de la Real Colegiata de San Isidoro, León/BI.
49 'Kurbağa Vebası'. Gravür. WL. WI.
50 Eyn-dor Cadısı Samuel'i diriltirken yere yıkılan Saul. Ahşap gravür. WL. WI.
51 Salvator Rosa, *Apparition of Samuel to Saul*, 1668. Louvre Museum, Paris.
52 Andreas Brugger, St Verena Parish Church, Bad Wurzach, fresk. Photo Andreas Praefcke.
53 Kral Süleyman'ın resmedildiği vitraydan ayrıntı, 13. yüzyıl başı. Chartres Cathedral, France. Fotoğraf Painton Cowen.
54 *I Ching* yıldızları. Leibniz Archive, Niedersächsische Landesbibliothek, Hannover.
55 sol üst Gan Bozong'un ağaç baskısının çizimi, Chen Jiamo, *Bencao mengquan'dan* (İlaçlar Kitabına Giriş; 1573–1620). WL. WI.
55 sağ üst Kâhin kemiği, Xiaotun, Anyang İlçesi, Henan Vilayeti, Çin, *yak.* İÖ 1300–1050. Pictures from History/BI.
55 altta Joseph Needham, *Science and Civilisation in China'dan çizim* (1954–), C. V, fig. 125.
56 Pers savaşçı, İÖ 10–6. Yüzyıl. Altın folyo. Oxus Hazinesi, Turkistan. British Museum, Londra. akg-images/Erich Lessing.
57 Tsukioka Yoshitoshi, *Songoku ve Ay Tavşanı*, 1889. Baskı.
58 John William Waterhouse, *Circe Offering the Cup to Odysseus*, 1891. Tuval üzerine yağlıboya. Gallery Oldham, Oldham, BK.
59 solda Asa, *yak.* İÖ 1880–1700. Suaygırı dişi. Walters Art Museum, Baltimore, Maryland.
59 sağda Kötülüğe karşı koruyucu asa. Suaygırı dişi. British Museum, Londra.
60–61 John William Waterhouse, *Circe (The Sorceress)*, 1911. Özel koleksiyon/Fotoğraf © Peter Nahum at The Leicester ralleries, London/BI.
62 Bir kylix'ten kesit, İÖ 440. Antikensammlung, Staatliche Museen zu Berlin.
63 Eglon van der Neer, *Kirke Scylla'yı Yaratığa Dönüştürerek Glaukus'u Cezalandırıyor*, 1695. Tuval üzerine yağlıboya. Rijksmuseum, Amsterdam.
64 solda Bronz el, Roma, İS 1–2. yüzyıl. British Museum, Londra. Fotoğraf Mike Young.
64 sağda Isis, Athanasius Kircher, *Oedipus Aegyptiacus'tan* (Roma, 1652–4), C. 1.
65 Pompeii'deki Isis Tapınağından Roma freski Museo Archeologico Nazionale, Napoli.
66 Codex Medicina Antiqua, 13. yüzyıl, fol. 61v. Codex Vindobonensis 93, Austrian National Library, Viyana.
67 Hadrian Villasından mozaik, *yak.* İS. 130. Altes Museum, Berlin. Photo Carole Raddato.
68 Johann Georg Platzer, *Latona Turning the Lycian Peasants into Frogs*, 1730. Bakır üzerine yağlıboya. Minneapolis Institute of Art.
69 Bir Yunan kupasından renkli mürekkep çizim, İÖ 5. yüzyıl başı. WL. WI.
70 William Blake, *The Night of Enitharmon's Joy* (The Triple Hecate), *yak.* 1795. National Gallery of Scotland, Edinburgh.
71 Yunan Hekate heykelinin Roma kopyası, İS 1 yüzyıl. Mermer. Rijksmuseum van Oudheden, Leiden. Fotoğraf Rob Koopman.
72 H. S. Thomassin'in Demaretz'i model aldığı gravür. WL. WI.
73 J. T. Webb, *The Astrologer's Guide or Magician's Companion*, 1827'den. WL. WI.
74 Henry Pierce Bone, *Incantation Scene*, 19. yüzyıl başı. Suluboya. Yale Center for British Art, Paul Mellon Collection.
75b Utagawa Kuniyoshi, *Kiyomori Arresting the Sunset by Incantations*, 19. yüzyıl. Özel koleksiyon /BI.
76 G. B. Castiglione oyması, 17. yüzyıl. WL. WI.
77 J. W. Waterhouse, *Circe Invidiosa*, 1892. Tuval üzerine yağlıboya. Art Gallery of South Australia, Adelaide.
78 Johann Erdmann Hummel, *Roma Aşk Büyüsü*, 1848. Tuval üzerine yağlıboya. Germanisches Nationalmuseum, Nuremberg/akg-images.
79 sol üstte John G. Gager, *Curse Tablets and Binding Spells from the Ancient World* (Oxford: Oxford University Press, 1992) kitabından.
79 sağ üstte Bir Roma lanet tableti. İllüstrasyon Celia Sánchez Natalías.
79 altta Roma lanet tableti. British Museum, Londra. © Marie-Lan Nguyen/ Wikimedia Commons/CC-BY 2.5.
80 Pompeii'deki Villa del Cicerone'dan Samoslu Dioscorides mozaiği. Museo Archeologico Nazionale, Naples.
81 Pompeii, Dioscuri Evinden fresk, İS 1. yüzyıl. Museo Archeologico Nazionale, Naples. De Agostini Picture Library/G. Nimatallah/BI.
82 Hieronymus Bosch (atıf), *Gözbağcı*, *yak.* 1496–1520. Pano üzerine yağlıboya. Musée Municipal, Saint-Germain-en-Laye.
83 'Tours de Gibecière', 18. yüzyıl. Gravür.
84 Mısır papirüsü, İS 3. yüzyıl. P. Warren 21. Leiden Papyrological Institute.
85 Mısır papirüsü, İS 4. yüzyıl. P. Oslo inv. 434. University of Oslo.
86 Bartholomeus Spranger, *Hercules, Deianira and the Centaur Nessus*, 1580–82. Tuval üzerine yağlıboya. Kunsthistorisches Museum, Viyana.
87 Lower Rhine Master, *Aşk Büyüsü*, *yak.* 1470. Ahşap üzerine yağlıboya. Museum der Bildenden Kunst, Leipzig. akg-images.
88 John William Waterhouse, *Tristan and Isolde with the Potion*, *yak.* 1916. Tuval üzerine yağlıboya. Özel koleksiyon.
89 solda *Süleyman'ın Anahtarı'ndan*, MS 2348. Bibliothèque de l'Arsenal, Paris.
89 sağda Çivili Mısır heykelciği, İS 4. yüzyıl. Kil ve tunç. Louvre Museum, Paris. © Marie-Lan Nguyen/Wikimedia Commons/CC-BY 2.5.
90 Oswald Croll, *Basilica Chymica'dan* (Frankfurt, 1609). WL. WI.
91 Daniel Stolcius, *Viridarium Chymicun'dan* (1624). WL. WI.
92 Master of Pedret, Apse of Santa Maria d'Àneu (detay), 12. yüzyıl başı. Tuvale aktarılmış fresk. Museu Nacional d'Art de Catalunya, Barselona.

93 Raffaello, *Hezekiel'in Düşü*, *yak.* 1518. Pano üzerine yağlıboya. Palazzo Pitti, Floransa.
94 Ferdinand Bol, *Moses Descends from Mount Sinai with the Ten Commandments*, 1662. Royal Palace of Amsterdam.
95 Paulus Ricius, *Portae Lucis'ten* (Augsburg, 1516).
96 Gertrude Landa, *Jewish Fairy Tales and Legends'dan* (1919).
97 Silifke, Mezopotamya'dan büyü kâsesi. Kelsey Museum of Archaeology, University of Michigan.
98 Raphael Cartoons'tan kopyalayan George Baxter, 'Elymas, the Sorcerer, Struck Blind', *The Conversion of the Proconsul'dan*, 1855 sonrası. Leke baskı.
99 Hieronymus Bosch'un bir öğrencisi, *St James and the Magician Hermogenes*, 1550–75. Pano üzerine yağlıboya. Musée des Beaux-Arts de Valenciennes.
100 Mantegna'dan kopyalayan Mariannecci'den kopyalayan Storch & Kramer, renkli taş baskı. WL. WI.
101 Leonaert Bramer, *The Fall of Simon Magus*, 1623. Bakır üzerine yağlıboya. Musée des Beaux-Arts, Dijon.
102–103 'The Festival of the Britons at Stonehenge', S. R. Meyrick ve C. H. Smith, *Costume of the Original Inhabitants of the British Isles* (Londra, 1815).
105 'Merlin Building Stonehenge', *Roman de Brut'tan*, Fransız elyazması, 14. yüzyıl. British Library, Londra.
106 Julius Schnorr von Carolsfeld, *Death of Siegfried*, 1828–34. Fresk. Nibelungen Halls, Munich Residence.
107 18. yüzyıl İzlanda elyazmasının ilk sayfası İB 299 4to. National and University Library of Iceland, Reykjavik.
108 Akseli Gallen-Kallela, *Forging of the Sampo*, 1893. Tuval üzerine yağlıboya. Ateneum Art Museum, Finnish National Gallery, Helsinki, Finlandiya/BI.
109 Charles Squire, *Celtic Myth and Legend'dan illüstrasyon* (Londra, 1905). Özel koleksiyon/The Stapleton Collection/BI.
110 S. Lanier (ed.), *The Boy's Mabinogion; being the earliest Welsh tales of King Arthur in the famous Red Book of Hergest'tan* (Londra, 1881). akg-images/British Library, London.
111 Jean-Auguste-Dominique Ingres, *The Dream of Ossian*, 1813. Tuval üzerine yağlıboya. Musée Ingres, Montauban/BI.
112 Francesco Petrarca, *Von der Artzney bayder Glueck'ten* (Augsburg, 1532). akg-images.
113 Codex Laud'dan ayrıntı, Bodleian Library, Oxford. Werner Forman Archive/BI.
114 Büyü şeması, İran, 19. yüzyıl ortası. WL. WI.
115 Pirinç kehanet kâsesi, Ortadoğu, 19. yüzyıl. SM. WI.
116 Ökseotu kesen Druidler gravürü, F. Hayman'dan kopyalayan S. F. Ravenet, 1752. WL. WI.
117 Henri-Paul Motte, *Ayın Altıncı Gününde Ökseotu Toplayan Druidler*, 1922 öncesi. Tuval üzerine yağlıboya. Özel koleksiyon /Photo Peter Nahum at The Leicester Galleries, London/BI.c
118 'Yargılayan Baş Druid', S. R. Meyrick ve C. H. Smith, *Costume of the Original Inhabitants of the British Isles'dan* (Londra, 1815).
119 Armand Laroche, *The Druidess*, 1903 öncesi. Tuval üzerine yağlıboya. Özel koleksiyon/BI.
120 Viktor M. Vasnetsov, *Ivan Zarevitch on the Grey Wolf*, 1889. Tuval üzerine yağlıboya. Tretyakov Gallery, Moskova.
121 Delphoi'de Pythia oyması, *yak.* 1880, yayın yılı 1890. WL. WI.
122 'View of Stonehenge', Joan Blaeu, *Atlas Maior'dan* (1662–5).
123 İnisiasyon kuyusu, Quinta da Regaleira, Sintra, Portekiz. Fotoğraf Stijndon.
124 Karl Gjellerup, *Den ældre Eddas Gudesange'dan* (1895).
125 Albin Egger-Lienz, *Huld*, 1903. Tuval üzerine yağlıboya. Schloss Bruck, Lienz.
126 Gotland'dan yılan kalıntılarıyla dolu Viking madalyonu. Bakır. The Art Archive/Statens Historiska Museum, Stockholm/Werner Forman Archive.
127 J. Doyle Penrose çizimi, Donald A. Mackenzie, *Teutonic Myth and Legend'dan* (1912). The Art Archive/CCI.
128 Ferrara School, *The Ring of Gyges*, 16. yüzyıl. Pano üzerine yağlıboya panel. Özel koleksiyon.
129 Henry Dawson Lea ve Frederick Hockley, *Five Treatises upon Magic'ten* (1843–69). WL. WI.
130 Arthur Rackham çizimi, *The Romance of King Arthur and His Knights of the Round Table* (1920).
131 Sun Wukong, *Batı'ya Yolculuk*, 19. yüzyıl.
132 Funen, Danimarka'da bulunmuş Funen bürgücüğü (DR BR42). National Museum of Denmark. Photo Bloodofox.
133 Jenny Nyström, 'Sigurd hos Brynhild', Fredrik Sander, *Edda Sämund den vises*'ten(1893).
134 Kırmızı ibareli Viking run taşı, *yak.* 787–1100. Ashmolean Museum, University of Oxford/BI.
135 MS lbs 143 8v, National and University Library of Iceland, Reykjavik.
136 Hartmann Schedel, *Nuremberg Chronicle'dan* (1493).
137 Edward Burne-Jones, *The Beguiling of Merlin*, 1874. Tuval üzerine yağlıboya. National Museums Liverpool, Lady Lever Art Gallery.
138 Bir İtalyan elyazmasından minyatür, *yak.* 1370–80, MS Fr. 343, fol. 3. Bibliothèque Nationale de France, Paris.
139 Mozaikte Kral Arthur, *yak.* 1165. Otranto Katedrali, İtalya.
140 Frank William Warwick Topham, *Voyage of King Arthur and Morgan Le Fay to the Isle of Avalon*, 1888. Tuval üzerine yağlıboya. Özel koleksiyon.
141 Edward Burne-Jones, *The Last Sleep of Arthur in Avalon*, 1881–98. Tuval üzerine yağlıboya. Museo de Arte de Ponce, Puerto Rico/BI.
142 solda *The Story of King Arthur and His Knights'tan* (1903) Howard Pyle illüstrasyonu.
142 sağda Aubrey Beardsley, 'How Morgan le Fay Gave a Shield to Sir Tristram', Sir Thomas Malory, *Le Morte d'Arthur* (Londra: Dent, 1894).
143 Frederick Sandys, *Morgan-le-Fay*, 1863–4. Ahşap pano üzerine yağlıboya. Birmingham Museum and Art Gallery.
144–5 Claes Jacobsz. van der Heck, *Witches' Sabbath, Allegory of Vice*, 1636. Pano üzerine yağlıboya. Rijksmuseum, Amsterdam.
146 Salomon Trismosin, *Splendor Solis'teki minyatürü model alan suluboya* (16. yüzyıl). WL. WI.
147 J. Nasmyth'in Roger Bacon oyması, 1845. WL. WI.
149 Bulgaristan, Rila Manastır Kilisesinin dış duvarındaki resim, 19. yüzyıl başı. Fotoğraf Nenko Lazarov, editör Martha Forsyth.
150 Kan çekme çizelgesi, *yak.* 1420–30. *Apocalypsis S. Johannis cum glossis et Vita S. Johannis; Ars Moriendi* …, MS 49. Mürekkep ve Suluboya. WL. WI.
151 Gül Pencere, Lozan Katedrali, 13. yüzyıl. Fotoğraf Painton Cowen.
152 'Man the Microcosm', Robert Fludd, gravürü *Utriusque Cosmi* … (1617–21). WL. WI.
153 Evrenin kürelerini döndüren melekler, 14. yüzyıl, MS Harley 9440, fol. 28. British Library, Londra.
154 *Cyprianus'tan*, 18. yüzyıl. WL. WI.
155 *Compendium rarissimum totius Artis Magicae sistematisatae per celeberrimos Artis hujus Magistros. Anno 1057. Noli me tangere'den*, *yak.* 1775, MS 1766. WL. WI.
156 Henry Dawson Lea ve Frederick Hockley, *Five Treatises upon Magic'ten* (1843–69). Kalem ve Suluboya. WL. WI.
157 *Cyprianus'tan*, 18. yüzyıl. WL. WI.
158, 159, 160 sol altta, 160 sağ altta *Compendium rarissimum totius Artis Magicae sistematisatae per celeberrimos Artis hujus Magistros'tan*, *yak.* 1775, MS 1766. WL. WI.
161 'A Circle for Raising the Mighty Spirit Egin', J. T. Webb, *The Astrologer's Guide or Magician's Companion'dan* (1827). WL. WI.
162 Albertus Magnus öğrencilerine ders veriyor, Gerardus de Harderwyke, *Epitomata* (1496). Ağaç baskı. WL. WI.
163 Ernest Board, *Albertus Magnus Expounding His Doctrines of Physical Science in the Streets of Paris, yak. 1245*, 20. yüzyıl başı. Tuval üzerine yağlıboya. WL. WI.
164 Jacobus de Teramo, *Das Buch Belial'den* (Augsburg, 1473).
165 *Compendium rarissimum totius Artis Magicae sistematisatae per celeberrimos Artis hujus Magistros'dan*, *yak.* 1775, MS 1766. WL. WI.
166 *Le Dragon rouge* (*Grand Grimoire*)'dan, 19. yüzyıl başı.
167 Anonim, 'Hell with Satan and Sinners Being Punished by Demons' (detay), *yak.* 1460–80. Gravür. Rijksmuseum, Amsterdam.
168 Efes halkı Aziz Pavlus önünde büyü kitaplarını yakıyor gravürü, J. Thornhill'den kopyalanmış, 18. yüzyıl. WL. WI.
169 Hammurabi dikilitaşı, Babil, *yak.* İÖ 1750. Louvre, Paris.
170 Fransız Ekolü, 'Tapınak Şövalyelerinin Yakılışı', *yak.* 1308, MS Roy 20 C VII, fol. 44v. British Library, Londra/British Library Yönetim Kurulu. Tüm Hakları Saklıdır/BI.
171 Monet kopyası David oyması, 19. yüzyıl. WL. WI.
172 'La Leçon de grimoire', Stanislas de Guita, *Essais de sciences maudites'tan* (1891), daha eski tarihli bir ağaç baskının kopyası.
173 Grimoire, Sumatra, Endonezya. British Museum, Londra.
174–6 *Süleyman'ın Anahtarı*, İbraniceden Fransızcaya çeviren M. Pierre Morissoneau, 18. yüzyıl sonu. WL. WI.
177 *Cyprianus'tan*, 18. yüzyıl. WL. WI.
178 *Hekimin Elkitabı* (1454). WL. WI.
179 Nicolas de Larmessin II, *Personifications of Medicine, Pharmacy and Surgery* kopyası. Yağlıboya tablo. WL. WI.
180 H. Rowlands, *Mona Antiqua Restaurata'dan* (1766).
181 solda Pseudo-Apuleium, *Herbarium* (1250). WL. WI.
181 sağda Adamotu kökü, *yak.* 1500–1700. SM. WI.
182 Robert Bateman, *Three People Plucking Mandrake*. Guvaş. WL. WI.
183 Dioscorides'in *Materia Medica'sının Arapça tercümesinden "Adamotu"*, 13. yüzyıl. Bodleian Library, Oxford.
184 'The Druids, or the Conversion of the Britons to Christianity', A. Walker oyması, 1758, F. Hayman'ın kopyası. WL. WI.
185 solda H. Lee, *The Vegetable Lamb of Tartary: A Curious Fable of the Cotton Plant* …'tan (Londra: Searle & Rivington, 1887).
185 sağda Yggdrasil, Richard Folkard, *Plant Lore, Legends and Lyrics'ten* (Londra, 1884).
186 Nicolas Flamel gravürü. WL. WI.
187 Nicolas Flamel (*yak.* 1330–1418) tarafından yazılıp resimlendiği varsayılan elyazmasından, MS Fr. 14765, fol. 1. Bibliothèque Nationale de France, Paris/BI.
188–9 Henry Gillard Glindoni, *John Dee Performing an Experiment before Queen Elizabeth I*. Yağlıboya tablo. WL. WI.
190 Domenico Ghirlandaio, *The Angel Appearing to Zacharias* (detay), 1486–90. Fresk, Tornabuoni Chapel, Santa Maria Novella, Floransa.
191 Anonim, Siena Katedrali kaplama, 1480s.
192 Heinrich Cornelius Agrippa von Nettesheim, *Three Books of Occult Philosophy'den* (1651). WL. WI.
193 William Hogarth, *Scene from Shakespeare's 'The Tempest'*, *yak.* 1735. Nostell Priory, Wakefield. Collection Oswald Wakefield.
194 'The Emerald Tablet of Hermes', Heinrich Khunrath, *Amphitheatrum Sapientiae Eternae'den* (1609). WL. WI.
195 Pinturicchio, *Hermes Trismegistus, Isis and Moses*, 1492–5. Fresk. Vatikan, Roma'da Borgia Apartmanı. Vatican Museums.
196 Johann Theodor de Bry, *Giovanni Pico della Mirandola*, *yak.* 1597–9. Gravür. Rijksmuseum, Amsterdam.
197 Cristofano dell'Altissimo, *Pico della Mirandola*, 15th century. Gioviana Collection, Uffizi, Floransa.
198 Andrea Corvo, *Chiromantia'dan* (1581). Renkli ağaç baskı. Fondazione Giorgio Cini, Venice, Italy/Archives Charmet/BI.
199 solda Oyma. WL. WI.
199 sağda Johannes Hartlieb, *Yasak Sanatlar, Batıl İnanç ve Büyücülük Kitabı*, Augsburg, 1456, Cod. Pal. germ. 478. Heidelberg University Library.

200 William Blake, *Newton*, 1795. Kalem, mürekkep ve suluboya çalışılmış renkli baskı. Tate Britain, Londra.
201 Pythagoras gravürü. WL. WI.
202 A. Wagner (ed.), *Opere'den* (1830). WL. WI.
203 Giordano Bruno heykeli, Pietrasanta, Tuscany. akg-images/De Agostini Picture Lib./R. Carnovalini.
204 Giovanni Battista Tiepolo, *Armida'nın Büyülediği Rinaldo*, 1742–5. Tuval üzerine yağlıboya. Art Institute of Chicago.
205 Giovanni Battista Tiepolo, *Rinaldo ve Büyücü Ascalon*, 1742–5. Tuval üzerine yağlıboya. Art Institute of Chicago.
206 solda, 206 sağda Gustave Doré, 'Ruggiero Rescuing Angelica', ve 'Knights and Damsels in Atlantes' Palace, Prisoners of Illusion', Ludovico Ariosto, *Orlando Furioso'dan* (1516).
207 Ben Jonson'un *The Alchemist'inden Simyacı Subtle* (1610). Gravür, C. Grignion, 1791, J. Graham'dan kopyalanmış. WL. WI.
208 William Young Ottley, *Prospero Summoning Ariel*, *yak.* 1800. Hafif pürüzlü, beyaz düz kağıt üzerine suluboya, grafit, guvaş, beyaz tebeşir, kalem ve siyah mürekkep. Yale Center for British Art, Paul Mellon Collection.
209 J. H. Fuseli, *Macbeth and Banquo meet the Three Witches on a Heath kopyası*, 19. yüzyıl. WL. WI.
210 J. Boulanger gravürü, 1765, 'A. L.'. WL. WI.
211 Renkli gravür, 19. yüzyıl. Bibliothèque Nationale de France, Paris/Archives Charmet/BI.
212 J. van de Velde II, 'A Witch at Her Cauldron Surrounded by Beasts', 1626. Oyma. WL. WI.
213 Francisco José de Goya y Lucientes, *The Spell*, 1797–8. Tuval üzerine yağlıboya. Museo Lazano Galdiano, Madrid.
214 Albrecht Dürer, *Dört Cadı*, 1497. Gravür.
215 Pseudo-Bocchi (atıf), *Cücelerle Cadılık*, *yak.* 1700–10. Tuval üzerine yağlıboya. Yale University Art Gallery, Thomas F. Howard bağışı.
216 Matthew Hopkins, *The Discovery of Witches* (1647) kitabının başındaki resimli sayfadan kopyalanmış, 1792 baskısı.
217 'Yaptıkları kötülükler için yakalanan, sorgulanan ve karada ve suda sınanan Cadılar', 1613. WL. WI.
218 *The Discovery of Witchcraft* (1665 edisyonu) kitabının baş sayfasından ayrıntı, Cardiff University Library.
219 Cosmas Damian Asam, St Martin ve Oswald Bazilikası'nda fresk (detay), Weingarten, Württemberg, 1718–20. Fotoğraf Andreas Praefcke.
220 'The Laboratory of Catherine Deshayes', 19. yüzyıl. Gravür. Cabinet des Arts Graphiques, Hôtel Carnavalet, Paris. akg-images/De Agostini Picture Library.
221 Tompkins Harrison Matteson, *The Trial of George Jacobs, 5th August 1692*, 1855. Tuval üzerine yağlıboya. Peabody Essex Museum, Salem, Massachusetts/BI.
222 üstte 5. yüzyıl tarihli bir elyazmasından alınma üç ağızlı damıtma aleti. WL. WI.
222 altta Fransız Ekolü, 'Aristotle and the Philosopher's Stone', 14. yüzyıl. Okült metinler koleksiyonundan bir minyatür. Bibliothèque de l'Arsenal, Paris/Archives Charmet/BI.
223 'Maria the Jewess, Alchemist, 1st century AD', Daniel Stolucio, *Viridarium Chymicum'dan* (1624). WL. WI.
224 Adriaen van Ostade, *An Alchemist*, 1661. Meşe üzerine yağlıboya. National Gallery, Londra.
225 üstte Simya aleti ve metni, 1746. WL. WI.
225 sol altta Raymundus Lullius'un simya süreçleri üzerine elyazmasından. WL. WI.
225 sağ altta Suluboya, 1782. WL.WI.
226 Arnold of Villanova, *Rosarium Philosophorum*, 16. yüzyıl, MS 394a, fol. 92. Stadtbibliotehk Vadiana, St Gallen.
227 Marten de Vos, *An Alchemist Being Tempted by Luxuria*. Yağlıboya tablo. WL. WI.
228 solda Andre Thevet, *Pourtraits et vies des hommes illustres'ten* (1584). WL. WI.
228 sağda Yi Zhenren, *Xingming guizhi* (Ruhsal Doğa ve Bedensel Yaşam Önerileri; 1615). Library of China Academy of Traditional Chinese Medicine. WL. WI.
229 Ernest Board, *Rhazes, Arab Physician and Alchemist, in His Laboratory at Baghdad*, 2o. yüzyıl başı. Tuval üzerine yağlıboya. WL. WI.
230 Moise Charas, *The Royal Pharmacopoea, Galenical and Chymical'dan* (1678). WL. WI.
2311 Ripley Tomarı, *yak.* 1570, Mellon MS 41. Beinecke Library, Yale.
231 ortada Ripley Tomarı. WL. WI.
231 sağda Ripley Tomarı. HM 30313, Huntington Library, San Marino, California.
232 Simya illüstrasyonu, 15. yüzyıl, MS Cod. Pal. lat. 1066, fol. 222v. Biblioteca Apostolica Vaticana, Vatikan.
233 'Mercurius as Man-Woman-Serpent', elyazmasından, 1550. University Library, Basel.
234 Salomon Trismosin, *Splendor Solis'teki minyatürden kopyalanan suluboya çizim* (16. yüzyıl). WL. WI.
235 Nicolas Flamel ve Abraham Eleazar'dan kopyalanan renkli oyma, 17. yüzyıl. WL. WI.
236 John Dee, *Monas Hieroglyphica'dan* (1564), fol. 15r. WL. WI.
237 *Histoire des sorciers'den*, 19. yüzyıl.
238–9 Putlarla dolu vudu sunağı, Abomey, Benin, March 2008. Fotoğraf Dominik Schwarz.
241 Fransız Ekolü, 1811. Renkli gravür. Bibliothèque des Arts Décoratifs, Paris/Archives Charmet/BI.
242 üstte Viktor M. Vasnetsov, *The Flying Carpet*, 1880. Tuval üzerine yağlıboya. Nizhny Novgorod State Art Museum.
242 altta Anonim, Hint astroloğa danışan insanlar, *yak.* 1715–35. Kâğıt üzerine guvaş. Rijksmuseum, Amsterdam, P. Formijne'nin bağışı.
243 Ivan Yakovlevich Bilibin, 'Baba Yaga', 1900. Güzel Vasilisa öyküsünden.
244 Davul çalan Mongol Şaman, Orta Asya. WL. WI.
245 Avustralyalı Şaman ya da büyücü doktor. Renkli baskı. WL. WI.
246 S. Davenport, hasta bir adamı iyileştirmek için ruhları yardıma çağıran Şaman gravürü, 19. yüzyıl. WL. WI.
247 Fransız Ekolü, *Hasta Adama Musallat Olmuş Kötü Ruhalı Kovan Şaman, Siberya*, *yak.* 1811. Renkli gravür. Bibliothèque des Arts Décoratifs, Paris/Archives Charmet/BI.
248 Edward S. Curtis, *A 'Yebichai Sweat' Navajo Medicine Ceremony*, 1904. Gümüş jelatin baskı. WL. WI.
249 Şaman çıngırağı, Haida kabilesi, Kuzeybatı Pasifik. Ahşap ve boya. Yale Peabody Museum of Natural History.
250 George Catlin, *Medicine Man, Performing His Mysteries over a Dying Man (Blackfoot/Siksika)*, 1832. Tuval üzerine yağlıboya. Smithsonian American Art Museum.
251 solda Şaman bebeği, Inuit, Kanada. National Museum of Denmark, Copenhagen/Werner Forman Archive/BI.
251 sağ üstte Oyma ahşap 'ruh maskesi', Alaska, 19. yüzyıl. SM. WI.
251 sağ altta Şaman maskesi, Haida kabilesi, Kuzeybatı Pasifik, 19. yüzyıl. WL.WI.
252 Togoville, Togo'da vudu mihrabı. Godong/UIG/BI.
253 Benin'de bir vudu büyücüsünün tedavi ettiği hastalıkları ve organları listelediği pano. WL. WI.
254 Akodessewa Put Pazarı, Lomé, Togo. Godong/UIG/BI.
255 Haiti Ekolü, vudu sunağı. Karışık. Horniman Museum, Londra/Fotoğraf Heini Schneebeli/BI.
256 *hungan* (erkek papaz) Abraham'ın çizdiği Simbi-yandezi *vévé'si*. Alfred Métraux, *Voodoo in Haiti'den* (1959).
257 Kübalı Palo dini mensubu Santiago de Cuba'daki tapınağın zeminine büyülü bir sembol çiziyor, 1 Ağustos 2009. Fotoğraf Jan Sochor/Getty Images.
258 Tezcatlipoca'yı (Yanan Ayna) temsil eden turkuaz mozaikli karışık teknik kurukafa, 15. veya 16. yüzyıl. British Museum, Londra. Fotoğraf Aiwok.
259 Brezilya dans ritüeli. Godong/UIG/BI.
260 São João de Manguinhos, Bahia, Brezilya'da bir Afrika-Brezilya dini sunağı, 9 Şubat 2012. Fotoğraf Jan Sochor/CON/Getty Images.
261 Dresden Kodeksi'nden, 11. veya 12. yüzyıl. Saxon State Library, Dresden.
262 Sudan muskası, 19. yüzyıl. Kâğıt üzerine mürekkep. WL. WI.
263 29 Kasım 1873 tarihli *Illustrated London News*'dan Mr. Harries'in illüstrasyonu.
264 Ouidah, Benin'deki bir vudu töreninde Nijerya Yaruba cinleri, 11 Ocak 2012. Fotoğraf Dan Kitwood/Getty Images.
265 solda Afrika nkondi heykelciği, Kongo bölgesi. British Museum, Londra.
265 sağda Senufo put heykeli, Côte d'Ivoire, Afrika, 20. yüzyıl. Paçavra ve tüyle kaplanmış ahşap. Los Angeles County Museum of Art, Mr. ve Mrs. Herbert Baker'ın bağışı (M.74.1.5).
266 N. H. Hardy kopyası, Swazi'de bir büyücü doktor ya da Şaman kabilesi önünde bir ritüel icra ediyor. WL. WI.
267 Stanley Wood, *The Prophecy of Masuka*, 1894. WL. WI.
268 Tayland astronomi elyazması. WL. WI.
269 Bali'den kris ve kılıfı, *yak.* 1900. Gümüş, ahşap, yarı-değerli taşlar. Resimlerin alındığı yer: History/Woodbury & Page/BI.
270 üstte Malaya kara büyü efsunu, 19. yüzyıl. WL. WI.
270 altta Bir buffalonun kaburgasından yapılma muska, Batak halkı, Sumatra, 19. yüzyıl. WL. WI.
271 Malayalı şeytan çıkarıcılar ritüel kıyafetleri içinde. Wiele & Klein'ın fotoğrafının yarı tonu. WL. WI.
272 Nicobar adalarından *kareau* heykelciği, *yak.* 1900. Ahşap oyma. WL. WI.
273 Büyük Pustaha, 1852–7. Tropenmuseum, Amsterdam. Fotoğraf Tropenmuseum, Amsterdam.
274 solda Japon Ekolü, Zhang Guolao bir atı "boşaltıyor", 19. yüzyıl sonu 20 yüzyıl başı.
274 sağ üstte Zhang Lu, Zhang Guolao tasviri, 16. yüzyıl başı. Altın desenli kâğıt üzerine mürekkep ve açık boya. Shanghai Museum.
274 sağ altta Kaigyokusai Masatsugu (atıf.), Japon *katabori*-tarzı *netsuke* Sanfushi, 19. yüzyıl. Boxwood and mother of pearl. © Russell-Cotes Art Gallery and Museum, Bournemouth/BI.
275 Luo Guanzhong, *Üç Sui İblis Ayaklanmasını Bastırıyor* (*Büyücü Ayaklanması*), 16. yüzyıl.
276 sol üstte Kikuchi Yosai, Abe no Seimei portresi.
276 altta Seimei-i well, Seimei Shrine, Kyoto, Japonya. Fotoğraf Fg2.
277 Kuniyasu, *To Curse a Lover*, *yak.* 1830. Dut kâğıdı üzerine toz boya. Walters Art Museum, Baltimore, Maryland.
278 solda Utagawa Toyokuni III, *Seisho nana i-ro-ha*, 1856. Dut kâğıdı üzerine toz boya. Walters Art Museum, Baltimore, Maryland.
278 sağda Utagawa Kuniyoshi, *Tokaido gojusan tsui*, *yak.* 1845. Dut kâğıdı üzerine toz boya. Walters Art Museum, Baltimore, Maryland.
279 Utagawa Kuniyoshi, *Tenjiku Tokubei Devasa bir Karakurbağasına Biniyor*, 19. yüzyıl.
280 üstte Utagawa Yoshitsuya, *Yorimitsu Hakamadare'yi Büyüsünü Bozarak Yakalamaya Çalışıyor*, 1858.
280 altta Yoshitoshi Taiso, *Goketsu kijutsu kurabe* (Güçlü Büyücüler Müsabakası), 1869.
281 Tsukioka Yoshitoshi, *Hakamadare Yasuke ve Kidomaru'nun Büyü Müsabakası*, 1887–9. F. G. Waller-Fonunun desteğiyle satın alınmıştır. Rijksmuseum, Amsterdam.
282 Hokusai, *Lanetleme Ritüeli İcra eden Kadın*, 19. yüzyıl.
283 Kore Ekolü, Kore Şamanizmi'nden imgelerle dolu sekiz katlı bir panodaniki bölme. Kâğıt üzerine boya. Gahoe Museum, Jongno-gu, South Korea/BI.
284 Venedik Ekolü, *Tekboynuzlu at ve kadın*, *yak.* 1510. Tuval üzerine yağlıboya. Rijksmuseum, Amsterdam.
285 *Compendium rarissimum totius Artis Magicae sistematisatae per celeberrimos Artis hujus Magistros. Anno 1057. Noli me tangere*'den, *yak.* 1775, MS 1766. Suluboya. WL. WI.
286 Utagawa Kuniyoshi, *Takagi Toranosuke Capturing a Kappa Underwater in the Tamura River*, 19. yüzyıl.
287 'Bahram Gur Ejderhayı Öldürüyor', Shahnameh'in bir nüshasından alınma minyatür, 17. yüzyıl. WL. WI.
288–9 Wendel Dockler, *Kilisede Okült*

*Cenaze Yemeği*, 1608. Tuval üzerine yağlıboya. Gemaeldegalerie Alte Meister, Kassel, Almanya/Museumslandschaft Hessen Kassel/Ute Brunzel/BI.
290 *Gemma Sapientiae et Prudentiae'den*, Almanca elyazması, 1735. WL. WI.
291 Theodore de Bry'den kopya Matthëus Merian, *Robert Fludd*, 1626. WL. WI.
292 Athanasius Kircher, *Ars magna lucis et umbrae* (Roma, 1646) kitabının önsayfası. Gravür Petrus Miotte Burgundus.
293 'Şeytanla Dr. Faustus'un Karşılaşması, *yak.* 1825. WL. WI.
294 Sir Isaac Newton, Süleyman Mabedi'nin çizimi, Levha 1 *The Chronology of Ancient Kingdoms Amended'den* (Londra, 1728).
295 Benito Jerónimo Feijóo y Montenegro, *Cartas eruditas y curiosas* (Madrid, 1769) kitabının önsayfası.
296 Jan Luyken, 'Lapland Ceremony with a Magic Drum', 1682. Gravür. Rijksmuseum, Amsterdam.
297 *Ondecking van Tovery* (1638–99) kitabının kapak sayfası. Rijksmuseum, Amsterdam.
298 Astroloji haritası, *yak.* 1840. Renkli taşbaskı. WL. WI.
299 Mascot Roller Mills, Lancaster County, Pennsylvania'da çiftlik evi, 2012. Photo Smallbones.
300 M. van der Gucht'un (1723) W. Faithorne kopyası Elias Ashmole gravürü. WL. WI.
301 Elias Ashmole, *Theatrum Chemicum Britannicum. Containing several poeticall pieces of our famous English philosopers, who have written the Hermetique mysteries* ... (Londra: J. Grismond for N. Brooke, 1652) kitabının kapak sayfası. WL. WI.
302 Jean Eugène Robert-Houdin, 'The Singing Lesson' otomatı, 1844. Karışık teknik. Musée Paul Dupuy, Toulouse/BI.
303 Robert Greene, *The Honorable History of Frier Bacon and Frier Bungay* (Londra, 1630) kitabının başındaki resimli sayfa.
304 Étienne-Gaspard Roberts'in 'fantoskop'unun halka gösterilişi, 1799. akg-images.
305 Étienne-Gaspard Roberts'ın a fantoskop kullanarak ürettiği fantazmagorya, 18. yüzyıl sonu. BI.
306 L. S. Thiery'nin Joseph Pinetti resmi, Joseph Pinetti, *Amusements physiques'den* (1784). Bibliothèque Sainte-Geneviève, Paris/Archives Charmet/BI.
307 Henri Decremps, *La Magie blanche dévoilée* (1784) kitabının kapak sayfası.
308 *Geheime Figuren der Rosenkreuzer aus dem 16ten und 17ten Jahrhundert. Zweites Heft. Aus einem alten Mscpt. zum erstenmal ans Licht gestellt* (Altona, 1788) kitabından.
309 Theophilus Schweighardt (Daniel Mögling), *Speculum Sophicum Rhodo-Stauroticum* (1618) kitabından. Özel koleksiyon/BI.
310 *Hieroglyphische Abbildung und Gegensatz der wahren einfaltigen und falschgenandten Brüder vom RosenCreutz* (*yak.* 1640) kitabından. Gravür. WL. WI.
311–13 *Geheime Figuren der Rosenkreuzer aus dem 16ten und 17ten Jahrhundert* kitabından. 19. yüzyıl başı. WL. WI.
314 solda, 314 sağda İki Mason damalı zemini, J. Bowring, 1819. Photos Eileen Tweedy.
315 Hürmasonluğun kökenlerini gösteren çizim, 19. yüzyıl. Gravür.
316 Bir Hürmason'un inisiasyon töreni. Özel koleksiyon/Photo Tarker/BI.
317 S. Watson'dan hareketle C. Ewart, *Meeting of a Freemason's Lodge*. Oyma. WL. WI.
318 *La Très Sainte Trinosophie*, 1750 kitabından. IAM/akg-images.
319 F. Bartolozzi'den hareketle R. S. Marcuard, *Giuseppe Balsamo Cagliostro*, 1786. Noktalı gravür. WL. WI.
320 'Projecting Magnetism of "Mesmerising"', E. Sibley, *A Key to Magic and the Occult Sciences* (*yak.* 1800) kitabından.
321 Claude-Louis Desrais, 'Mesmeric Therapy'sinden (ayrıntı), *yak.* 1778/84. Yağlıboya. WL. WI.
322 Grillot de Givry, *Le musée des sorciers, mages et alchimistes* (Paris: Librairie de France, 1929) kitabından. Gravür. De Agostini Picture Library/BI.
323 Julie Ribault, 'The Empress Josephine Reveals the Prophecy', 1821. Taşbaskı. Özel koleksiyon/BI.
324–5 William Fettes Douglas, *The Spell*, 1864. Scottish National Gallery, Edinburgh/BI.
326 Francis Barrett, *The Magus, or Celestial Intelligencer; being a compleat system of Occult Philosophy*, 1801 elyazmasının başsayfası. Karakalem ve mürekkep. WL. WI.
327 Carlos Schwabe, 'Salon de la Rose+Croix', 1892. Taşbaskı.
328 Akseli Gallen-Kallela, *The Defence of the Sampo*, 1896. Tempera. Turku Art Museum, Turku.
329 A. C. Hemming, *William Price of Llantrisant (1800–1893), MRCS, LSA, Medical Practitioner, in Druidic Costume, with Goats*, 1918. Yağlıboya tablo. WL. WI.
330 Th. von Holst'tan sonra W. Chevalier 'Frankenstein Observing the First Stirrings of His Creature', Mary Shelley, *Frankenstein*, 1831 kitabından. Gravür. WL. WI.
331 Başlıksız (Bir kadının hayaleti fırtınalı bir gecede katiline musallat oluyor), 1850. Leke baskı. WL. WI.
332 Henry Fuseli (Johann Heinrich Füssli), *The Nightmare*, 1790 91. Tuval üzerine yağlıboya. Goethehaus, Frankfurt.
333 solda Friedrich Schiller'in *Der Geisterseher* (The Ghost-Seer; 1787–9) kitabındaki prens, Conrad Geyer gravürü, *yak.* 1859, Arthur von Ramberg'in bir resminin kopyası.
333 sağda Charles Baudelaire, *Les Fleurs du Mal* (Paris: Charles Meunier, 1900) kitabının baş sayfası. Carlos Schwabe'nin illüstrasyonu.
334 W. W. Rossington ve J. Ellwood Garrett (güfte), 'Spirit Rappings', 1853 şarkısının notalarının kapağı. Rare Book, Manuscript ve Special Collections Library, Duke University.
335 Fox kardeşlerin Rochester, New York'taki ispiritizma deneyi, 1850. Gravür. Fotoğraf © Tallandier/BI.
336 Ouija planşeti, 1880'ler. Gravür.
337 Eusapia Palladino'yla bir seans sırasında havalanan masa, 12 Kasım 1898. Bibliothèque Nationale de France, Paris/Archives Charmet/BI.
338 Jean-Eugène Robert Houdin, 'The Marvellous Orange Tree', 1844.
339 Egyptian Hall Posteri, 1870'ler.
340 Henri Robin'in, Egyptian Hall'deki bir performansının el ilanı, 1850'ler.
341 Wiljalba Frikell'in bir performansının el ilanı, 1847.
342 Pietro Muttoni (Pietro della Vecchia), *A Fortune-Teller Reading the Palm of a Soldier*, 17. yüzyıl. Tuval üzerine yağlıboya. WL. WI.
343 'The Gypsy Fortune-Teller', Dr Jayne'in Expectorant'ı için özel kart, 19. yüzyıl. WL. WI.
344–5 Pratik şiromansi veya el falı konulu İngilizce bir elkitabından çizimler, 1648. WL. WI.
346 Éliphas Lévi, *Dogme et rituel de la haute magie* (1855) kitabından tetragramaton.
347 Éliphas Lévi, *Dogme et rituel de la haute magie* (1861) kitabının baş sayfası.
348 John Hamilton Mortimer, 'A Witch Making a Potion', 20 Temmuz 1773. WL. WI.
349 Ferdinand Landerer, Martin Joachim Schmidt. Oyma. WL. WI.
350 *Compendium rarissimum totius Artis Magicae sistematisatae per celeberrimos Artis hujus Magistros. Anno 1057. Noli me tangere* kitabından, *yak.* 1775, MS 1766. Suluboya. WL. WI.
351 *Süleyman'ın Anahtarı'ndan*, Lansdowne MS 1203, fol. 14. British Library, Londra.
352 *Compendium rarissimum totius Artis Magicae sistematisatae per celeberrimos Artis hujus Magistros. Anno 1057. Noli me tangere*'den, *yak.* 1775, MS 1766. Suluboya. WL. WI.
353 Éliphas Lévi, *Transcendental Magic* (1896) kitabından.
354 Teosofi Cemiyeti'nin mührü.
355 Helena Blavatsky'nin portresi, *yak.* 1880. Siyah beyaz fotoğraf. Underwood Archives/UIG/BI.
356 Samuel Liddell MacGregor Mathers Mısır kıyafetleri içinde, *yak.* 1900. Fotoğraf.
357 Steffi Grant, *Symbol of the Rose and Cross*. Suluboya.
358 Altın Şafak Hermesçi Cemiyeti'nin Gülhaççı sembolü. Özel koleksiyon/BI.
359 Leila Waddell'in *The Sketch*, 24 Ağustos 1910 sayısındaki fotoğrafı.
360 Aleister Crowley, 1902. Fotoğraf © PVDE/BI.
361 Aleister Crowley, tarihi bilinmiyor. Fotoğraf © PVDE/BI.
362–3 Tarot kartları, Besançon, 19. yüzyıl. Bibliothèque Nationale de France, Paris.
364 Farklı destelerden yedi Tarot kartı. Özel koleksiyon/BI.
365: Paul Spangenberg, *What Is in the Cards?*, 1911. Tuval üzerine yağlıboya.
366–7 Kolombiya'da şeytan çıkarma töreni, 15 Mayıs 2013. Fotoğraf Jan Sochor/CON. Getty Images.
368 Avebury, Wiltshire, İngiltere'de çember içinde ritüel düzenleyen beyaz cadılar© Calyx Photo Services.
369 Stonehenge'de Druid töreni. © British Travel and Holidays Association.
370 Bir vudu haçı tutan polis memuru, New Orleans, Louisiana, 17 Haziran 1949. Fotoğraf. © Bettmann/Corbis.
371 Büyü flaması. Royal Ontario Museum, University of Toronto.
372 Mrs. Ray Bone (Eleanor Bone) evinde bir cadılık ritüeli düzenliyor, 1 Mart 1964. Terence Spencer/Getty Images.
373 Doreen Valiente'ni rituel sunağı, 1980'lerin başı. Fotoğraf Stewart Farrar, Janet Farrar ve Gavin Bone'un izniyle.
374 Wicca öğretmeni Lord Hawthorne'un Wicca ritüellerinde kullandığı bazı malzemeler, 16 Aralık 1996. Rick Loomis/Getty Images.
375 Hollanda, Amsterdam yakınlarındaki bir kilisede toplanan Wicca'lar *yak.* 2003. © Floris Leo Berg/The Cover Story/Corbis.
376 Gerald Gardner modern bir cadılık sergisinde, 1951.
377 Gerald Gardner iş başında, Castletown Museum, Witches' Mill, Isle of Man, 1962. Fotoğraf Stewart Farrar, Janet Farrar ve Gavin Bone'un izniyle.
378 Anton LaVey'in portresi. Anton LaVey'in izniyle.
379 *Yüzüklerin Efendisi:Kralın Dönüşü* (2003) filminde Ian McKellan büyücü Gandalf rolünde, yön. Peter Jackson. akg-images/Album/New Line Cinema/Wingnut Films.
380 Erik Satie, 'Sonneries de la Rose+Croix'nın notaları, 1892. Bibliothèque Nationale de France, Paris. The Art Archive/DeA Picture Library.
381 ABD Route 61 ve Route 49'un, Clarksdale, Mississippi'deki kesişimi, 23 Temmuz 2009. www.flickr.com/photos/35017512@N05/3754056188. Photo Joe Mazzola.
382 Dion Fortune'un portresi.
383 Dion Fortune, *Psychic Self-Defence* (yayın yılı 1930) kitabının kapağı.
384, Bergamo'daki Santa Maria Maggiore Bazilikası'nda kakma ağaç iş, Lorenzo Lotto'nun bir tasarımından kopya eden Giovan Francesco Capoferri 1524.
385 Austin Osman Spare, *Prayer*, 1906. Suluboya ve kalem ve mürekkeple guvaş. Özel koleksiyon/Photo The Maas Gallery, Londra/BI.
386 Austin Osman Spare Güney Londra, Brixton'daki evinde 1953. Fotoğraf Bert Hardy/Getty Images.
387 Austin Osman Spare, *Self-Portrait as a Magician*. Özel koleksiyon/BI.
388 Adaklarla dolu sunak, 2010. Fotoğraf Gunnar Creutz.
389 Cadı Caroline Tully Avustralya, Melbourne'daki evinde, 2 Ağustos 2005. Fotoğraf Ryan Pierse/Getty Images.
400 Pers Ekolü, *Zakhira-i Khvarazm Shahi of al-Jurjani* ve *Tashrih-i Mansuri of Mansur Pers elyazmasındaki çizim*. WL. WI.

# DİZİN

İtalik rakamlar illüstrasyonları gösterir.

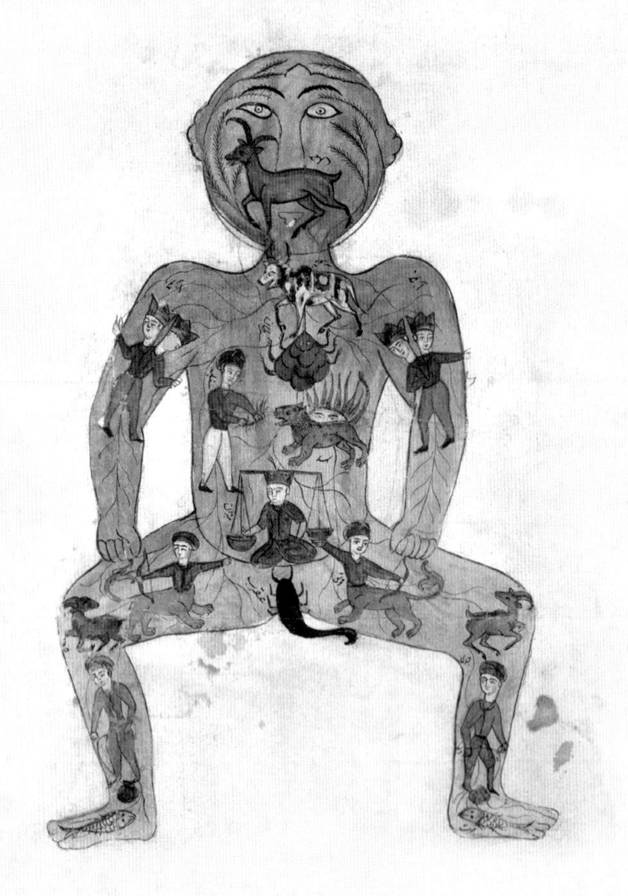

## TEŞEKKÜRLER

Karım Rosa ve kızım Alexandra başta olmak üzere bu kitap üzerine çalışırken bana destek olan herkese teşekkür ederim. Yazışmalarımızda bana yardımcı olan ve çalışmalarının bu kitapta kullanılmasına izin veren yazar ve akademisyenlere de teşekkür borçluyum. Philip Hudson yönetimindeki Thames & Hudson ekibi her zaman olduğu gibi gayet coşkulu, destek verici ve sabırlı davrandı. Editörüm Mark Ralph ve tasarımcım Karin Fremer'e kitap üzerindeki emekleri için özellikle teşekkür etmek istiyorum: Kitaptaki hataların hepsi bana aittir.

Yukarıda: *Bireyle kozmos arasındaki bağı gösteren "Zodyak Adam"ın Pers versiyonu.*
s. 1: *Şeytan, kendisine kukla sunan cadılara görünüyor.*
s. 2: *İblisvari bir tekenin merkezinde bulunduğu Goya tablosu Cadılar Sabbatı.*

Yapı Kredi Yayınları - 4709
Özel

Okült, Cadılık ve Büyü / Christopher Dell
Özgün adı: The Occult, Witchcraft and Magic

Çevirenler: Begüm Kovulmaz, Şeyda Öztürk

Editör: Şeyda Öztürk
Düzelti: Filiz Özkan

Tasarım: Karin Fremer
Türkçe uygulama: Arzu Yaraş

Baskı: Promat Basım Yayın San. ve Tic. A.Ş.
Orhangazi Mahallesi, 1673. Sokak, No: 34 Esenyurt / İstanbul
Sertifika No: 44762

1. baskı: İstanbul, Eylül 2016
5. baskı: İstanbul, Mart 2024
ISBN 978-975-08-5060-8

Çeviriye temel alınan baskı: Thames & Hudson Ltd, Londra, 2016


Sertifika No: 44719



Yapı Kredi Kültür Sanat Yayıncılık Ticaret ve Sanayi A.Ş.
İstiklal Caddesi No: 161 Beyoğlu 34433 İstanbul
Telefon: (0 212) 252 47 00 Faks: (0 212) 293 07 23
https://www.yapikrediyayinlari.com.tr
e-posta: ykykultur@ykykultur.com.tr
facebook.com/yapikrediyayinlari
twitter.com/YKYHaber
instagram.com/yapikrediyayinlari

Yapı Kredi Kültür Sanat Yayıncılık
PEN International Publishers Circle üyesidir.